新☆ハヤカワ・SF・シリーズ

5008

言語都市

EMBASSYTOWN

BY

CHINA MIÉVILLE

チャイナ・ミエヴィル
内田昌之訳

TOKYO
HAYAKAWA
BOOKS

A HAYAKAWA
SCIENCE FICTION SERIES

EMBASSYTOWN
by
CHINA MIÉVILLE

Translated by
MASAYUKI UCHIDA
First published 2013 in Japan by
HAYAKAWA PUBLISHING, INC.
This book is published in Japan by
arrangement with
THE MARSH AGENCY LTD.
acting in conjunction with MIC CHEETHAM AGENCY
through THE ENGLISH AGENCY (JAPAN) LTD.

カバーイラスト　星野勝之
カバーデザイン　渡邊民人（TYPEFACE）

ジェシーへ

以下にあげる方々に深く感謝する——マーク・ボウルド、ミック・チータム、ジュリー・クリスプ、アンドリア・ギボンズ、クローイ・ヒーリー、ディアナ・ホウク、サイモン・キャヴァナ、ピーター・レイヴァリー、エイミー・ラインズ、ファラ・メンドレソーン、デイヴィッド・メンシュ、トム・ペン、マックス・シェーファー、クリス・シュループ、ジェシー・スードルター、カレン・トラヴィス、ジェレミー・トレヴァサン、そしてマクミラン社とデル・レイ社のみなさん。

この語は（それ自身のほかに）なにかを伝える

——ヴァルター・ベンヤミン「言語一般および人間の言語について」

言語都市

大使館のこどもたちはみんな船が着陸するのを見た。教師たちや輪番（シフト）親たちは、何日もまえからこどもたちにその絵を描かせていた。部屋の一方の壁にはこどもたちのさまざまな思いつきが貼りだされていた。こどもたちの想像とはちがって、虚空船はもう何世紀もまえから火を噴くことはなくなっていたのだが、そうやってたなびく尾をつけるのは伝統になっていた。わたしが幼かったときも、やっぱりそうやって船を描いたものだ。

わたしがならんだ絵を見ていたら、となりにいる男も身を乗り出した。「見える？ あれがあなた」わたしは言った。「ほら」船の窓にのぞく顔。男はにっこり笑った。そして簡素に描かれた人物の絵とおなじように舵輪を握っているふりをした。

「かんべんしてね」わたしは壁にならぶ絵を顎でしめした。「わたしたちはちょっと田舎者だから」

「いやいや」操舵員は言った。わたしは彼よりも年上で、ドレスアップしていて、話をするときにスラングをまじえていた。彼はわたしに狼狽させられることを楽しんでいた。「どのみち」彼は言った。「そんなことは……。でも驚きだよ。ここへ来たなんて。この辺境へ。先になにがあるかは神のみぞ知るだな」彼は到着舞踏会へ目をむけた。

パーティならほかにもある——季節もの、送迎、卒業や年越し、十二月の三度のクリスマス。だが、いちばん重要なのはいつだって到着舞踏会だ。気まぐれな貿易風に左右されるため、不定期で、めったに開催されることがない。このときも数年ぶりだった。

外交ホールは混み合っていた。大使館のスタッフといっしょにいるのは、保安要員に、教師や医師に、地元の芸術家たち。孤立した外部コミュニティや隠遁農家からの代表者たち。ごくわずかながらアウトからの新来者もいて、地元民はすぐに彼らの着ている服をまねするはずだった。乗組員は翌日かそのつぎの日に出発することになっていた。到着舞踏会はいつも訪問が終わるころに開催されるので、まるで到着と出発をいっぺんに祝っているような感じになる。

弦楽七重奏団が演奏していた。メンバーに加わっている友人のガーダが、わたしを見て、演奏途中のジグがこまやかさに欠けることを謝罪するかのように眉をしかめた。若い男女がダンスをしていた。上司や目上の人びとにしてみれば、なんとも気恥ずかしい姿ではあったが、そうした年長者たちのほうも、ときおり体をゆらしたり、こっけいなぎこちないピルエットを披露したりして、年下の同業者たちをよろこばせるのだった。

一時的に貼りだされているこどもたちの絵のとなりには、外交ホールの常設の掲示物がならんでいた。油絵やグワッシュ画、スタッフや大使や随行員の2Dおよび3Dの写真。ホストたちの写真まである。この都市の歴史をたどっているのだ。つる植物がパネルの上をアールデコ調のコーニスまでのびてひろがり、分厚い天蓋をかたちづくっていた。木材はそれを支えられる設計になっていた。親指大の蜂カメラが、送信する映像を探してつる植物の葉をかき乱していた。

何年もまえからの友人である保安要員が、義肢を小さくふってあいさつしてきた。彼の姿は幅も高さも数メートルある窓にシルエットとしておさまり、その背後に都市とリリィパッド・ヒルがひろがっていた。丘の斜面のむこうに、荷物を積んだ船が見える。何キロメートルもつらなる屋根の彼方、教会の回転する信号灯の先には発電所がならんでいた。それらは着陸によって不安定になり、数日たったいまでも神経過敏になったままだった。いまにも足踏みをはじめそうだ。「あれを見て」わたしは操舵員にむかって発電所を指さしてみせた。「あなたのせいよ」彼は声をあげて笑ったが、あまりちゃんと見てはいなかった。まわりのあらゆるものに気をとられていた。彼がここへ降りたのは今回がはじめてなのだ。

以前のパーティで見かけたことのある副長がいたような気がした。彼が数年まえにやってきたとき、大使館はおだやかな秋だった。わたしといっしょに高層階の庭園で落ち葉を踏みしめて歩き、都市をじっと見つめたものだ――そこは秋ではなく、彼の知るどんな季節でもなかった。

わたしは刺激性の樹脂をのせた金属製の盆から立ちのぼる煙を抜けて、別れを告げた。任務をすませた数名の外世界人が帰ろうとしていて、それといっしょに、要請をおこなって認められたごく少数の地元民が退出するところだった。

「ダーリン、泣いているの?」ケイリーが言った。わたしは泣いてはいなかった。「あした会ってあげるよ、ひょっとしたらそのつぎの日も。そうすれば……」だが、彼女も知ってのとおり、連絡を取り合うのはとてもむずかしいので続けられないだろう。わたしたちは抱擁をかわし、やがてケイリーが、目をちょっとうるませ、しかも笑いながら、「ほかでもないあなたなら、なぜあたしが出ていくのかわかるでしょ」と言い、わたしのほうは、「わかってるよ、雌牛ちゃん、すごく妬んでいるだけ!」とこたえた。

ケイリーはあきらかに〝自分で選んだくせに〟と考えていて、それはたしかにそのとおりだった。わたしだって出ていくつもりだったのだ、半年まえに前回のマイアブが降りてきて、なにが――だれが――やってこようとしているかについてショッキングな知らせを届けるまでは。そのときでさえ、わたしは、予定どおり、つぎの救援が来たらアウトへむかおうと自分に言い聞かせていた。とはいえ、現実にあのシャトルが轟音を残しながら空をよぎり、自分はやはりここにとどまることになるのだと悟ったときも、ひどく驚いたわけではなかった。夫のサイルは、わたしが自覚するまえから薄々察していたにちがいない。

「彼らはいつここに着くんだろう？」操舵員がたずねた。ホストたちのことを言っているのだ。

「もうじき」わたしはこたえたが、ほんとうはさっぱりわからなかった。わたしが会いたいのはホストたちではなかった。

大使たちはすでに到着していた。人びとは彼らのそばへ集まってきたが、押し合いへし合いになることはなかった。大使たちのまわりには常に空間があり、敬意の壕（ほり）がめぐらされる。外では、雨が窓を叩いていた。わたしは裏でなにが起きているのか突き止めようとしたが、友人たちやふつうの情報源からではなにもわからなかった。今回のきわめて重要な、物議をかもす新来者と顔を合わせたのは、トップクラスの官僚やその顧問たちだけで、わたしがそこに含まれることはまずなかった。

人びとが入口へちらちらと視線を送っていた。わたしは操舵員にほほえみかけた。さらに大使たちが入場しようとしていた。わたしが同じようにほほえみかけていると、大使たちもこちらに気づいてくれた。

都市のホストたちがじきにやってくるだろう。そして残りの新来者たちも。船長をはじめとする船の乗組員たち、随行員たち、領事たちに研究者たち、ひょっとしたらごく少数の遅れてきた移民たち、そしてなによりも肝心な、ありえない新任の大使。

序

イマーサー

0.1

エンバシータウンですごした若き日々、わたしたちは硬貨と作業場で見つけた硬貨サイズの三日月形の切れ端を使ってゲームをした。場所はいつも同じ、決まった一軒の家のそばで、市場を越えた先の、長屋のならぶ傾斜のきつい裏通りにあり、あたりの広告はどれもツタの下で変色していた。わたしたちが遊んだのは、そうした古いスクリーンの薄れた光のなか、ゲームで使う代用硬貨から名前をつけた壁のそばだった。ずっしりした二スー硬貨を立ててくるりと回転させてから、みなで声を合わせて、まわれ、かたむけ、豚の鼻、太陽の光、と唱え、硬貨がふらついて倒れるまで続けたものだ。上になった面と、動きが止まったときに唱えた単語に応じて賞金や罰金が決まる。

いまもはっきりと目に浮かぶ——じめじめした春に、夏に、硬貨を握り締めながら、ほかの女の子たちや男の子たちといっしょに、判断をめぐって言い争う自分の姿が。わたしたちはけっしてほかの場所で遊ぶことはなかったけれど、その家や、そこの住人についてはいろいろな噂があったので、不安な気持ちになることはあった。

こどもがみなそうするように、わたしたちも住んでいる街を、慎重に、執拗に、とっぴなやりかたで、調べつくしていた。市場では、ずらりとならぶ露店よりも、どうやっても手の届かない、レンガが抜けてできた壁の小さな穴のほうに興味を引かれた。わたしが好きになれなかったのは、街の境界をしめす大きな岩で、いったん割れたのを（なんのためか当時は知らなかったのだが）モルタルでつないであった。図書館も、銃眼のある胸壁や補強用の骨組みのせいで物騒な感じがした。みんなカレッジは大好きだった。中庭のすべすべしたプラストーンの上なら、容器のふたや浮遊玩具が何メートルも進むからだ。

ほんとに騒々しい一団だったので、治安官にはしょっちゅうつかまったけれど、「わかりました、これからはきっと……」とこたえておけば、それでかたはついた。傾斜のきつい、混み合った格子状の通りを駆け抜けて、エンバシータウンの家のないオートムを追い越せば、動物たちがいっしょになって走ったり、低い屋根の上をついてきたりして、途中で足を止めて木やつる植物をよじのぼることもあったけれど、いつだって最後はあの境界地にたどり着いた。

この街はずれまで行くと、わたしたちの暮らす路地の角や広場にホストの建物の異様な幾何学形状がいくつかまぎれこんできて、それがだんだんと増え、ついにはこちらのものとすっかり入れ替わってしまう。もちろん、わたしたちはホストの都市にはいりこもうとした。そこでは通りも見た目がちがっていて、レンガやセメントや原形質の壁は、別のもっと生々しい物質に置き換わっていた。侵入しようとしたのは本気だったけれど、失敗するとわかっていたから安心していられた。

みんなで張り合って、もっと遠くまで行けとおたがいをけしかけ、それぞれの最高点を記録した。「狼に追われてるから、走らなくちゃ」とか「いちばん遠くまで行ったやつが大臣だ」とか言いながら。仲間のなかで、わたしは第三位の南方到達者だった。いつもの場所には、ぎしぎしいう筋肉のロープで防御柵につながれた繊細で異質な色をしたホストの巣があり、それはなにかの見せかけでホストたちがわたしたちの枝編み細工のフェンスに似せて作りあげたものだった。交差路にいる友人たちの口笛をあびながら、わたしはこっそりとそこへ近づいた。

こども時代のわたしの姿は、見ても驚くようなものではない。あのころの顔はいまの顔の未完成品そのものので、疑わしげな口のひきつったような笑みも同じなら、あとで思わず吹きだしてしまうこともあったわざとらしい目のすがめかたも同じだったし、当時もいまもやっぱりせかせかしていておちつきがなかった。胸いっぱいに息を吸いこんで止めたまま、空気が混じり合ったところを前進し——はっきりした物理的境界ではないが、それでも充分に唐突な気相の変化を、ナノテク粒子マシンと芸術的な大気の彫刻によって生みだされた微風を通過し——白い木材に〝アヴィス〟と書きつける。いちどだけ、ふとした強がりで、巣の生々しい錨が横木とからみあっている部分にふれたことがある。それはウリのようにぴんと張りつめていた。わたしは息をきらしながら走って友人たちのもとへ引き返した。

「さわった」仲間たちは感嘆をこめて言った。わたしは自分の手を見つめた。そのあと、みんなで清風の吹く北へとむかい、それぞれがやってのけたことを比べた。

わたしたちが硬貨で遊んだ家には、もの静かな、身なりのきちんとした男が住んでいた。その男は近隣の騒ぎの源だった。ときどき、男は集まっているわたしたちのところへ出てきた。こちらを見つめて、歓迎か非難の気持ちをあらわすように唇をぎゅっと結んでから、むきを変えて歩き去った。

わたしたちは男が何者なのかわかっているつもりでいた。もちろんそれはまちがっていたが、まわりからあれこれ情報を聞きこんで、男のことを敗残者と決めつけ、その存在を不適切なものとみなしていた。「ほら」男が出てくると、わたしはその背中を指さしながら、いちどならず友人たちに言った。「ほら」勇気がわいたときにはみんなで男のあとを追い、生け垣のならぶ路地を抜けて、川や市場へ、あるいは記録保管所の廃墟や大使館がある方向へとむかった。たしか二度ほど、だれかがおっかなびっくりあざけりの声をあげた。通行人がすぐにわたしたちを黙らせた。

「すこしは敬意を払え」ひとりの行商人はきつい口調でそう言った。彼は貝を入れた籠をおろし、あざけりの声をあげたヨーンにむかってさっと叩くような身ぶりをしてみせた。その行商人は年老いた男の背中を見つめた。あのとき、わたしはふいに悟ったのだ――それをあらわすことばを知らなかったが――彼の怒りのすべてがわたしたちにむけられていたわけではないことを、わたしたちにぶつけてきたあの舌打ちが、少なくともいくらかは、その男に対する不満だったのだということを。

「彼らはその男の住んでいる場所が気に入らないのだよ」その夜の輪番父、パパ・バーダンは、わたしから話を聞かされてそう言った。わたしはくりかえし話をして、みんなで混乱しながら慎重に追いかけた男のことを説明し、どんな人なのかをパパから聞きだそうとした。なぜ隣人たちが不快に思っているのかときいたら、パパは困ったように笑って、わたしにおやすみのキスをした。わたしは眠れずに部屋の窓の外へじっと目をむけていた。星々や月々を、ちらちら光る〈難破船〉を見つめて。

これから語るできごとの日付がはっきりわかっているのは、それがわたしの誕生日のつぎの日に起きたからだ。いま思うとおかしくなるくらい、わたしは鬱々としていた。九月の第三の十六日、ドミンデイのこと。わたしはひとりですわりこみ、自分の年齢について考えながら（笑える小さな仏陀！）、いつもの硬貨の壁のそばで誕生日にもらったお金をくるくるまわしていた。ドアがひらく音がしたけれど、顔はあげなかったので、家から出てきた男が遊んでいるわたしのまえに立つまで数秒かかったのかもしれない。気がついたとき、わたしはぎょっとして男を見あげた。

「娘さん」男は手招きした。「いっしょに来てくれないか」走って逃げることは考えなかったと思う。従う以外にどうしようもない気がしたのだ。

　男の家にはびっくりさせられた。細長い部屋は暗い色彩にあふれ、家具や、スクリーンや、小像がちらかっていた。いろいろなものが動いていて、オートムたちがそれぞれの仕事をこなしていた。わたしたちの保育所の壁にもつる植物は這っていたが、そこのはまったくちがって、黒い葉のついた筋が印刷されているみたいに完璧な葱花線(そうかせん)や螺旋を描いていた。壁は絵画でおおわれ、プラズマ画像は、わたしたちが部屋にはいったとたんに動きを変えた。古風な枠におさまったいくつものスクリーンで情報が変化した。象眼細工のゲーム盤に似た3Dの上では、手ほどの大きさの幻影たちが鉢植えのあいだを動きまわっていた。

「あんたの友だちだ」男がソファを指さした。そこにヨーンが横たわっていた。

　わたしはヨーンの名を呼んだ。ブーツをはいた両足はカバーの上にのっていて、目は閉じていた。真っ赤な顔をしてぜいぜいと荒い息をついていた。

　わたしは男に目をむけた。男がヨーンになにをしたにせよ、必要なことだったのなら、同じことをわたしにするのではないかと怖くなったのだ。男はわたしと目を合わせずに、瓶をいじくりまわしていた。「彼らがその子を運んできたんだ」男は説明の方法を探そうとでもするかのように、あたりを見まわした。「もう治安官たちには連絡してある」

　男はわたしを、かろうじて息をしている友人のそばでスツールにすわらせ、コーディアルを注いだグラスを差しだした。わたしが疑いの目でそれを見つめていたら、男は自分の口へグラスを運び、ごくりと喉を動かすと、ちゃんと飲んだというしるしに口をあけてほうっと息をついた。男はわたしの手にグラスを押しつけた。わたしは男の首へ目をむけたが、リンクは見えなかった。

わたしはグラスの中身をひと口飲んだ。「治安官たちがここへむかっている」男が言った。「あんたが遊んでいる音が聞こえた。友だちがそばにいてくれたらその子の助けになるかもしれないと思ったんだ。手を握ってあげなさい」わたしはグラスをおろして言われたとおりにした。「あんたがそばにいると教えて、だいじょうぶだと言ってあげなさい」

「ヨーン、あたしよ、アヴィスよ」沈黙のあと、わたしはヨーンの肩をそっと叩いた。「あたしがいるからね。だいじょうぶだからね、ヨーン」不安でたまらなかった。さらなる指示をもとめて顔をあげると、男は首を横にふり、声をあげて笑った。

「いいから手を握ってあげなさい」男は言った。

「なにがあったの？」わたしは言った。

「彼らが見つけた。その子は遠くまで行きすぎた」

かわいそうなヨーンはとてもぐあいが悪そうに見えた。彼がなにをしでかしたかはわかっていた。

ヨーンは仲間うちで第二位の南方到達者だった。第一位のシモンにはかなわなかったが、わたしよりも何枚か先のフェンスの板に自分の名前を書くことができた。この数週間、わたしはがんばって息を止める時間をすこしずつのばし、自分のしるしをヨーンのそれにじりじりと近づけていた。ヨーンはこっそり練習をしていたにちがいない。清風のそよぎから離れすぎたところまで走ったのだ。目に浮かぶようだ。息をきらし、思わず口をあけて境界地のきつい刺激のある空気を吸いこんでしまい、引き返そうとしても、その毒素のせいで、きれいな酸素がないせいで、脚がもつれてしまう。倒れて、気を失い、あのよごれたごった煮で何分ものあいだ呼吸を続けたのかもしれない。

「彼らがその子を運んできたんだ」男がもういちど言った。そのとき突然、わたしはあることに気づいて小さく声をあげた。大きなフィカスの葉でなかば隠れたまま、なにかが動いていた。どうして見逃していたのかはわからなかった。

ホストだった。それがカーペットの中央へ踏みだしてきた。わたしが急いで立ちあがったのは、敬意を払うよう教えられていたせいでもあり、こどもらしいおびえのせいでもあった。ホストは関節をややこしく動かして、ゆらゆらと優雅に近づいてきた。そしてわたしを見た、と思う――フォークのように分岐した一群の皮膚が光沢のない目であり、それらがわたしを見つめているように思えた。ホストは一本の外肢をひろげて、またぎゅっとたたんだ。こちらにむかって手を差しのべているような気がした。

「その子が運びだされるのを見届けようとしているんだ」男は言った。「もしも元気になるようなら、ここにいるホストのおかげだ。礼を言わないとな」

わたしがそのとおりにすると男はにっこりした。そしてすぐそばにしゃがみこみ、わたしの肩に手を置いてきた。わたしたちはその奇妙な動きを見せるものをいっしょにながめた。「小さな卵ちゃん」男はやさしく言った。「そいつにはあんたの声が聞こえないのを知っているかね？　というか……聞こえるがただの雑音でしかないということを？　でも、あんたはいい子だ、礼儀正しくて」男は炉棚の上のボウルからあまり甘くないおとなのお菓子を取り出してわたしにくれた。

わたしがヨーンにむかって声をかけ続けたのは、そうしろと言われたせいだけではなかった。怖かったのだ。かわいそうな友人の肌は手ざわりがおかしくて、体の動きも苦しそうだった。ホストは両脚でひょこひょこと体をゆらしていた。その足もとでは、イヌくらいの大きさの共生動物がのそのそと歩いていた。男が目をあげてホストの顔らしきところをのぞきこんだ。じっと見つめるその姿は、なにかを悔いているようでもあったが、わたしがそんなふうに思うのはあとで知ったことのせいかもしれない。

ホストがしゃべった。

もちろん、わたしだって何度もそれを見たことはあった。一部のホストたちはわたしたちが大胆にも遊び場にしていた境界地に住んでいた。ときどき出くわしたホストたちは、どんな用事があったのか、カニに似たきちょうめんさでせかせか歩いたり、あるいは走っていることさえあり、その足どりはいまにも倒れそうに見えたが、そうはならなかった。ホストたちが巣の肉の壁を手入れしたり、わたしたちが彼らのペットだと思っていた、あの小さな鳴き声をあげる共生動物らしきものの世話をしているのも見かけた。ホストがいると、わたしたちは急に静かになってその場を離れた。輪番親たちが彼らに対してしめした用心深い礼儀正しさをまねていたのだ。わたしたちの感じていた不安は、そのきっかけとなったおとなたちの不安と同じように、ホストたちが見せるかもしれない奇妙な行動に対する好奇心にまさっていた。

ホストたちがおたがいにむかってしゃべるきちょうめんな声は、わたしたちの声とよく似ていた。ずっとあとになって、仲間たちの何人かは彼らの話すことを理解できるようになったかもしれないが、あのころはだめだったし、わたしはいまだに理解できない。

ホストにあんなに近づいたことはそれまでなかった。ヨーンのことが心配なあまり、それが近くにいれば生じたはずのあらゆる感情から注意がそれていたが、わたしは不意をつかれないように耐えず相手を視界に入れていたので、それがゆらゆらと近づいてきたときには、さっと身を引いて友人にささやきかけるのを中断した。

ホストはわたしが見たことのある唯一の異星人というわけではなかった。エンバシータウンにも、少数のケディス人や、ひと握りのシュラース人など、いろいろな異星人が住んでいたが、彼らが相手だと、もちろんなじみの薄さはあったものの、ホストたちから感じるあの非現実性は、あの純然たる隔絶感はけっしてなかった。あるシュラース人の店主などは、わたしたちを相手にジョークをとばすほどで、アクセントは妙でもそのおもしろさはちゃんと伝わっていた。

のちにわかったことだが、そういう移民たちは、さまざまな手段によってわたしたちと概念モデルを共有できる種族にかぎられていた。土着民のホスト――彼らの都市のなかに、わたしたちは寛大なる許しを得てエンバシータウンを建設した――は、クールで、不可解な存在だった。下級の神々のような力をもち、ときおりわたしたちのことを、珍しいほこりのように観察する。わたしたちのバイオリグの供給者であり、口をきくことができるのは大使たちだけ。ホストには礼儀正しくしろとよく言われた。通りで彼らとすれちがうとき、わたしたちは義務づけられた敬意をしめしてから、くすくす笑って走りだす。だが、友人たちがいないときは、わたしは愚かな行為で恐怖をごまかすことはできなかった。

「そいつはその子が元気になるかとたずねている」男はそう言って、口もとをぬぐった。「直訳だと、〝彼はあとで走るかそれとも冷たくなるか〟といったところだ。そいつは手助けをしたがっている。実際に手助けをした。おそらく、わしのことを教養がないと思っているんだろう」ため息。「さもなければ心を病んでいるか。なにしろ、わしはそいつに返事をしないからな。そいつにはわしが減少しているのがわかっている。もしもあんたの友だちが死なずにすむとしたら、そいつがここへ運んでくれたおかげだよ。ホストたちがその子を見つけたんだ」

男はわたしにやさしく話しかけようと努力していた。あまり慣れていないようだった。「彼らはここへ来ることができるが、わしらがここを離れられないのは彼らも承知している。わしらがなにを必要としているか、彼らにはだいたいわかっているんだ」男はホストのペットを指さした。「彼らはエンジンで酸素をその子のなかへ送りこんだ。ヨーンはおそらく快復するだろう。じきに治安官たちがやってくる。あんたの名前はアヴィスだったな。どこに住んでいるんだね、アヴィス？」わたしはこたえた。「わしの名前を知っているかね？」

もちろん名前は聞いていた。それを男に伝えるのが礼儀にかなうのかどうかはわからなかった。「ブレン」わたしは言った。

「ブレン。それはちがう。わかるかね？　あんたはわしの名前を口にすることはできない。つづりを書くことはできても、それを口にすることはできない。もっとも、わしだって自分の名前を口にすることはできない。〝ブレン〟がわしらに言えるせいいっぱいだ。そいつは……」男がホストに目をむけると、そいつは重々しくうなずいた。「ああ、そいつはわしの名前を言うことができる。だが、それは意味がない――そいつとわしはもう話すことができないんだ」

「どうしてホストたちはヨーンをあなたのところへ連れてきたの？」男の家は、境界地の、ヨーンが倒れた場所の近くにあったが、すぐとなりとまではいえなかった。

「わしを知っているからだ。ホストたちがあんたの友だちをわしのところへ連れてきたのは、さっきも言ったように、彼らがわしがある意味〝減って〟いるのを知っていて、それでもわしがだれかわかるからだ。話しかければわしが返事をすると期待しているにちがいない。わしは……わしはきっと……彼らをとても困惑させているはずだ」男はにっこりした。「なにもかも愚かなことだというのはわかっている。嘘じゃない、ちゃんとわかっているんだ。あんたはわしが何者か知っているのかね、アヴィス？」

わたしはうなずいた。いまなら言えるが、実際には彼が何者かまったくわかっていなかった。はたして本人にもわかっていたのかどうか。

治安官たちがようやく医療班を連れて到着し、ブレンの部屋は即席の治療室になった。ヨーンは挿管され、薬を投与され、監視装置をつけられた。ブレンがわたしをそっと引いて作業のじゃまにならないようにした。わたしとブレンとホストはわきへ寄り、ホストの共生動物がわたしの足を羽根のような舌でなめた。ひとりの治安官がホストにむかっておじぎをし、ホストも顔を動かしてそれにこたえた。

「友だちを助けてくれてありがとう、アヴィス。おそらく元気になるだろう。あんたとはじきにまた会うことになるはずだ。〝まわれ、かたむけ、豚さん、太陽の光〟だったかな？」ブレンはにっこりした。

わたしが治安官に急きたてられて家を出たとき、ブレンはホストとならんで立っていた。ホストは外肢をブレンに親しげに巻きつけていた。ブレンは身を引こうとはしなかった。ふたりは礼儀正しく無言でたたずみ、わたしを見つめていた。

保育所ではみんな大騒ぎだった。わたしはなにも悪いことをしていないと治安官が断言しても、輪番親たちはわたしが巻きこまれた事件についてすこし疑いをもっているようだった。それでも、みんなわたしを愛していたので、やさしく接してくれた。だれが見てもわたしはショックを受けていた。ヨーンの苦しげな姿をどうして忘れられる？　そのうえ、ホストのすぐそばに寄って、その声まで聞いたことをどうして忘れられる？　わたしがあのできごとに、ホストにはっきりと注視されたことに苦しんでいるのは疑いようもなかった。

「で、きょうはだれかさんがスタッフと一杯やったのかな？」輪番父がわたしをベッドに寝かしつけながら軽口をたたいた。パパ・シェミは、わたしのお気に入りだった。

のちにアウトへ出てから、わたしはさまざまなかたちの家族があることに興味を引かれた。わたし自身も、エンバシータウンのほかのこどもたちの多くも、ときどき血縁親がたずねてくる保育所仲間たちに対して嫉妬をおぼえたという記憶はない——なにしろ、あそこではそういうのはよくあることではなかった。それについて深く考えたことはなかったが、ずっとあとになってからは、あの輪番と保育所というシステムは、エンバシータウンの創設者たちの社会的慣習が続いていたのか（ブレーメンはずっとまえからその統治圏に多様な慣習を取り入れることについて寛容だった）、それとも、もうすこしあとに作りあげられたものなのかと思いをめぐらしたものだった。ことによると、社会で生まれた漠然とした共感が、大使たちの手で制度として育てられたのかもしれない。

それはどうでもいい。たしかに、保育所にまつわるおそろしい話はときどきあったが、アウトでも、自分を産んだ親に育てられた人びとについてひどい話は聞いた。エンバシータウンではだれにでも、お気に入りの相手、いちばん怖い相手、その人が当番の週になるとうれしい相手やそうでもない相手、安らぎをもとめにいく相手、助言をもとめにいく相手、盗みをはたらく相手などがいた。でも、あそこの輪番親はいい人たちばかりだった。わたしはシェミがいちばん好きだった。

「どうしてみんなはミスター・ブレンがあそこに住むのをいやがるの？」

「ミスターはいらないよ、ダーリン。みんなというか、一部の人びとは、彼がああやって街のなかに住むのは正しくないと思っているんだ」

「あなたはどう思うの？」

シェミは口ごもった。「そのとおりだと思う。なんだか……不適切な気がする。分裂者のための場所は別にあるんだ」わたしはそのことばを以前にもパパ・バーダンから聞いていた。「彼ら専用の隠居所だからね……。見た目が悪いんだよ、アヴィ。彼はおかしな男だ。気むずかしい老人で。気の毒な男だ。だけど見るのはよくない。ああいうたぐいの傷は」

あれはムカつくよ——と、何人かの友人がのちに口にしていた。彼らはそういう態度をもっと保守的な輪番親から学んだのだ。けがらわしい半端者の年寄りはサナトリウムへ行けと。〝あの人のことはほうっておいてあげて〟とわたしは思った。〝彼はヨーンを助けてくれたのよ〟

ヨーンは元気になった。そんなことがあってもわたしたちはゲームをやめなかった。わたしは何週間もかけてすこしずつ距離をのばしたが、ヨーンのつけたしるしまでは届かなかった。彼の危険な試みの成果である、最後のしるしは、自身がつけたどのしるしよりも数メートル先にあり、その名前の頭文字が荒っぽく書きつけられていた。「あそこで気絶したんだ」ヨーンはわたしたちに言った。「死にかけたよ」事故のあと、ヨーンは二度とそのしるしに近づくことはできなかった。以前の記録のおかげで第二位のままだったが、いまならわたしは彼に勝つことができた。

「ブレンの名前はどうつづるの?」わたしはパパ・シェミにたずねて、教えてもらった。

「ブレン」パパ・シェミは指をすべらせてその単語をしめした。五つの文字——彼はそのうちの三つを発音できたが、ふたつはできなかった。

0.2

七歳のときに、わたしはエンバシータウンを離れた。輪番親や保育所仲間たちに別れを告げて。もどったのは十一歳のとき。結婚していて、裕福ではなかったが貯金とわずかばかりの資産があり、すこしは知識も増えていた――どうやって戦うか、どうやって命令に服従するか、どんなときにどうやって反抗するか。そして、どうやって恒常宇宙（イマー）に潜るか。

得意なこともいろいろできたが、ほんとうに抜きん出ていたのはひとつだけだったと思う。暴力ではない。それは港で働く者にとっては日常的なリスクで、わたしの場合、街を離れていたあいだに喧嘩で負けた回数は勝った回数をわずかに下回るていどだった。わたしは実際よりも強そうに見えるし、いつだって身のこなしはすばやかったし、多くの並みの喧嘩屋と同じように、ありもしないスキルをほのめかすのが巧みになっていた。臆病さをさらけだすことなく争いを避けることができたのだ。

わたしは金づかいは荒かったが、いくらかは蓄えがあった。結婚もすごく得意だったとは言えないが、ほかの多くの人びとよりはましだった。過去にふたりの夫とひとりの妻がいた。彼らを失ったのは好みが変わったからであり、憎しみが残るようなことはなかった――くりかえすが、わたしは結婚が苦手なわけではない。サイルは四人目の配偶者だ。

イマーサーとして、わたしは熱望したランクまでたどり着いた。おかげで、それなりの威信と収入が手にはいり、しかも重要な責任からはのがれられた。わたしの抜きん出ていたところはこれ――スキルと、幸運と、怠惰と、厚かましさをひとまとめにした生きるためのテクニックで、わたしたちが浮浪（はぐれ）と呼んでいるものだ。

おそらくイマーサーたちがつくった用語だろう。だれにでもすこしは浮浪（はぐれ）屋の要素がある。あなたの肩には悪魔がのっている。クルーのだれもがそういうテクニックを手に入れたいと熱望するわけではない——船長や探検者になりたがる者もいる——けれど、たいていの人にとって、浮浪（はぐれ）は必要不可欠だ。そんなのはただの怠慢だと思う人もいるが、実際にはもっと積極的で微妙なテクニックだ。浮浪（はぐれ）屋たちは苦労を恐れているわけではない——多くの乗組員はそもそも船に乗るためにたいへんな努力をしている。わたしもそうだった。

これだけ長く旅をしてきたのに、自分の歳について、わたしはいまだに何年と考えてしまう。それはよくない習慣であり、船の生活でとっくに矯正されているべきことだった。「年だと？」ある上級船員はわたしに怒鳴った。「おまえのくされ故郷の恒星のめぐりがどうだろうと知ったことか。おまえが何歳なのかを教えろと言ってるんだ」

返事は〝時〟で。返事は主観時で——上級船員たちにとって、相手のくされ故郷との比較には意味がない。長さが無数にある年のどれで育っていようがだれも気にしないのだ。というわけで、わたしはおよそ一七〇キロ時のときにエンバシータウンを離れた。もどったのは二六六キロ時のときで、結婚していて、蓄えがあって、すこしばかり物事を学んでいた。

およそ一五八キロ時のとき、自分はイマーに潜れるのだと知った。それと同時になにをするべきかを悟り、そのとおりにした。

わたしは主観時で返事をする。客観時は漠然と心にとめておくしかない。わたしは生まれ故郷の年で考えるが、それは別の場所の暦によって規定される。テラとはなんの関係もない。まえに会った若手のイマーサーは、本人も嫌悪する田舎からやってきた男で、自身が〝地球年〟と呼ぶ暦で考えていた。笑える愚か者だ。わたしはその男に、彼が考える暦を使っている場所へ行ったことがあるのかとたずねた。もちろん、それがどこなのか、彼はわたしと同じようになにも知らなかった。

成長するにつれて、自分がいかに平凡なのかを自覚するようになった。わたしの身に起きたことは、エンバシータウンの住民の多くに起きたことではなかった――そこが肝心なところだ――が、それ自体はよくある〝お話〟だ。数千時間のあいだ、わたしは自分の生まれた場所だけで宇宙は充分だと思っていた。それから突然、実はそうでもないのに離れることはできないのだと思いこみ、その後、離れることができた。似たような話はいたるところで耳にするし、人間のあいだだけにかぎったことでもない。

もうひとつ思い出を。わたしたちはよくイマーごっこをして遊んだ。身をかがめて〝見えない〟ふりをしたまま仲間のあとを走って追いかけ、いきなり「浮上!」と叫んで相手をつかまえる。あとでわかったことだが、みんなイマーのことをほとんど知らなかったのに、そのごっこ遊びは、たいていのおとなたちのイマーの説明と比べて、それほど不正確というわけでもなかった。

わたしがまだ若かったころには、やってくる船の合間を狙って、不定期にマイアブが到着していた。乗員のいない、余り物の詰まったその小さな箱は、＊ウェアによって操縦されていた。途中で行方不明になるのも多かった――あとで知ったことだが、消えたマイアブはいろいろと奇妙なかたちで腐食し、それらが旅をするイマーのなかで、いつまでも危険の種となった。それでも、大半はぶじに到着した。成長するにつれて、そうした到来物に対するわたしの興奮は、いらだちと羨望に染まるようになり、それは、わたしもいつかアウトへ出ていくのだと自覚するまで続いた。当時はそれらが手がかりになったのだ——小さなささやきのように。

四歳半になったころ、着地したばかりのマイアブを牽引して走る列車をエンバシータウンで見た。たいていのこどもたちや多くのおとなたちと同じように、わたしはそれがやってくるところを見るのが大好きだった。保育所のわたしの仲間たちは、たしかママ・クイラーの監視のもとで近くに集められていて、そのわたしたちもまた、もっと幼いこどもたちになんとなく目をくばっていた。わたしたちは、あまりじゃまをされることもなく、手すりの上から身を乗り出し、おたがいどうしや到着した人たちとおしゃべりをした。

マイアブはいつものように巨大な平台に置かれ、それを牽引してエンバシータウンの産業用線路を進むバイオリグ機関車は、激しくあえぎながら、そのエンジンで筋骨たくましい臨時の脚をぐいぐいと押しだしていた。あおむけになったマイアブは保育所のホールよりも大きかった。ずんぐりした銃弾の形をした、とても生々しいコンテナが小雨のなかを移動していた。表面にぬるぬるした光沢をあたえている液体が、クリスタルのシールドから何本もの筋を引いて流れだし、やがて薄れて消えていた。いまならわかることだが、当局が無責任で、イマーのこびりついた表面がおちつくのを待たなかったのだ。旅を終えたばかりでまだ湿っているマイアブが運ばれてきたのは、そのときがはじめてではなかった。

ビルが引きずられていく。見た目はまさにそんなふうだった。大きな列車はぜいぜいあえぎ、エンジン脚がそれをなだめすかして溝を渡らせていた。牽引された巨大なコンテナは、坂をのぼって大使たちの城へとむかい、リボンをふって歓声をあげるエンバシータウンの住民たちに取り囲まれた。一台のケンタウロスが付き添い、四本脚のバイオリグ輸送機関の前面には男たちや女たちが腰かけていた。街にいる数少ない異星人たちも、一部がテラ人の友人といっしょに立っていた。ケディス人のフリルが持ちあがって色彩をほとばしらせ、シュラース人とパネゲッチ人もそれぞれに音をたてた。群衆のなかにはオートムが混じっていた——一部はよろよろする箱だったが、一部は充分に説得力あるチューリングウェアだったので、まるで熱心な見物人のように見えた。

無人の船におさまっている貨物は、ダゴスティンや、ことによるともっと遠くから送られてきた贈り物であり、わたしたちが切望していた輸入品だった。ブックウェアに書籍、ニュースウェア、珍しい食品、科学技術、手紙。船そのものもばらばらに解体されることになる。年にいちど、こちらからずっと小さいマイアブが送りだされるとき、わたしはお返しにいろいろなものを送った。そこにおさめられたのは公務用の耐久消費財やさまざまな道具類だった（どれも発送まえに慎重にコピーされていた——マイアブがかならず目的地にたどり着くと考える者はいなかった）が、こどもたちがアウトのペンパルと文通するためのわずかなスペースが確保されていた。

「マイアブ、マイアブ、瓶のなかのメッセージ！」ママ・バーウィックが歌いながらわたしたちの手紙を集めたものだ。〝親愛なるクラス7、バウチャーチ・ハイ、チャロ・シティ、ブレーメン、ダゴスティン〟そんなふうに書いたのをおぼえている。〝手紙といっしょにあなたたちのところへ行けたらいいなと思います〟手短な近況報告の手紙がふってくるのはごくまれだった。

マイアブは、わたしたちが川と呼んでいた——実際にはちょっとした運河だ——水路にさしかかり、スティルト・ブリッジの下を通過した。橋には大使館スタッフの代表団とともにホストたちがいて、色つきガラスの橋門をとおして下を見おろし、そのわきにはバイオリグの乗用マシンにまたがったテラ人の警備員がひかえていたのをおぼえている。

マイアブから密航者があらわれたのは、すでに視界からはずれたあとだったが、わたしは録画で何度もその場面を見た。線路が東側の長屋と西側の動物公園にはさまれたあたりで、最初のぴしっという音が聞こえてきた。あと一キロメートル進んで、貧民街にはいりこみ、大使館のすぐ近くの橋通路の下まで行っていたら、もっとひどいことになっていただろう。

ニュース映像を見ればわかるとおり、群衆のなかにはなにが起きているか気づいた者もいた。音が大きくなるにつれて叫び声があがり、人びとがおたがいに危険を知らせようとした。状況がわかった者はすぐに走りだした。わたしたちこどもは、ほとんどがじっとしていたと思うが、ママ・クイラーはわたしたちを現場から連れだすためにせいいっぱいのことをした。マイ

アブのセラミック製のケースが反ニュートン的なかたちでひずむ音がする。人びとが手すり越しにのぞき見ている。現場からどんどん人があふれだしてくる。マイアブが割れて、船殻のとがった破片が激しく宙を舞った。イマーからやってきたなにかが姿をあらわした。

分類学はあてにならない。多くの専門家たちの意見は、あの日出現したのは小規模な徴候だったということで一致しており、わたしはのちにそれをトゲウオと呼ぶようになる。最初はぼんやりしていて、いくつかの突出部と影から成っていた。それが周囲のものと融合して、移ろいやすい姿をあらわした。建物からはレンガやプラストーンやコンクリートが、公園からはケージのエネルギーやとらわれの動物たちの肉体が、物理学に反して、その流れるような存在へむかって吸いこまれていく。周囲の物質がそれを実体化させたのだ。ならんだ家の屋根が剝がれてスレートがばらばらと横へ

こぼれ、それを吸いこんだ存在は一瞬ごとにぐんぐん物質化して、この現実に適合していった。

　それはただちに鎮圧された。次元砲による一斉攻撃で、通常宇宙（マンヒマル）を、この物質界を、わたしたちの日常を、恒常宇宙（イマー）に対して激しく主張したのだ。それはしばらくかん高い音をたてたあとで、放逐されたか処分されたかした。

　幸いなことに、怪我をしたホストはいなかった。とはいえ、その出現でほかに大勢の人びとが命を落とした。爆発で死んだ人もいたし、一部を流されて減ってしまった人もいた。それからというもの、マイアブの回収時には、スタッフはそれまでないがしろにしていた注意規約に従うようになった。わたしたちの3D映像には、怒りと不安に満ちた議論の様子がくりかえし映しだされた。スタッフのなかで不興をこうむって解雇された者はみな、体制のスケープゴートだった。若く、規律をものともしないダル／トン大使が、そんなようなことをカメラのまえで怒りをこめて主張したと、親たちが話していたのをおぼえている。パパ・ノアなどは、あの災害で華やかな到来はもう終わりだとわたしに言ったほどだ。もちろん、それはまちがっていた。パパ・ノアはいつでも悲観的な人だった。

　当然ながら、わたしと友人たちはその悲劇的な事件に心を奪われた。すぐにごっこ遊びのネタにして、イマーが泡立ってケースが割れる音をまねながら、指でつくった銃や棒きれでモンスター役の仲間たちを攻撃した。わたしはあのトゲウオのことを退治されたドラゴンのようなものと考えていたのだ。

　昔ながらの見解によれば、イマーサーたちは自分のこども時代をまったくおぼえていないという。それはあきらかに事実ではない。人びとがそんなふうに言うのは、イマーの異質さを強調するためであり、その基礎となる代替現実に人間の精神を蹂躙するなにかがあるとほのめかしているのだ（たしかに蹂躙する力はあるのだが、そういうのではない）。

事実ではないとはいえ、わたし自身も、わたしの知っているほとんどのイマーサーたちも、幼少期の記憶は不完全だったり、あやふやだったり、混乱したりしている。わたしはそれを不可解だとは思わない。アウトへ出ていきたいと望むわたしたちの精神状態、わたしたちの考えかたからすれば当然のことだ。

それぞれのエピソードはよくおぼえているのに、それが時系列でつながらない。もっとも関係の深いできごとや、明確なできごと。残りは頭のなかに散らかっていて、たいていは気にならない。たとえば、こども時代のまた別のとき、わたしはホストたちといっしょの時をすごした。七月の第三小月のある朝、ある会合に呼ばれたのだ。

ホストたちはパパ・シェミにわたしを連れてこさせた。彼はわたしの肩をぎゅっと握り、保育所の書類やデータスペースがあふれたむさ苦しいオフィスのひとつを指さした。そこはママ・ソルファーの部屋で、わたしはいちどもはいったことがなかった。ほとんどはテラ産テクノロジーだったが、四角いバイオリグのゴミ箱があたりのゴミくずを静かに食べていた。ママ・ソルファーは高齢で、やさしくて、うわのそらで、わたしの名前をおぼえていた——担当のこどもすべてをおぼえていたわけではなかったのに。わたしを手招きしたママは、見るからに不安そうだった。立ちあがり、ソファを探すようにあたりへ視線を走らせたが、部屋にソファはなかったので、また腰をおろした。デスクのむこう側でママといっしょにいた——いまにして思えばおかしなことで、狭い空間なのでふたりだとぎゅうぎゅうだった——パパ・レンショウ、わりあいに新顔の、思慮に富んだ、教師っぽい輪番父が、わたしにほほえみかけた。驚いたことに、わたしを待っていた第三の人物はブレンだった。

わたしを含めた仲間たちのだれかがあの家にもどったのは、ヨーンの事故があってからほぼ一年、二五キロ時近くたったあとのことだった。もちろん、仲間たちの多くと比べても、わたしはだいぶ成長していたけれど、部屋にはいったとたん、ブレンはわたしに気づいてにっこり笑った。彼は変わっていなかった。着ていた服も同じだったかもしれない。

ママがむきを変えた。ママはデスクの片側でほかの人たちとならんですわり、わたしはといえば、その反対側で指定されたおとな用の堅苦しい椅子にすわっていたのに、ママがわたしのほうへ眉を動かす様子を見たとたん、突然、この奇妙な会合ではママと自分が仲間なのだと感じた。

報酬が支払われます、とママは言った(少なからぬサイズのアップロード権だと、あとでわかった)。いたって安全で、名誉なことなのだと。なんだかよくわからなかった。パパ・レンショウがやさしくママをさえぎった。パパはブレンに顔をむけて、話をするよう身ぶりでうながした。

「あんたは必要とされている」ブレンがわたしに言った。「それだけのことだ」彼は左右の手のひらを上にむけた、そこになにもないことが説明にでもなるかのように。「ホストたちがあんたを必要としていて、今度もまた、なぜかわしをとおすことになったらしい。彼らはなにかの準備をしようとしている。議論をしている。一部のホストたちが、自分たちの言いたいことを明確にするには……比較をすればいいと考えている」ブレンは、わたしが話についてきているかどうかたしかめた。「彼らは……あることを思いついた。だが、それが表現するできごとはまだ起きていない。それがなにを意味するかわかるかね？　彼らはそれを話せるようにしたがっている。だからそれを体系化しなければならない。きわめて正確に。それで人間の女の子が必要になる」彼はほほえみを浮かべた。「わしがなぜあんたを指名したかはわかるだろう」おそらく、ほかにこどもをひとりも知らなかったのだ。

ブレンはわたしの口の動きを見てにっこりした。

「つまり……わたしに……直喩を演じろと?」わたしはようやく返事をした。

「名誉なことだよ!」パパ・レンショウが言った。

「名誉なことだ」ブレンが言った。「知っているようだね。〝演じる〟?」彼は〝まあ、イエスでもありノーでもある〟と言うかのように頭をふった。「あんたに嘘はつかないよ。あんたは痛い思いをする。楽しいことでもない。だが、きっとだいじょうぶだと約束する。それは約束する」わたしのほうへぐいと身を乗り出す。「あんたのママが言っていたように、あんたには報酬が支払われる。それだけじゃないぞ。おまけにスタッフから感謝してもらえる。大使たちからも」レンショウがちらりと目をあげた。わたしは幼かったが、感謝にどんな価値があるのかわからないほどではなかった。そのころには、大きくなったらなにをしたいかを考えていたし、スタッフからの厚意はわたしが強く望んでいるものだった。

依頼にイエスとこたえたのは、そうすればホストの都市にはいれると思ったせいでもあった。でもそんなことはなかった。ホストたちのほうがわたしたちのところへやってきたのだ、わたしがほとんど足を踏み入れたことのない街の一角へ。わたしはコーヴィッドでそこへ連れていかれ――初飛行だったのに緊張しすぎて楽しめなかった――同行したのは治安官ではなく大使館の補佐スタッフたちで、その体はさまざまな強化ボットやテクノロジーでわずかにでこぼこができていた。

案内役はブレンで、ほかには輪番親もだれもいなかったが、彼はエンバシータウンではなんの公的な役割も担っていなかった（当時のわたしはそのことを知らなかった）。それでも、あのときのブレンは、まだそうした非公式なスタッフ的役割から完全に身を引いてはいなかった。彼はわたしにやさしく接しようとした。コーヴィッドはエンバシータウンの周縁部をぐるりとめぐり、わたしはそのときはじめて、バイオリグや補給品を届ける何本もの巨大な喉のスケールを目にした。ぴくぴくと動く、湿った温かなサイフォンの先端が境界から何キロメートルも先までのびていた。市の上空にはほかの飛行船も見えた——あるものはバイオリグ、あるものは古いテラ産テクノロジー、あるものは両者が入り混じっていた。

わたしたちが降下した放置地区では、だれもわざわざ送電を止めたりはしていなかった。一帯にはほとんどなにもなかったが、通りは長寿命ネオンによって照らされ、空中で踊る3Dの幻影がとっくの昔に閉店したレストランの宣伝をしていた。そんな廃墟のひとつで、ホストたちが待っていた。彼らの直喩がわたしひとりをよこすよう要求していると事前に通告されていたので、ブレンはわたしを彼らに引き渡した。

ブレンがわたしにむかって首をふった。おたがいに、おかしな状況だということはよくわかっていると言わんばかりに。ブレンはささやいた——それほど長くかからないから、このまま待っていると。

あの崩れかけたダイニングルームの成れの果てで起きたことは、けっして生涯最悪のできごとではなかったし、もっともつらかったとか、もっとも不快だったとかいうこともなかった。充分にがまんできることだった。とはいえ、それ以前であれその後であれ、わたしの身に起きたもっとも理解しにくいできごとではあった。自分でも驚くほど気が動転した。

長いあいだ、ホストたちはわたしに注意を払うことなく、正確にパントマイムを演じ続けた。ギフトウィングを高くあげて、前後に行きつ戻りつして。彼らの甘いにおいがただよっていた。わたしはおびえていた。覚悟はしていたのだ――直喩のために、わたしは自分の役割を完璧に演じなければならないのだと。ホストたちがしゃべった。耳にしたうちで理解できたのはごく基本的な部分だけで、ところどころ単語を聞きとるのがせいいっぱいだった。〝彼女〟の意味だと聞かされていた重なり合ったささやき声が聞こえたとき、わたしはまえに進み出て彼らの望むことをした。

いまなら、あのときやったことを解離と呼ぶことは知っている。わたしは、自分自身を含めて、そのすべてを見守った。早く終わってほしくてたまらなかった。なにかが育つような感じはなかったし、ホストたちとのあいだに特別なつながりが生まれることもなかった。ただ見ていただけだった。みなで必要な行為を、ホストたちが比喩を口にできるようにするための行為をおこなっていたあいだ、わたしはブレンのことを考えていた。もちろん、彼はもうホストたちと話すことはできなかった。あのとき起きていたのは大使館が手配したことであり、ブレンのかつての同僚である大使たちは、彼の助力を得られたことをよろこんでいたにちがいない。ブレンに仕事をまわしてあげたということだったのだろうか。

終わったあと、いつもの集合場所で、友人たちから根掘り葉掘り質問攻めにあった。エンバシータウンの大半のこどもたちがそうだったように、わたしの仲間たちも遠慮には無縁だった。「ホストたちといっしょにいたって？　そいつはヤバいな、アヴィ！　誓えるか？　ホストみたいに言う？」

「ホストみたいに言う」わたしはその誓いにふさわしいまじめくさった顔で言った。

「とんでもないな。やつらはなにをしたんだ？」わたしはいくつかのあざを見せた。話したい気分でもあり話したくない気分でもあった。結局は、あれこれ尾ひれをつけて楽しく話をした。おかげで数日は人気者でいられた。

もっとたいへんなことも起きた。二日後、パパ・レンショウがわたしをブレンの家へ連れていった。ヨーンの事故があってからはじめての訪問だった。ブレンは笑顔でわたしを歓迎し、そこでわたしははじめて大使たちと出会った。

大使たちの服は見たこともないほど美しかった。リンクはきらきらと輝き、その体に当たる光は彼らが生みだすフィールドに合わせてゆらめいていた。わたしは萎縮した。大使は三人いて、部屋は混み合っていた。よけいに狭苦しく感じたのは、みなの背後で、一体のオートム――体節のあるボディをそなえたコンピュータ――が、みずから生成した女の顔をことばに合わせて生き生きと動かしながら、左右へ動いて、ブレンや大使のだれかれにささやきかけていたせいだった。大使たちは、わたしというこどもを相手にして、ブレンがそうしたようにやさしく接しようと努力していたが、まったくそういう経験がないみたいだった。

年かさの女が口をひらいた。「アヴィス・ベナー・チョウ、ですね？」すばらしく威厳のある声。「おはいりなさい。すわって。あなたにお礼を言いたかったの。あなたがどのように認められたかを伝えておくべきだと思って」

大使たちはわたしたちのホストたちの言語で語りかけてきた。彼らはわたしに語りかけ、わたしに言った。あの直喩はそのまま訳すだけでは不充分だし誤解を招きやすいのだと忠告した。〝食事のために作られたがしばらく食事には使われていなかった古い部屋であたえられたものを食べた苦しみのうちにある人間の少女〟「使われるうちに省略されていくんだ」ブレンがわたしに言った。「じきにあんたは〝あたえられたものを食べた少女〟と言われるようになる」

「どういう意味なんですか？」

大使たちは首をふり、顔をしかめた。「それは重要ではないのよ、アヴィス」ひとりの女が言った。彼女がコンピュータにささやきかけると、生成された顔がうなずいた。「どのみち正確なわけでもないしね」わたしは別の言い方でもういちどたずねてみたが、大使たちはそれ以上なにも言わなかった。〝ゲンゴ〟に仲間入りしたわたしに、ただ祝いのことばをかけただけだった。

おとなになるまでのあいだに二度、わたし自身が——わたしの直喩が——語られるのを耳にしたことがあった。いちどは大使によって、いちどはホストによって。あれを演じてから何年も、何千時間もたったあとで、やっとそれについて説明らしきものを得ることができたのだ。もちろんおおざっぱな解釈ではあったが、わたしが思うに、あれは驚きと皮肉をかきたてることを意図した表現、一種の憤りのこもった運命論のようなものだと思う。

その後は、幼年期から青年期にいたるまでのあいだ、二度とブレンと話をしたことはなかったが、彼は最低でもあといちどはわたしの輪番親たちをたずねてきたそうだ。あのとき直喩に協力したことと、ブレンからなんとなく応援されていたことが、わたしが試験委員会を通過するのに役立ったのはまちがいない。わたしは勉強家だったがけっして頭がよかったわけではなかった。イマーに潜るために必要なものを持っていたとはいえ、それくらいならほかに何人もいたし、わたしよりすぐれていたのに通過できなかった人もいた。一般人や、わたしたちのように昏眠状態でなくてもイマーを渡る才能を持つ者に勅許状が公布されることはめったにない。はっきりした理由もないまま、それから数カ月後、試験が終わって、施設の承認も出たら、わたしは、事実そうなったように、世界を離れてアウトへ出ていく権利をあたえられるはずだった。

0.3

各学年で、十二月の第二小月はさまざまな評価にあてられていた。ほとんどは授業でなにを学んだかをたしかめるのが目的だったが、ごく一部はもっと厳選された能力を調べるためのものだった。こちらは、もっと別の場所、つまりアウトのなかで重宝されるいろいろな素質の評価であり、特別に高い得点をあげる者は多くなかった。エンバシータウンで、わたしたちは劣悪な血筋から生まれた、と言われていた。劣悪な突然変異、劣悪な設備、欠落した向上心。多くのこどもたちはその難解な試験を受けもしなかったが、わたしはぜひにと勧められた。教師たちや輪番親たちがわたしになにか見所があると思っていたということだろう。

わたしはたいていのことを完璧にこなした。うれしいことに、文学における修辞法やいくつかの遂行的要素が得意で、詩の読解も巧みだった。でも、わたしが自分がなにをしているのか知らないまま抜群の結果を出していたのは、どんな目的があるのか見当もつかないある種の活動だった。わたしは照会スクリーンで奇怪なプラズマ画像をつぎつぎと見せられた。それにいろいろなやりかたで反応しなければならなかった。一時間ほどかかったが、ゲームみたいにきちんと設計されていたので、退屈はしなかった。そのあとの課題も、知識をテストするものではなく、反応や、直観や、内耳の制御力や、神経の過敏さを調べるためのものだった。イマーに潜る能力があるかどうかを評価していたのだ。

セッションを仕切っていた女——まだ若く、アウトのファッションに身をつつんだブレーメンの派遣スタッフのだれかから、借りたか交換したか懇願したかして手に入れた、おしゃれな服を着ていた——が、いっしょに試験の結果を見て、それがなにを意味するのか説明してくれた。彼女が感心しているのはあきらかだった。わたしにむかって、これは最終的な結論ではなく、たくさんある段階のひとつでしかないと強調したのは、いじわるだったわけではなく、あとでつらい思いをさせないためだった。それでも、彼女から説明を受けていたとき、わたしは自分がイマーサーになるのだと悟り、事実そうなった。エンバシータウンの小ささを感じて、閉所恐怖に不平をこぼしはじめたばかりのころだったが、その評価のせいであせりが生まれてしまった。

それなりの年齢になると、到着舞踏会の招待状を捏造して、アウトから来た男女と交流を深めた。彼らがほかの惑星にある国々について平然と語っている様子を見て、それを楽しみ、妬んだ。

それから何キロ時、というか何年もたってようやく、自分のとおった道筋がどれほど必然性に欠けていたかを理解した。わたしよりずっと才能のある多くの学生たちが成功をつかめなかったことを。わたしだってどこへも行けなかった可能性が高かったことを。わたしの物語は陳腐きわまりなかったが、彼らのそれははるかに普遍的で、はるかに真実だった。あまりの偶発性に、当時のわたしは、やはりしくじってしまうのではないかと気分が悪くなった——すでにアウトにいたにもかかわらず。

いちどもイマーに潜ったことのない人たちでさえ、イマーがどんなものかを——多少なりとはいえ——知っているつもりでいる。それはまちがいだ。わたしはこの件でいちどサイルと議論したことがある。あれはふたりがかわした二度目の会話だった（一度目は言語についてだった）。サイルがまず自分の意見を語りはじめ、わたしは地べたを這いずる連中がイマーについてどう考えようと興味がないとこたえた。わたしたちはベッドに横たわっていて、サイルは、彼の無知を指摘しようとするわたしをからかった。

「なにを言ってるんだか」サイルは言った。「ほんとは自分のことばを信じてもいないくせに。利口なきみには似合わないよ。そんなのはただのイマーサーのたわごとだ。ぼくだったら眠っていてもまくしたてることができる——〝だれもわたしたちのようにあれを理解してはいない、科学者だって、政治家だって、いけすかない一般人だって！〟きみはそういうのが好きなんだ。ほかのみんなを締め出すのが」

サイルの感想にわたしは声をたてて笑った。でもね、とわたしは言った。でもね、イマーはやっぱりことばではあらわしようがないの。ところが、サイルはわたしのそんな説明も許さなかった。「そんなことを言ってもだまされないよ。きみがどんなふうにしゃべるか聞いていなかったと思ってるのか？　いいさ、わかってる、きみは口が達者なほうじゃない、きみはただの浮浪屋（はぐれ）だからな、やれやれ。まるで自分の詩を読んでいないみたいに、まるで言語をあたりまえのものと考えているみたいに」サイルは首をふった。「とにかく、そんなことを言われたら、ぼくは失業するしかない。〝ことばではあらわせない〟とか。そんなものはありえない」

わたしはサイルの口に手をあてた。まさにそのとおりなのよ、とわたしは言った。「まあ、たしかに」サイルはわたしの指のすきまからしゃべり続けた。教師っぽい口調に変わりはなかったが、声はもごもごしていた。「ことばが実際に指示対象になることはありえない、それは認めるよ、まさに言語の悲劇だが、それを展開しようとするぼくたちの漸近的な努力はまったくの無駄というわけでもない」もう黙って、あなた、とわたしは言った。なにもかもほんとうなの、ホストみたいに言うから。「そういうことなら」とサイルは言った。「ぼくは引き下がるとしよう、真実に直面して」
わたしは長いあいだイマーを研究していたが、はじめてイマーに潜った瞬間については、サイルに言ったとおり、とてもことばにあらわすことはできなかった。同じように勅許状を受けたごく少数の新人乗組員や移民たち、任務を終えたブレーメンの大使館派遣スタッフとともに、わたしはシャトルで自分の船へおもむいた。最初の任務で乗り込んだのはワスプ・オブ・コルカータ号だった。半自律性のシティシップ、みずからの旗のもとでイマーに潜り、ダゴスティンからこの任務を請け負った。わたしはほかの新米たちとともに見張り台に立ち、空にかかる壁のような惑星アリエカを見あげながら、繊細なまでの注意を払って、イマー潜行ポイントへとむかった。その世界のぴたりと静止したように見える雲の下のどこかにエンバシータウンがあった。

操舵員はわたしたちを〈難破船〉の近くへ連れていった。あまりよく見えなかった。はじめは宇宙に描かれた何本かの線のようで、しばらくすると、つかのまの、みすぼらしい実体が生じる。それは固体性において干満をくりかえしていた。さしわたしは何百メートルもあった。全体が回転していて、すべての突出部がてんでんばらばらな動きを見せており、凝固した涙のしずくと太い金線細工のようなかたまりが複雑にめぐっていた。

〈難破船〉の構造はワスプ号のそれとなんとなく似ていたが、ずっと古めかしく、体積はこちらの何十倍もあった。まるで縮尺モデルとオリジナルのようだったが、それも、唐突にその各面が変化して小さくなるか遠くへ離れるかするまでのことだった。ときにはまったく存在しなくなり、ときにはほんのすこしだけ存在する。

上級船員たちが、皮膚の下で強化ボットをちらつかせながら、わたしたち新人乗組員に、これからどんなことをしようとしているのか、イマーがいかに危険であるかを思いださせた。〈難破船〉がしめしていたのは、そうした危険性だけではなく、アリエカがなぜ辺境の地のままで、たどり着くのもひと苦労、開発はまったく進まず、あの最初の大災害以降は衛星もなくなってしまったのかということだった。

わたしはプロに徹するつもりだった。たしかに、はじめてイマーに潜ろうというところではあったが、命令されればなんでもするつもりだったし、きっとうまくやれたと思う。でも、上級船員たちは新人であるというのがどういうことかおぼえていたので、わたしたちひと握りの新人イマーサーを展望のきく場所へ連れていった。そこでなら、わたしたちは当然の反応をしめすことができる——わたしたちの身につけたスキルは、はじめてイマーに潜るときに気分が悪くなるのを確実にふせいでくれるわけではない。そこでなら、きちんと畏怖の念をいだき、どういう体験だろうとそれを体験するための時間をとることができる。イマーには流れも嵐の前線もある。イマーにある領域のなかには、渡るのにとてつもないスキルと時間を要するもある。それもまた、わたしをイマーサーにしてくれた身体制御力やマントラ的思慮深さや自在に使える冷静さとともに、いまのわたしなら知っているさまざまなテクニックのひとつであり、そのおかげで、イマーサーたちはイマーに潜るときに気を失うことなく意思をたもつことができるのだった。

地図上では、ダゴスティンやそれ以外のハブからそんなに何十億キロメートルも離れているわけではない。だが、そういうユークリッド式の星図を使うのは、宇宙学者や、わたしたちには通用しない物理学をあやつる異星人や、極端に亜光速のペースでさまよう宗教的遊牧民だけだ。わたしもはじめて見たときには憤慨したし——エンバシータウンでは地図を見ることは推奨されていなかった——どのみち、そんな星図はわたしのような旅人たちにはなんの関係もないのだ。

かわりにイマーの地図を見てみよう。とても大きくて干満のある実体。呼びだして、回転させて、各投影像をチェック。その光る幻影をあらゆる方法で仔細に調べてみると、たとえそれが、わたしたちの説明に抵抗している空間の2Dあるいは3Dレンダリングにすぎないと認めたとしても、実際の状況とはあきらかにことなっている。

イマーの領域は、わたしたちの暮らすこの宇宙、マンヒマルの次元とはまったく一致しない。わたしたちにできるのは、イマーが、〝下にある〟とか〝上にある〟とか、〝染み込んでいる〟とか、〝基礎〟であるとか、わたしたちの現実を〝パロール〟とした場合の〝ラング〟であるとか、そんなふうに言うのがせいぜいだ。この通常宇宙で、数十光年や数千兆メートルを単位としたとき、ダゴスティンは、アリエカからよりも、タースクやホジスンからのほうがはるかに離れている。ところが、イマーにおいては、ダゴスティンからタースクまでは卓越風に乗ってほんの数百時間だ。ホジスンは静穏で混み合った深淵の中心にある。そして、アリエカはあらゆるものから遠く離れている。

イマーの激しい流れが入り乱れる場所は激動どころではなく、恒常宇宙にはいりこむ通常宇宙がいくつもの浅瀬や、危険な突起や、物質堆積をつくっている。それは既知イマー――イマーを知ることができるかぎりにおいてだが――のはずれにぽつんとある。専門的知識と勇気、そしてイマーサーのスキルがなければ、だれもわたしの世界へたどり着くことはできない。

そうした地図を目にすると、わたしが突破した最終試験がなぜあれほど厳しかったかがわかる。生まれつきの才能だけでは充分ではない。排除の政治というものもたしかにある。もちろん、ブレーメンはわたしたちエンバシータウンの住民を慎重にコントロールし続けたいと思っている。しかし、なにがあろうとぶじにアリエカへたどり着けるのは、あるいはそこから立ち去れるのは、もっともスキルの高い乗組員だけだ。なかにはソケットで船のルーチンとリンクしている者もいるし、イマーウェアや強化ボットも助けになる。しかし、それだけではイマーサーにはなれない。

上級船員たちの説明を聞いていると、パイオニール号の残骸――それはいまやわたしにとって星ではなく同業者たちの棺であり、とても〈難破船〉と呼ぶ気にはなれない――は、不注意を戒めるための警告のようだった。たとえ話にしてもあんまりだ。パイオニール号がふたつの状況のはざまであんなにひどく座礁したのは、上級船員や乗組員がイマーをなめてかかったせいではなかった。きちょうめんな配慮と敬意をもった探査活動があの船を破壊したのだ。初期の時代にさまざまな未踏領域を渡ったほかの船と同じように、パイオニール号は誘いこまれたのだ。メッセージあるいは招待状と思いこんだものによって。

イマーを行く人びとがはじめて通常宇宙の関節間軟骨を突破したとき、彼らを驚嘆させた数多くの現象のひとつが、当時の未熟な機器でも、その原初空間のどこかから信号を受信したという事実だった。整然とした、よく響く、知性の存在をしめす明確な証拠。彼らはその出所へむかおうとした。長いあいだ、その探索で船がつぎつぎと遭難したのは、スキル不足が原因であり、新参者の直面する洗礼と考えられていた。彼らは何度も何度も遭難し、イマーから物質界のマンヒマルへなかば飛び出して破滅した。

パイオニール号は当時の遭難船で、探検者たちはまだパルスが灯台から発せられていることを理解していなかった。それらは招待状ではなかった。幾多の船が懸命にめざしていたのは近寄るなという警告だった。

というわけでイマーにはいたるところに灯台がある。危険地帯のすべてではないにせよ、その多くに目印がついているわけだ。少なくとも宇宙と同じくらい古くからあるらしく、その宇宙はかつて存在した最初の宇宙ではない。イマーに潜る直前によくささやかれる祈りは、灯台を設置した未知の何者かにむけた感謝のことばだ。〝慈悲深き灯台の造り主よ、われらを見守りたまえ〟

わたしがアリエカのファロを見たのは、そのイマー初体験のときではなく、何千時間かたったあとのことだった。もちろん、厳密に言えば見たわけではないし、見られるはずもなかった。ものを見るには光や反射といった物理的現象が必要で、イマーではそういうものは意味をなさない。わたしが見たのは船の窓による描写だ。

舷窓に組み込まれた*ウェアが、イマーとそこにあるすべてを乗組員に理解できることばで表現してくれた。わたしの見たファロはまるで複雑な凝集体のようで、クロスハッチングのように、輪郭をととのえられ、情報へと仕上げられていた。わたしがエンバシータウンにもどったとき、船長が、たぶん贈り物だったと思うのだが、スクリーンで形象化ウェアを走らせてくれた――イマーのねじれに接近して、アリエカを取り巻く危険な乱流にはいりこんだとき、わたしはフラクタルな闇のなかに一本のビームを、回転する灯火のような光の筋を見た。非在のただなかに浮かぶファロが視界にはいってきたとき、それはブロンズとガラスの頂部をそなえたレンガ造りの灯台だった。

会ったときにこういうことを話したら、のちにわたしの夫となるサイルは、わたしにはじめてイマーに潜ったときの様子を説明してほしがった。もちろん、サイルもイマーを通過していた――彼はわたしたちがいっしょに寝た世界の生まれではなかった――が、所得も低くなんの特権も持たない乗客だったので、ずっと昏眠状態のままだったのだ。本人の話では、いちどだけ、金を払ってすこし早く目ざめ、イマーを体験したことがあるらしい（そういうことをする人がいるのは聞いていた。乗組員は許可するべきではないし、たとえ許可するとしても浅い浅瀬にかぎられる）。サイルはひどいイマー酔いにかかったそうだ。

わたしにどんな説明ができただろう？　マンヒマルフィールドに守られて、ワスプ号がざぶんとイマーに潜ったあの最初のとき、わたしはイマーを肌に感じることさえなかった。ほんとうのところ、エンバシータウンで訓練生として、イマーに対してグラスの平らな底を水面に押し当てたように作用するスコープと接続したときのほうが、イマーにより直接的にふれた感じがしたと言えるだろう。あのときは、すぐ近くでイマーを目の当たりにし、それがわたしを変えた。〝それ〟を説明しろと言われても困るのだ。

ワスプ号は激しく突入した。わたしはまだ不慣れだったが、訓練を受けたにもかかわらずこみあげてきた吐き気は、あっさりと克服できた。マンヒマルフィールドに浸かっていても、実際には方角ではない方角へ進んでいると、奇妙な速度の感覚に全身をさいなまれるので、いっしょに持ちこんだ錯覚をもたらす重力バブルがめいっぱい活躍してくれた。それでも、わたしは不安が強すぎて、情けないことに畏怖の念に屈服してしまった。それがおとずれたのは、甘やかされた時期がすぎたあとのこと。わたしたちが最初のとんでもない任務にほうりこまれ、それをなんとかやり遂げて、ようやくイマーで巡航深度に到達したときのことだった。

わたしたちイマーサーがすること――できること――は、イマーのなかでみずからの精神の安定と、知覚力と、健康をたもつことだけではなく、イマー酔いで活動不能になったりすることなく、歩いたり、考えたり、食べたり、排泄したり、命令を出したり命令に従ったり、決定をくだしたり、イマースタッフ――おおよその距離と状況をしめす疑似データ――を評価したりできるようにしておくこと。ただし、それは容易なことではない。ある者が言うように（そしてある者が反論するように）、想像力が欠けているおかげで、イマーのひとにらみで使い物にならなくなるのをまぬがれているというわけではないのだ。わたしたちはイマーの気まぐれさを、そこを旅する方法を学んできたが、知識ならいつだって学ぶことができる。

船は、マンヒマルにいるあいだは――これはあくまでもテラの船のことで、わたしはイマーを離れた異星人の船に乗ったことはないし、それがどんな動きをするのかまったく知らない――人と物でいっぱいの重い箱だ。その不格好なラインの解釈に意図があるところでイマーに潜ると、船はゲシュタルトとなって、わたしたちもその一部となり、各自がひとつの機能となる。そう、わたしたちは乗組員として、ふつうの乗組員のようにいっしょに働くが、それだけではない。エンジンはわたしたちをマンヒマルの外へ運ぶが、わたしたちもそれに参加している。船がわたしたちを引っぱるのと同じように、わたしたちも船を押す。わたしたち自身がうねうねと螺旋を描いて原初空間を通過するのであり、そこでの変化は潮流と呼ばれている。一般人は、たとえゲロを吐いたりめそめそ泣いたりせずに目ざめていられるとしても、そんなことはできない。実を言うと、わたしたちがイマーについて口にするたわごとの多くは真実だ。とはいえ、わたしたちがなにかを語るときは遊び半分であり、たとえ嘘ではないとしても、物語には脚色がはいっている。

「これは第三の宇宙」わたしはサイルに言った。「このまえにふたつの宇宙があった。わかる？」一般人がどれだけ知っているのかはわからなかった――わたしにとっては常識になっていたけれど。「どの宇宙も生まれつきちがっていた。法則もそれぞれで、第一の宇宙では、光の速さはここのおよそ二倍だった。どの宇宙も生まれて育って年老いて崩壊した。三つのことなる通常宇宙(マンヒマル)。でも、それらすべての下だか、まわりだか、なんだかには、ずっとひとつの恒常宇宙(イマー)がある。常にひとつだけ」

サイルはそういうことをなにもかも知っていた。だが、こうしたありふれた事実もイマーサーの口から語られると新鮮なので、彼は少年のように聞き入った。

わたしたちがいた安ホテルは、ペルシアスという小都市の郊外にあった。旅行者が多いのは、この都市が華々しいマグマの滝にまたがっているためだ。とある小国の首都だが、そこの世界がなんという名だったかはおぼえていない。通常宇宙では、わたしたちの銀河のなかではなく、数十億光年の彼方にあるが、イマーを経由すればダゴスティンとはおとなりさんだ。

そのころには、わたしはしっかりと経験を積んでいた。たくさんの場所をおとずれていた。サイルと出会ったときは、ちょうど任務のはざまで、みずからにあたえた上陸許可により、つぎの仕事にむかうまでのあいだ、土地の単位で二週間をすごしていた。わたしはいろいろな噂をひろっていた——新しいイマーテクノロジー、探検、うさんくさい使節団。ホテルのバーを埋めつくしていたのは、イマーサーをはじめとする港湾関係者や、快復途中の旅行者たちで、そのときだけは学者たちも混じっていた。わたしにとってはなじみのある連中ばかりだが、この最後のタイプだけは別だった。ロビーには〈物語の治癒力〉と題された講座の広告があり、わたしはそれにむかって不作法な音をたてた。くるくると内容の変わる3Dの文章が通路に浮かび、来客を迎えていた。〈金と銀の回路基盤〉の設立会合へ。シュラース人の哲学者と役人による集会へ。ＣＨＥＬ——人類・異星人言語学者会議へ。

わたしは、とっくに記憶から薄れてしまった行きずりの友人たちといっしょにバーで飲んでいた。みんなたちの悪い酔いかたをしていた。わたしはバーテンダー相手の気のないたわむれをやめて、同じくらい酔っぱらって騒いでいたCHELの学者たちのテーブルをひやかしにいった。彼らの話は耳にはいっていたので、イマーサー特有のえらそうな態度で、あんたたちはアウトでの生活どころか言語についてもなんにも知らないんだとか、あれこれ言ってやった。

「だったらさあ、なんか質問してみなよ」わたしはサイルに言った。それが彼にかけた最初のことばだった。あのときの自分がどんなふうに見えたかはよくわかっている。高い椅子でふんぞりかえって、カウンタートップに背をもたせかけ、頭だけをもどしてサイルを見おろしていた。両手で彼を指さし、ちょっと口のひきつったような笑みをたたえ、どんな満足感もあたえてやるまいとしていたはずだ。サイルはそのテーブルではいちばん酔いが浅く、口論する両陣営の仲裁役をつとめていた。「風変わりな言語のことならなんだって知ってるよ」わたしはサイルに言った。「あんたたちのだれよりもずっと。なにしろ〝エンバシータウン〟の出身だからね」

そのことばを信じたとき、サイルは、見たこともないほどの驚きとよろこびをあらわにした。ひやかしをやめることはなかったが、こちらを見る目がまったくちがってきて、わたしの連れに同郷の仲間がひとりもいないのを知るとそれに拍車がかかった。わたしは唯一のエンバシータウン生まれで、サイルはそのことがうれしくてしかたがなかったのだ。

わたしが楽しかったのは注目されたせいだけではなかった。この小柄で、タフな雰囲気の男が、わたしと言い合いをして、ほかのみんなをにぎやかに楽しませながら、中身のある質問を投げかけてくるやりかたが気に入ったのだ。ほどなくして、わたしたちはよろよろとバーを離れ、一昼夜かけてセックスを楽しもうと試みてから、眠りにつき、またあらためて何度か試し、そのたびに陽気な失敗をくりかえした。そのあとの朝食の席で、サイルはわたしをせっつき、説得し、懇願した。わたしは、軽蔑しているふりをして楽しみながら、しぶしぶ同意して、うんざりはしたが、彼をからかっていると、それほど不快でもなかったので、請われるまま会議へとむかった。

サイルは同業者たちにわたしを紹介した。CHELはテラ人があらゆる異星言語の研究をおこなうための会議だったが、メンバーを魅了するのは一般にもっとも奇妙だと考えられている言語だった。即席で用意された3D映像が、いろいろなセッションの宣伝をしていた。題材は、異文化間における色素体信号、目の見えないバーダン人の接触コミュニケーション、そしてわたし。

「あたしはホーマシュで研究をしているの。あそこのこと知ってる?」ひとりの若い女が唐突に声をかけてきた。わたしが知らないとこたえると、彼女はとてもよろこんだ。「彼らは吐き戻しで会話をするの。さまざまな組み合わせの酵素をまぜたペレットが文章になって、対話の相手がそれを食べるわけ」

わたしは自分の3D映像が背景に浮かんでいるのに気づいた。〝ゲストはエンバシータウン出身者! アリエカ人に囲まれた暮らし〟「ちがうよ」わたしは会議の主催者に言った。「それはホスト」だが、むこうの返事はこうだった――「きみにとってはね」

サイルの同業者たちはわたしと話をしたがった。だれもエンバシータウンの出身者と会ったことがなかったのだ。もちろん、ホストとも。

「彼らはまだ隔離されているの」わたしは学者たちに言った。「もっとも、彼らから外へ出たいという話が出たことはないけどね。彼らがイマーに潜ることに耐えられるのかどうかさえわかっていないし」

わたしは進んで珍品になろうとしたが、彼らを失望させてしまった。サイルにはそうなるだろうと警告してあったのだ。わたしが〝ゲンゴ〟についてほとんどなにも語れないとわかると、討論は焦点を失い、社会学的なものに変わった。

「なにも理解していないにひとしいかな」わたしは言った。「スタッフや大使以外は、ほんのちょっとしか教えてもらえないの」

ひとりの参加者がホストの会話の記録を呼びだして、単語をいくつか紹介した。ふたつほど定義のニュアンスを説明できたのはうれしかったが、正直言って、その部屋にはわたしよりもゲンゴをよく理解している人が少なくともふたりはいた。

そのかわりに、わたしは辺境での生活についてあれこれ語った。彼らは清風のことを知らなかった――エンバシータウンの上に呼吸可能なドームを保持している大気の彫刻。輸出されたバイオリグを見たことがあるのはほんの数人だったが、わたしは、ホストたちが広大なインフラで活用している時代遅れの3Dや、群れをなす家々や、低速度撮影でとらえた若い橋がこれといった理由もなく舟橋の一部から都市の各地域を結ぶところまで成長する様子を説明してあげることができた。サイルが宗教について質問してきたので、わたしの知るかぎりホストには宗教はないとこたえた。それから〝嘘祭〟のことを話した。それについてくわしく知りたがったのはサイルだけではなかった。「しかし、彼らは嘘をつけないんだと思っていたが」だれかが言った。

「まさにそこがポイントなの」わたしは言った。「不可能なことのために奮闘するというのが」

「どんな感じなのかな、その祭というのは？」わたしは声をたてて笑い、そんなのは見当もつかないし、もちろん参加したことはないし、そもそもホストの都市へはいったこともないとこたえた。

学者たちはゲンゴについて仲間うちだけで議論をはじめた。わたしは彼らの歓待にどんな逸話でお返ししようかと考えたあげく、あの打ち捨てられたレストランで自分の身に起きたできごとを話した。彼らはあらためてわたしに注意をむけてきた。サイルが熱にうかされたような目で見つめた。「きみは直喩のなかに組み込まれていたのか？」彼らは言った。

「わたしがひとつの直喩なの」わたしはこたえた。

「きみが物語なのか？」

わたしはサイルにひとつでもあたえられるものがあってうれしかった。サイルもその同業者たちも、わたしが直喩にされていたという事実に、わたし以上に興奮していた。

わたしはときどき、サイルにむかって、あなたがわたしをもとめるのは、わたしがホストの言語を知っているから、あるいはわたしが語彙の一部だからでしかない、と言ってからかった。

サイルは自分の研究の大半をすませていた。いくつかのことなる言語における、ある特定の音素セットの比較研究——ただ、ひとつの種族、あるいはひとつの世界すべてを対象にするわけではないので、わたしにはあまり意味があるように思えなかった。「いったいなにを探しているの？」わたしは言った。

「ああ、秘密だよ」サイルはこたえた。「わかるだろう。エッセンス。生得性」

「その不快なことばにブラボー。で？」

「で、ひとつも見つからない」

「ふーん。困ったね」

「それは敗北主義者の台詞だ。かならずなにかをまとめあげてみせる。学者は単なるまちがいに理論をじゃまさせるわけにはいかないんだ」

「もいちどブラボー」わたしは彼のために乾杯した。

ふたりそろって、どちらの予定よりもはるかに長くそのホテルに滞在したあと、なんの計画も任務もなかったわたしは、サイルを交易ルートで故郷へ連れもどす船で仕事を探した。経験もあり、身元もしっかりしていたので、仕事を見つけるのはむずかしくなかった。旅はごく短いもので、ほんの四百時間かそこらだった。イマーに潜ったときのサイルの反応がどれほどひどいかに気づいたとき、わたしは彼がはじめてのいっしょの旅で昏眠を選ばなかったことにとても感動した。それは無意味なジェスチャーだった――彼はわたしの勤務のあいだはひとりで吐き気に耐え、わたしがオフのときは、薬を使ったのに、ほとんど話をすることさえできなかった。だが、彼の体調にいらいらさせられても、わたしは感動した。

わたしの見たところ、サイルが最後の数章と、図表と、音声ファイルと3D映像を仕上げるのにそれほど時間はかかりそうになかった。ところが、サイルはわたしにむかっていきなり宣言したのだ、論文を提出するつもりはないと。

「あれだけの作業をやり遂げたのに、最後の輪をくぐらないってこと？」わたしは言った。

「いやはや」サイルはわざとのんきな口ぶりで言った。

わたしは思わず笑った。「革命は立ち往生だ！」

「かわいそうな挫折した過激派さん」

「ああ。うん。飽きたんだよ」

「でも、ちょっと待って」わたしはなんとかことばを継ごうとした。「でも本気なの？　まちがいなくそれだけの価値は――」

「もういい、終わったことだ、忘れてくれ。どのみち別の研究プロジェクトがあるんだよ、直喩。まったくなんて人なんだ？」サイルはその悪い冗談に頭をさげ、指をぱちんと鳴らして、つぎのテーマへと話を進めた。

彼はエンバシータウンについて質問を続けた。その熱心さは刺激的だったが、たっぷりの自嘲によって薄められていたので、わたしは、彼がときどき見せる取り憑かれたような態度は、いくらかは演技が混じっているのだろうと思った。

わたしたちはサイルの住む田舎の学園都市に長くはとどまらなかった。サイルは、わたしが音をあげて彼を例の場所へ連れていくまで、わたしをしつこく追いかけまわすと言った。わたしはそんなことばはいっさい信じなかったが、つぎの任務についたとき、サイルは乗客としていっしょに乗り込んできた。

その旅に乗り出して、浅い、おだやかなイマーにいたとき、わたしはサイルを昏眠から起こし、ハイと呼ばれるイマーの捕食者の群れを見せてあげた。わたしがそれまでに話していた船長や科学者たちは、そいつらのことを生物とは似ても似つかない、ただのイマーの凝集体と考えていた。その攻撃やジャックナイフのような正確さはイマーの混沌のゆらぎでしかなく、その混沌のなかでは、わたしたちのマンヒマルの脳は難解な無作為を見抜くすべを学ぶことができないと。わたし自身は、そいつらのことを常に怪物とみなしていた。薬で元気づけられたサイルと、わたしは、船による主張攻撃がイマーをゆるがしてハイを追い払うのを見守った。

なにかを送り届けるかひろうかするために、船がどこかへ浮上すると、サイルはその土地の図書館に登録し、古い研究をあさって新しいプロジェクトをはじめた。見物するものがあるところでは、ふたりでそれをながめた。わたしたちはベッドを共有したが、かなり早いうちにセックスには見切りをつけた。

どこにいようと、サイルはその猛烈な集中力で言語を学び、すでに正規の語彙を知っているときにはスラングに手を出した。わたしはサイルよりもはるかにたくさん旅をしていたが、話したり読んだりできるのはアングロ＝ウービック語だけだった。彼といっしょにいるのは楽しくて、愉快なことも多かったし、常に興味は尽きなかった。彼をテストするために、いちどに何百時間もイマーを引きずりまわされることになる仕事をいくつか引き受けてみた。残酷なほど長い時間ではないが、それでも充分に長い。わたしのあいまいな感情的決算により、サイルがついにテストに合格したとき、わたしは自分が、彼がとどまるかどうかをたしかめていただけではなく、彼が去らないことを願っていたことに気づいた。

わたしたちが結婚を決めた、ダゴスティンの、ブレーメンの、チャロ・シティは、わたしがこどものときに何度も手紙を送っていたところだった。首都の港へときどき顔を出すのはたいせつなことだと、わたしは自分に言い聞かせ、それはたしかに事実だった。世界間文通のだらだらしたペースをいとわず、サイルは土地の研究者たちとやりとりを続けていた。けっして一匹狼ではないわたしには、イマーサーどうしのさまざまな交流や即席の強い友情があった。というわけで、それなりに出席者が来ることはわかっていた。ほとんどのエンバシータウン出身者がいちども見たことのない、わたしの国の首都で、わたしは組合に登録して、預金をメイン口座にダウンロードし、ブレーメン管轄区の情報を集めることができた。わたしの所有するアパートは、市内のファッショナブルではないが居心地のよい地域にあった。家のまわりでは、エンバシータウンから輸入されたバカみたいに贅沢なテクノロジーを身につけている人はめったに見かけなかった。

現地の法律にのっとって結婚したおかげで、サイルはブレーメンのいろいろな区域や所有地を訪問しやすくなった。わたしは長いあいだ、わたしにはエンバシータウンへもどる気がないという情報に対するサイルのしつこいこだわり――本人は最初はジョークのふりをしていたがそんなことはなかった――に付き合っていた。けれども、結婚したころにはもう、サイルをわたしの最初の家へ連れていってあげる心構えはできていたのだと思う。

簡単なことではなかった。ブレーメンは一部の領土への立ち入りを慎重に規制していて、それは出ていくほうでも同じだった。わたしたちはエンバシータウンで下船するつもりだったので、交易ルートの登録をするだけではすまなかった。交通機関管理所では、困惑した職員たちにたらいまわしにされた。それは予想していたことだったが、責任転嫁レベルの高さ――オフィスの家具を判定基準とするわたしの読みが不調だったのでなければ――には、いささか驚かされた。

「エンバシータウンへ帰りたい？」トップまでほんの一ランクか二ランクの地位にいると思われる女が言った。「わかっていると思うけど、それは……異例のことなの」

「ありとあらゆる人にそう言われてます」

「故郷が恋しいの？」

「とんでもない。愛ゆえにですよ」わたしは芝居がかったため息をついてみせたが、女は付き合おうとしなかった。「ハブから遠く離れた場所で立ち往生するという考えに惹かれているわけではないです」女はわたしの目を見たが返事はしなかった。

女はわたしに、アリエカで、エンバシータウンでなにをするつもりなのかとたずねた。わたしは正直にこたえた――浮浪(はぐれ)です。これもまた女にはうけなかった。到着の報告はだれにするのか？　わたしは報告はしませんとこたえた――むこうではだれの部下でもなく、ただの一市民ですから。女はエンバシータウンはブレーメンの港だと念を押した。アウトに来てからどこにいたのか？　すべて申告しろと言われたが、だれがそんなことをおぼえている？　こちらとしては勅許状や古いデータの読取記録を残らず提出するしかなかったが、多くの場所でそうした到着手続きがいいかげんに処理されていることは女も知っているはずだった。女のながめているリストには、本人すらおぼえていない終着駅や短期停留所がならんでいた。女はいくつかの土地の政治について質問をしてきたが、答をほとんど用意していなかったわたしは、ただ笑みを浮かべることしかできなかった。ぶつぶつ言うわたしを、女はじっと見つめていた。

女がなにを疑っているのかはわからなかった。結局は、勅許状を持つエンバシータウン生まれのイマーサーであるわたしが、婚約者を乗組員としてその身元を保証すれば、あとはねばり強く交渉するだけで、サイルのエンバシータウンへの入場と、わたしの再入場の権利を手に入れることができた。サイルはすでに現地での仕事の準備をはじめて、手にはいるわずかな3Dやビデオを読んだり、聞いたり、見たりしていた。書くつもりでいる本の題名まで決めていた。

「残る勤務はひとつ」わたしはサイルに言った。「つぎの救援のときには出発する」チャロ・シティで、驚いたことに彼から希望のあった〈キリスト・アップローデッド〉教会の大聖堂で、わたしはブレーメンの二級の法律にのっとってサイルと結婚し、非夫婦関係の恋愛カップルとして登録をすませたあと、彼をエンバシータウンへ連れていった。

第一部
到　　来

後日 1

外交ホールは混み合っていた。舞踏会や、訪問者の送別会がにぎわうのはふつうのことだが、その夜は格別だった。驚くことではない――きわめて異例のできごとが待っているのだ。スタッフがみなにこれは通常の到着舞踏会だとどれだけ強調しようと、本人たちがそれを信じている声を出そうとすらしていなかった。

わたしはドレス姿の人波にもまれていた。宝石を身につけ、強化ボットをいくつか起動して身のまわりにかわいらしい光のコロナを送り出す。それから分厚い葉におおわれた壁に背をもたせかけた。

「あら、いい感じじゃない」アースルがわたしを見つけた。「ショートヘア。シャギー。気に入ったわ。ケイリーにお別れを言ったの？」

「ありがとう、もう言ったよ。彼女が出ていくための書類をそろえられたのがいまだに信じられない」

「そうね」アースルが顎でしめした先では、ケイリーがダミエイの腕にしがみついていた。スタッフの女で、勅許状の公布にあるていど関与している。「ケイリーは寝そべった姿勢で申請したのかも」わたしは声をたてて笑った。

アースルはオートムだ。彼女のその夜の外皮は、アクリル塗料のクジャクの羽と、周囲をめぐる3D宝石で飾られていた。「すごく疲れたわ」アースルはそう言うと、空電に割り込まれたかのように顔に亀裂を入れた。「新任の大使が動いているのを見ようと待ってるだけで――見ないわけにいかないものねえ？――それがすんだら帰るのに」

アースルは、テラ好きとしての礼儀やもてなしの感覚に従い、ひとつの体しか使ったことがなかった。肉体面で移り変わりの激しい相手と付き合うのは人間にとってしんどいことだと知っているのだ。もちろん輸入品だが、いつ、どこから来たのかははっきりしていない。わたしの知るどんな人の一生よりも長い時間をエンバシータウンですごしている。彼女のチューリングウェアは、地元製の能力をはるかに凌駕していたし、わたしが過去にアウトで見たどんなものにもひけをとらなかった。たいていの場合、オートムを相手にすごすのは、認識能力の面でひどい障害のある人といっしょにいるようなものだが、アースルは友人だ。「このバカどもの群れから早く救いだして」ほかのオートムとならんで更新データをダウンロードしたあと、彼女はそんなふうにわたしに言うことがあった。

「だれも見ていないときでもひとりでジョークを言うの？」わたしはいちどたずねてみた。

「なにか問題でも？」アースルはしばらくしてこたえ、わたしは叱られたような気がした。彼女の人格や見かけ上の意識について、それがわたしのためなのかどうかについて、こちらが疑問を口にするのは不作法で青臭いことだった。ごく少数の、そんな質問をしたくなるほど人間そっくりな行動をとるオートムは、昔からそれに返事をしないものなのだ。

アースルはわたしのいちばんの親友で、なにしろ変わっているため、わりあいよく知られていた。彼女と出会ったとき、わたしはまえに会ったことがあると確信した。はじめは、どこだったかわからなかった。それから、どういう状況だったかを思いだして、だしぬけに（驚かせてもかまわないかのように）彼女に質問をした。「あそこで彼らはあなたになんの用があったの？　ブレンのところで、ずっとまえに、大使たちがわたしの直喩をわたしに暗唱したとき？　あれはあなただったよね？　おぼえてる？」

「アヴィス」アースルはおだやかにたしなめて、がっかりしたように顔をふった。その件に関する反応はそれだけだったので、わたしも追及はしなかった。

壁を這うツタのそばで身を寄せあい、部屋を飛びまわって記録を続けるいくつもの小さなカメラをながめた。装飾用のバイオリグが甲皮の色をさまざまに変化させていた。

「それで、あなたは彼らに会ったの？」アースルが言った。「みなが待っている高名なる採用者に？　あたしはまだなんだけど」

わたしは驚いた。アースルには仕事がないので、ほんのわずかな納税の義務もないけれど、コンピュータとしてはスタッフにとって貴重な存在なので、しばしば彼らのために働いていた。それについてはわたしも同じだったのだが——内側と外側の両方でスタッフにとって役に立つ立場にあった——その恩恵はすでに失われていた。わたしとしては、アースルにあちこちで進んでいる話し合いに加わってほしかったのだが、どうやら新任の大使が到着したらしく、スタッフは引きあげて一ヵ所に集まっていた。

「激しい争いがあるって」アースルが言った。「あたしはそう聞いたわ」みんながアースルにいろいろなことをしゃべるのは、彼女が人間ではないけれど、かぎりなく人間に近いからだろう。ローカルネットに接続し、暗号を解読して友人たちにとって有益な情報をつまみとったりもしていたのだと思う。「みんな心配してる。でも、一部の人たちはむしろ気に入ってるみたい……。マグ／ダーに注意して。いまは、ワイアットが首を突っ込みたがっているわ」

「ワイアットが？」

「古い法律を引き合いにだして、おありがたいことに、ひとりで大使に概要説明をしようとしてる。そういったこと」

ワイアットは、ブレーメンの代表者で、小人数の側近とともにこのまえの貿易船でやってきて、前任者のチェッテナムのあとを継いだ。彼はあとひとつ任期をこなしたらここを離れる予定になっていた。ブレーメンがエンバシータウンを設立したのは二メガ時間以上まえのこと。わたしたちはみな法律上はブレーメン人であり、保護されている。だが、公式にはブレーメンの名で統治をおこなっている大使たちは、もちろんこの生まれだし、スタッフや自力で居場所を確保したわたしたちもそれは同じだ。ワイアットも、チェッテナムも、そのほかの随行員たちも、長期にわたる任期のあいだは、スタッフを頼りにして、貿易情報と、助言と、ホストや科学技術へのアクセス手段を手に入れている。彼らが「それで進めてくれ」以外の指示を出すことはめったにない。彼らはスタッフの助言役であり、首都の政治状況を判断する役に立っている。ワイアットがいまになってみずからの権限をそんな強引なやりかたで利用しようとするのはなかなか興味深いことだ。

大使がアウトからやってくるのは、人びとの記憶にあるかぎりではじめてのことだ。パーティで否応なくお披露目をするはめにならなかったら——船はもうじき出発するので舞踏会は延期できなかった——スタッフは新来者たちをもっと長く隔離して、なんだかわからないが策謀を続けようとしたのかもしれない。

「カル／ヴィンのおでましよ」アースルが小声で警告し、画像表示された顔でわたしの背後をちらりと見た。わたしはふりかえらなかった。アースルはわたしに目をむけ、どうしたの？　という顔をして、なにがあったのかいずれ教えてほしいという気持ちを声に出さずに伝えてきた。わたしは首をふった。

エンバシータウンの主任研究員であるヤンナ・サウセルが、ひとりの大使を連れて到着した。わたしはアースルにささやいた。「よかった、エド／ガーだ。おべっかの時間ね。すぐに報告するから」わたしはゆっくりと群衆のあいだを進んで大使の軌道にはいりこんだ。笑い声のまんなか、ダンスにちょっともまれながら、わたしはグラスを差しあげてエド／ガーの注意を引いた。

「大使」わたしが言うと、彼らはにっこりした。「じゃあ、準備はできたんですか？」

「とんでもない」エドまたはガーがこたえた。「きみのききかたは、わたしが事情を知っているのは当然だと言わんばかりだな、アヴィス」もうひとりが続けた。

わたしは頭をかしげた。エド／ガーとわたしはわざとらしくいちゃついて楽しむのが常だった。ふたりはわたしを気に入っていた。どちらもおしゃべりで、噂話が好きで、いつでもすこしだけ必要以上に情報をもらしてくれる。めかしこんだ年上の男たちは、左右へ視線を走らせ、だれかが割り込んできて口止めをされるのを心配するかのように芝居がかったしぐさで眉をあげた。おきまりのいわくありげな態度。ふたりはこの数カ月でわたしには近づくなと警告されているはずだが、それでもわたしのことを楽しいおしゃべりの相手として扱ってくれた。わたしはにっこり笑ったが、ふたりがパーティむけの顔をしているのに実際は悲しげなことに気づいてためらった。

「思ってもみなかったよ、あんなことが……」「……可能だとは」エド／ガーは言った。「いま起きているいろいろなことは……」「……われわれにも理解できない」

「ほかの大使たちはどうなんです？」

わたしたちは部屋を見まわした。エド／ガーの同僚の多くはすでに到着していた。エス／メイは虹色のドレスに身をつつんでいた。アーン／オールドはリンクの下にくいこんでいるカラーを窮屈そうにいじっていた。ジャス／ミンとヘル／エンは、それぞれの大使が相手のことばに割り込み、それぞれの大使の片割れがそれぞれの分身（ドッペル）のことばを締めくくるという、ややこしい議論をしていた。こんなに大勢の大使が一ヵ所に集まると白昼夢のような雰囲気になる。各自の首に差しこまれている、好みに応じてさまざまな飾りをほどこされた回路上の発光ダイオードが、ふたつひと組で同期して断続的に色を変えていた。

「本音でかね？」エド／ガーが言った。「みな心配している」「ていどの差はあるが」「一部の者は言っている……」「……われわれは大げさすぎると。ラン／ドルフはみなにとって良いことだと考えている」「新人を迎えて、みなに活を入れる。だが、楽観視している者はひとりもいない」

「ホア／キンはどこです？　それとワイアットは？」

「新人を連れてくるところだ。いっしょに」「どちらもおたがいの姿を見失わないようにしている」

スタッフがホールの入口のまえに場所をつくり、大使たちの議長であるホア／キンと、ブレーメンの随行員であるワイアットと、新任の大使を迎える準備をしていた。見たことのない人たちもいた。操舵員の姿を見失ってしまったので、彼らが乗組員なのか、移民なのか、それとも一時滞在者なのかをたずねることはできなかった。

こうした舞踏会では、新来者たちは——永住者であれ単一ツアーであれ——地元民に取り囲まれるのがふつうだ。性的な面でも会話の面でも、相手に不自由することはない。彼らの服や装身具、彼らの強化ボットは、まるで聖杯のようだ。彼らがつけている＊ウェアは略奪され、それから何週間も、ローカルネットは目新しいアルゴリズムについてさえずり続ける。今回は、だれもが新任の大使だけに関心をむけていた。

「ほかにどんなものが到着したんです？　なにか役に立つものは？」ジャス／ミン大使が声の届くところにいたので、わたしはあえてエド／ガーではなくそちらのふたりに質問してみた。ジャス／ミンに好かれていないのはわかっていたので、機会があるたびに話しかけ、怖じ気づいていないぞと伝えていたのだ。返事がなかったので、わたしはその場を離れ、警備員のシモンにあいさつをした。もう何年も親しい関係にはなかったとはいえ、おたがいに心から好き合っていたのですこしぎこちなかったけれど、わたしがゲストとして出席していた――しかも招かれざる客だった――のに対して、シモンは勤務中だった。彼はバイオリグの右腕でわたしと握手した。射撃場で銃が破裂したときに生身の腕を失って、それ以来かわりに着けているものだった。

人混みのあいだを抜けて、友人たちとことばをかわし、ちらちら光る強化ボットの相互作用をながめ、イマーのスラングの断片が聞こえたので、それを口にしたイマーサーたちに顔をむけて同じ方言でひとことふたこと話しかけたり、手の指のサインでわたしがこのまえ乗り込んだ船を教えたりして、彼らをよろこばせた。グラスがあれば乾杯するところだったが、そのまま先へ進んだ。

そのあいだずっと、ほかのみなと同じように、わたしは新任の大使を待っていた。

彼らがやってきたのは、期待よりもずっとあっけないタイミングだった。ドアをあけたのはワイアットで、いつもより慎重でためらいがちな手つきだった。ホア／キンはそのとなりで笑みをたたえていて、わたしは、ふたりがまちがいなくかかえているはずの不安をみごとに隠していることに感心した。話し声が消えた。わたしは息をころした。

ふたりの背後でちょっとした騒ぎがあり、あとに続いている人たちのあいだで口論が起きていた。新任の大使が、案内役のかたわらをすぎて、外交ホールへ踏み込んできた。肌で感じられそうな瞬間だった。

ふたりの男の片割れは長身で痩せていて、髪は生え際が後退していた――目をしばたたき、はにかんだ笑みをたたえた、血色の悪い男だ。もうひとりは、がっちりして、筋骨たくましく、片手ぶんほど背が低かった。彼はにっと笑って、あたりを見まわし、手をあげて髪をなでつけた。血液中に強化ボットを仕込んでいる――体のまわりの輝きでそれが見てとれた。連れのほうはなにも着けていないようだ。小柄な男はローマ彫刻のような鼻で、もうひとりはしし鼻だ。肌の色も、目の色もことなっている。ふたりは似ていなかったし、おたがいを見てもいなかった。

ホールに立つ新任の大使は、まったくちがう雰囲気の笑みをたたえていた。それは奇形としか思えない姿であり、絶対にありえない姿だった。

過去 1

数キロ時まえ、旅の準備をしていたときに、サイルは雇用主兼上司といくつかの取り決めをした。わたしは彼の学問の世界を理解するためにあまり努力を払っていなかった。わたしの知り得たところでは、サイルはとても長期にわたる研究休暇を申請していて、建前上は、彼がエンバシータウンに住むのは、所属する大学からささやかな資金の出るプロジェクトの一環となる。名目だけのわずかな報酬を支払い、アクセスアカウントを生かしておいて、最終的には『ふたつに分かれた舌――アリエカ人の社会心理言語学』の出版を視野に入れていたのだ。

エンバシータウンには過去にも研究者たちがおとず

れていて、特にブレーメンの科学者たちはホストの生物学的構造に心を奪われていた。まだひとりかふたりは残っていて、交代要員の到着を待っていた。しかし、人びとの記憶にあるかぎり、アリエカに外部から言語学者がやってきたことはなかった——三・五メガ時近くまえに、ゲンゴを解読しようとした先駆者たちがいたのを別にすれば。

「ぼくは彼らを手本にすることができる」サイルはわたしに言った。「彼らはゲンゴがどのように機能するかをゼロから突き止めた。なぜぼくたちがアリエカ人を理解できるのに、彼らがぼくたちを理解できないのか。それはもうわかっている」

サイルは、本人が新婚旅行と呼んでいたエンバシータウンへの旅の準備を進めながら、チャロ・シティの図書館で調べ物をしていた。その土地と住民にまつわるイマーサーの言い伝えをわたしから聞き出し、現地に到着してからは、エンバシータウンの記録保管所もあさってみたが、そのトピックについて体系的な情報は見つからなかった。サイルは上機嫌だった。

「どうしていままでだれも書いてなかったの？」わたしはたずねた。

「だれもここへ来なかったから」とサイル。「遠すぎるんだよ。気を悪くしないでほしいんだが、ここはものすごくへんぴな場所だからね」

「べつに気にならないけど」

「おまけに危険な場所でもある。ブレーメンの官僚主義もあるしね。しかも、正直言って、なにもかもわけがわからない」

「ゲンゴが？」

「ああ。ゲンゴが」

エンバシータウンにも言語学者たちはいたが、その大半は、たとえ申請しても勅許状の公布を拒否されるような、抽象的な学者でしかなかった。彼らは旧フランス語と新フランス語、中国語、統一アラブ語を学んで教え、ほかの人びとがチェスをするように、おたがいのあいだでそれを話して練習した。異星人の言語を学んだ者もいたが、生理学的に許される範囲までだった。地元のパネゲッチ人はわたしたちのアングロ＝ウービック語を学んだときに生まれながらの言語を忘れてしまったが、エンバシータウンではケディス人の五つの言語とシュラース人の三つの方言が話されていて、前者のうち四つと後者のすべてについては、わたしたちもまねることができた。

　地元の言語学者たちはホストの言語の研究はしなかった。だが、サイルは、そんなタブーには影響を受けなかった。

　サイルの出身地はブレーメンでもなければ、その開拓地のどこかでもなく、ダゴスティンにある別の国家でもなかった。わたしもなんとなく聞いたことのある、セバスタポリスという都会月（アーバン・ムーン）の出身だ。サイルはとても多言語の環境で育った。どの言語を第一言語——もしあればだが——と考えているのかはよくわからなかった。旅をしていたとき、わたしはサイルが自分の出身地にまったく関心をもたず、いともあっさりと無視しているのをうらやましく思った。

　エンバシータウンへのルートはひどく遠まわりだった。何隻か乗り継いだ船では、見たこともないような場所からやってきたイマーサーたちも乗組員をつとめていた。わたしはブレーメンの混み合ったイマー領域の地図を熟知していて、かつてはその中心世界の多くにある国家の名前を言うことができたものだが、故郷へもどる途中で出会った乗組員の何人かは、そのいずれでもない場所からやってきていた。あまりにも遠くの星域からやってきたテラ人は、わたしをからかって、出身世界の名前を蜃気楼（ファタ・モルガーナ）とか水夫の楽園（フィドラーズ・グリーン）とか言っていた。

　船でもっと別の方向へ飛んでいたら、ブレーメンが伝説でしかないイマーと通常宇宙の星域へたどり着いていたかもしれない。人びとは重複する既知宇宙のなかで道に迷う。異星人の船に乗り組んで、その奇妙な系統の推進システム――スワロウドライヴ、オーバーライトフォールディング、バンシーテクノロジー――に耐えるすべを学んでいる者は、より予測のつかない軌道を描いてさらに遠くへむかい、ますます迷っていく。こんなふうになったのは何メガ時もまえ、わたしたち人類がイマーを見つけて、ホモ・ディアスポラになってからのことだ。

サイルがホストの言語に心を奪われているのは、わたしにとってはちょっと刺激的だった。エンバシータウンだけでなくブレーメン宙域自体でもよそ者であるサイルが、敬意をこめた〝ホスト〟ではなく〝アリエカ人〟と口にするたびに、彼らの文章の構造を解析してどういう意味なのかわたしに説明するたびに、わたしは戦慄をおぼえていたのだが、それを本人が理解できたかどうかはわからない。なんとも皮肉っぽい話ではあったけれど、わたしは自分が生まれた辺境世界にある都市の言語について、いま知っていることの大半を、よその国で生まれた夫の調査をとおして学んだのだった。

サイルの説明によれば、ＡＣＬ――促進式接触言語学――とは、教育学、感受性、プログラミング、暗号解読法を混ぜ合わせた特殊技能だ。ブレーメンが先駆けとして送り出した船に乗っていた学者兼探検者たちによって用いられたもので、彼らが遭遇した、あるいは彼らに遭遇した土着民とのきわめて迅速なコミュニケーションを実現する。

こうした初期の旅の記録には、ＡＣＬ学者たちの興奮が渦巻いている。生命であふれた、あるいは殺風景な大陸で、世界で、彼らはさまざまな異星人をはじめて理解した瞬間を記録した。触覚による言語、生体発光の単語、生物がたてることができるあらゆる種類の音。すでに語られたあらゆることばの重ね書きとしてのみ理解可能な方言や、形容詞がぶしつけで動詞が不道徳な方言。わたしが3D日記を見たあるACL学者は、当時はまだコースカ人だと知られていなかった生物に船内へ乗り込まれて、自分の船室に立てこもった——それが最初の接触だったのだ。大きな生物にドアをばんばん叩かれて、彼は当然のごとくおびえたが、相手の話しことばの音構造を理解した直後の興奮をしっかり記録していた。

ACL学者たちと乗組員たちがアリエカへやってきたとき、それから二五〇キロ時を超えて続く困惑がはじまった。ホストの言語が特に理解しにくいとか、気まぐれだとか、とてつもなく変化に富んでいるとかいうわけではない。アリエカに住むホストはびっくりするほど数が少なく、ひとつの都市の周辺に散らばっていて、その全員が同じ言語を話す。言語学者の耳ウェアと記録装置があれば、発音される単語のデータベースをまとめるのはむずかしくない（新参者はそれらを単語と考えたが、彼らがひとつひとつ切り分けた部分について、アリエカ人は亀裂として認識していなかったかもしれない）。学者たちはかなり迅速に構文規則を突き止めた。異星人の言語はどれもそうだが、ホストの言語にも驚くべき点はあった。とはいえ、ACL学者やそのマシンが対処しきれないほど異質なものではなかった。

ホストたちは忍耐強く、来訪者に興味津々で、その礼儀正しい愚鈍な態度を見るかぎりでは、歓迎の気持ちもあるようだった。彼らはイマーに出入りすることはできなかったし、外来の駆動装置どころか亜光速エンジンすら持っていなかった。そもそも惑星の大気圏を離れたことがなかったが、それ以外の面では進歩していた。生命を驚くべき精妙さで操作していたし、よその世界に知的生物がいることにも驚いていないようだった。

ホストはわたしたちのアングロ＝ウービック語を学ばなかった。学ぼうともしないようだった。だが、数千時間がすぎるうちに、テラの言語学者たちはホストの話すことをかなり理解できるようになり、アリエカの言語における返答と質問を合成した。彼らがマシンにしゃべらせた文章の音声構造——音調の変化、母音と子音のリズム——は、テストしたかぎりでは明瞭かつ正確なものだった。

ホストたちは耳をかたむけたが、ひとことも理解してくれなかった。


「きみたちは何人が脱出しているんだ？」サイルがわたしにたずねた。

「なんだか牢破りみたい」わたしは言った。

「おいおい。ぼくの記憶では、きみが何度も言ったんだぞ、〝脱出した〟って。たしか、えーと、二度ともどらないと言ってたんじゃなかったか」ちゃめっけのある目つきだった。

「一本とられた」わたしたちはエンバシータウンへの最後の航程に乗り出そうとしていた。

「で、何人なんだ？」

「そんなに多くないよ。イマーサーたちのこと？」

「だれでも」

わたしは肩をすくめた。「何人かの非イマーサーがときどき勅許状を手に入れているはず。わざわざ申請する人はそれほど多くないの、たとえ試験に合格しても」

「同級生のだれかと連絡をとっているのか？」

「同級生？　わたしといっしょに旅立ったイマーサーたちのこと？　ないね」指をふって、仲間たちがばらばらになったことをしめす。「どのみち、ほかには三人しかいなかったし。親しくしていたわけでもなかった」マイアブで送る手紙の実用性は皆無に近かったけれど、そうでなくても、わたしもみなも連絡をとろうとはしなかっただろう。小さな街から逃げだした人びとのあいだでかわされる古典的な暗黙の了解――ふりかえるな、おたがいの重荷になるな、なつかしく思うな。わたしは仲間たちのだれかが帰るとは思っていなかった。

エンパシータウンへの旅の途中、サイルは昏眠に修正をくわえ、老化剤を注入することでそのあいだも歳をとるようにした。なんとも心打たれるジェスチャーで、眠って旅をしても、働いているパートナーが歳をとっていくあいだ若いままでいることがないようにするのだ。

実際には、サイルはずっと眠っていたわけではなかった。薬と強化ボットの助けにより、旅の途中、イマーの状況がいいところでは、すこしだけ起きて研究を続け、吐き気をもよおしたときや化学的予防法でパニックを回避する必要があるときは打ち切っていた。

「聞いてくれ」サイルはわたしにむかって読みあげをはじめた。わたしたちはテーブルについていて、とてもおだやかなイマーの浅瀬を通過していた。「〝むろん気づいているだろうが、男たちはみなふたつの口とふたつの声をもっている〟これによると」――と、読んでいる箇所をつつき――「彼らはおたがいにむかって歌うことでセックスをする」それは、ある平面国について書かれた年代物の本だった。

「そのバカげた話になんの意味があるの？」わたしは言った。

「冒頭に置く引用句を探しているんだ」サイルは別の古い物語をあさりはじめた。ホストに似た創造物を探しながら、彼はコーリアンとトゥーカン、アイソリアン、ウェスハーといった、創作上の舌が二枚ある怪物について教えてくれた。わたしはそういうグロテスクなものにサイルほど熱心にはなれなかった。

「箴言の五章四節がいけるかもしれない」サイルはス

クリーンをにらみながら言った。わたしは説明をもとめたりしなかった――ときどき、ふたりでそんなふうに張り合っていたのだ。かわりに、ひとりのときに聖書をアップロードして、見つけた――「しかしついには、彼女はにがよもぎのように苦く、もろ刃(トゥー・マウス)のつるぎのように鋭くなる」

複数の声をもつ異星人はホストだけではない。ふたつ、三つ、あるいは無数の音を同時に発して会話をする種族もあるらしい。ホストは、アリエカ人は、わりあいにシンプルなほうだ。彼らの話しことばは、ふたつの声を組み合わせているだけだが、〝低音〟と〝高音〟と言ってしまうにはちがいが複雑すぎる。ふたつの音は――彼らはそれぞれの音を単独で発することはできない――声を出す食物摂取用の口と、かつては警告のために特化していたと思われる器官との偶発的な同時進化により、切り離せないのだ。

最初のACL学者たちは、それらを聞いて、記録して、理解した。「今日、われわれは彼らが新しい建物について話しているのを聞いた」古い3D映像のなかで、途方にくれた顔をした人物がサイルとわたしに語りかけた。「今日、彼らはバイオ加工物について議論をしていた」「今日、彼らは星々の名前を列挙していた」

ユーリックとベッカーとその同僚たち――わたしたちがこっそり見ていたころは、まだだれも有名になっていなかった――が、土着民のたてる音をまねて、相手が発した文章をそのとおりに復唱していた。「あれがあいさつなのはまちがいないわ。絶対にまちがいない」ずっとまえに亡くなった言語学者が、待ち受けるアリエカ人たちにむかって音を再生していた。「彼らがおたがいのことばを聞いて理解しているのはわかっている。わたしがいま再生したのと、まったく同じことを、彼らの友人のだれかが言ったなら、ちゃんと理解してもらえるのに」言語学者の映像がわたしたちにむかって首をふり、サイルも首をふった。

あの重大な発見そのものについては、ユーリックとベッカーが残した書面による証言しかない。ありがちな展開として、彼らの同行者たちはこの記録を虚偽であると非難したが、のちに物語になったのはユーリックとベッカーの原稿だった。わたしもこどもむけの版をずっとまえに見たことがある。その瞬間を描いたイラストは忘れがたい。いかにもカリカチュアしやすい顔立ちのユーリックと、もうすこし繊細な顔をしたスーラ・ベッカーが、どちらもおおげさに目をむいてホストを見つめていた。あのときサイルに見せてもらって以来、無修正の原稿はいちども読んだことがない。

われわれは多数の単語とフレーズを知っていた。もっとも重要なあいさつは——スヘイル／ジャー。われわれは毎日それを聞き、毎日それを復唱した——後者にはなんの効果もなかった。

われわれは音声ウェアをプログラムして、その単語を何度もしゃべらせた。アリエカ人はそのたびに無視した。とうとう、いらだちのあまり、われわれは顔を見合わせ、各自が単語を半分ずつ、まるで悪態をつくように叫んだ。たまたま、ふたりの声は重なった。ユーリックが「スヘイル」と、ベッカーが「ジャー」と、同時に叫んだのだ。

アリエカ人がわれわれのほうをむいた。そしてしゃべった。そいつがなんと言ったのかを理解するのに*ウェアは必要なかった。

そいつはわれわれに、おまえたちはだれだとたずねた。

それから、おまえたちは何者で、いまなんと言ったのだとたずねた。

そいつはわれわれのことばを理解しなかったが、なにか理解するべきことがあると気づいた。いままでは、合成された声はそいつにとってノイズでしかなかった。だが、今回は、われわれの叫びはどんな＊ウェアの発声よりもはるかに不正確だったのに、そいつはわれわれがしゃべろうとしたことに気づいたのだ。

　わたしはこの信じがたい物語をいろいろなかたちで何度も耳にした。その瞬間から、というか、そのとき実際に起きたなんらかのできごとのあとから、さまざまな判断ミスと迷走をへて、七五キロ時ののちに、わたしたちの前任者たちはその言語の奇妙な性質を理解したのだ。

「ほかにはないの?」わたしはいちどサイルにたずねてみた。彼がうなずいたとき、わたしははじめて、自分までよそ者になったかのように、その事実に心の底から驚きをおぼえた。

「こういうのはどこにもない」サイルは言った。「ど、こ、に、も。つまり、これは音の問題じゃない。音に意味があるわけじゃないんだ」

　しゃべらずに会話をする異星人は存在する。この宇宙にテレパスはいないと思うが、ほとんど音がしないので思考を共有しているとしか思えない言語をあやつる共感者ならいるのだ。ホストはそういうのとはちがう。彼らは別の種類の共感者なのだ。

　人間の場合、〝レッド〟と言えば、〝レ〟と〝エ〟と〝ド〟を一体化させたものであり、それらの音素が文脈のなかで色を伝える。わたしが言っても、サイルが言っても、シュラース人や、そもそも自分がしゃべっているという感覚が欠如した心を持たないマシンが言ってもそういうことになる。アリエカ人の場合はそうではない。

　わたしたちのどの言語でもそうであるように、アリエカ人の言語も組織化されたノイズだが、彼らにとってはひとつひとつの単語が通気筒になる。わたしたちの場合は、それぞれの単語がなにかを意味するが、ホストの場合は、それぞれが開口部なのだ。つまりひとつのドアであり、そこをとおして、その指示対象の思考を、その単語のほうをむいた思考そのものを見ることができる。

「ぼくがアングロ＝ウービックの単語で＊ウェアをプログラムしてそれを再生したら、きみはそれを理解する」サイルは言った。「同じことをゲンゴの単語でやって、それをアリエカ人にむかって再生したら、ぼくはそれを理解するけど、彼らにとってはなんの意味もなさない。なぜなら、それはただの音であり、音に意味はないからだ。必要なのは音の背後にある精神なんだ」

ホストの精神はその二重になった舌と切り離せない。ほかの言語を学ぶことはできないし、その存在を想像することもできないし、そもそもわたしたちがおたがいにむかってたてるノイズが単語だということがわからない。ホストに理解できるのは、意思をもつ、単語の背後に精神をそなえた話者によって、ゲンゴで話されたことばだけ。そのせいで初期のACL学者たちは混乱したのだ。彼らのマシンがしゃべったとき、ホストたちに聞こえたのはうつろな吠え声でしかなかった。

「こんなふうに機能する言語はほかにはない」サイルが言った。「〝人間の声は魂そのものの音とみなすことができる〟」

「だれのことば？」わたしはたずねた。引用だとわかったからだ。

「思いだせない。どこかの哲学者だ。どうせそれは事実じゃないし、彼もそれを知っていた」

「彼女かも」

「彼女かもしれないな。人間の声の場合、それは事実じゃない。でもアリエカ人は……彼らがしゃべるときは、それぞれの声に実際に魂を聞いている。そうやって意味が生まれるんだ。単語には……」サイルは首をふり、ためらってから、しかたなくその宗教じみた用語を使った。「……魂がある。そこになければいけないんだよ、意味が。真実でなければゲンゴにはならない。だから彼らは直喩をつくった」

「わたしみたいな」

「きみみたいなのもそうだが、それだけじゃない。アリエカ人が直喩をつくったのは、きみたちが着陸するずっとまえのことだ。彼らは手近にあるものならなんでも利用した。動物とか。その翼とか。あの割れた岩があるのはそのためだ」

「割れて修理してある。そこが重要なのね」

「そのとおり。そうすることで、アリエカ人は〝割れて修理された岩みたいな〟と言うことができる。彼らが言おうとしているなにかについて」

「でも、それほどたくさんの直喩はつくらなかったと思った。わたしたちがおとずれるまえは」

「ああ。それは……そうだ」

「わたしは実在しないものについて考えることができる。それは彼らも同じ。当然でしょ。でなければ、そもそも直喩をつくろうとは思わないはず」

「そうでも……ないな。アリエカ人には〝もしも何々だったら〟という考えがない。せいぜいが、頭に浮かぶ幻みたいなものだったはずだ。ゲンゴに含まれるものはすべて事実の主張だ。だから、比較の対象として直喩が必要になる――まだ存在しないが、ことばにする必要がある事実をつくりだすために。彼らが考えつくわけじゃないのかもしれない――ゲンゴがそれを要求するだけなのかも。その魂、ぼくが話してきたその魂こそ、彼らが大使たちのことばに聞いているものでもあるんだ」

　言語学者たちは、ホストの話しことばの混じり合った流れをあらわすために、楽譜のような表記法を考案し、それぞれのパートに、ある失われた参考文献に従って名前をつけた――〝カット声〟と〝ターン声〟だ。こうして開発された、わたしたちの、人間版のゲンゴは、おおざっぱな音声のコピーでしかないオリジナルよりも柔軟性があった。＊ウェアで発音することもできるし、書くこともできるのだが、いずれの形式でも、ホストたちには理解してもらえなかった――ホストたちにとってのゲンゴは、ものを考える思索家によって語られる話しことばなのだ。

ぼくたちはそれを学ぶことはできない、とサイルは言った。できるのは、同じノイズでなにかを自分たちに教えることくらいだが、それはまったくちがう働きになってしまう。わたしたちはひとつの方法論を応急装備するしかなかったのだ。人間の精神はアリエカ人のそれとはちがう。ゲンゴを学ぶにはそれを誤解するしかなかった。

ユーリックとベッカーが、ひとりがカット声を、もうひとりがターン声を、共有した強い感情をこめて同時にしゃべったとき、ひとつの意味がちらりと伝わった――＊ウェアではゼタバイトの情報でもうまくいかなかったのに。

もちろん、ふたりは再挑戦した。ふたりもその同僚たちも、〝こんにちは〟とか〝話をしたい〟とかいった意味の単語をデュエットしてみた。わたしたちは彼らの録画された映像を見た。彼らが台詞を練習するのを聞いた。「ぼくには完璧に聞こえる」とサイルは言ったし、わたしでさえ聞きとれたのに、アリエカ人はだめだった。「ユーリックとベッカーは精神を共有していなかったんだ」サイルは言った。「それぞれの単語の背後に一貫した思考がなかった」

ホストたちの様子は、合成された音声を聞いたときのようにまったく反応がないわけではなかった。基本的には無関心だが、ぎこちなくしゃべる何組かのペアには熱心に聞き入った。理解はできなくても、なにかをしゃべっていることはわかったようだった。

言語学者や、歌手や、精神分析の専門家が、もっとも明白な影響をあたえたペアをくわしく調べた。科学者たちは共通項を見つけようと懸命に努力した。こうしてシュタット・ダイアディック共感検査が考案された。相互理解度の急激なカーブに一定の閾値を設定し、マシンを起動して個々の脳波をつなぎ、それらを同期させてリンクすれば、ある特定の人間のペアなら、それらのノイズに意味があるとアリエカ人を納得させられるかもしれなかった。

接触から数メガ時のあいだは、それでも対話は不可能だった。共感の研究がなんらかの成果をあげたのは、そうした初期の発見から長い時間がたったあとのことだった。ごく少数の人間のペアがシュタット基準で高得点をあげた——腹話術で話すゲンゴの背後にある統合精神を演じられるくらい高得点だった。それは種族間の対話を実現するための最低条件だった。

コロニーに必要なのはふたつに分かれたひとりの人間だと、だれかがジョークを言った。そういうふうに表現したことで解決策が見えてきた。

ホストたちとの最初の対話者は、徹底的な訓練を受けた一卵性双生児だった。ごく少数のそうした双生児たちはほかのだれよりもうまくゲンゴを機能させることができたが、それはどの対照群と比べてもわずかに大きな少数派でしかなかった。いま見ると、彼らのしゃべりはひどいもので、アリエカ人とのあいだにはかぞえきれないほどの誤解が生じたが、これはついに交流が、学ぶための奮闘がはじまったということでもあった。

これまでの生涯でいちどだけ、わたしはほかの、つまりエンバシータウン出身者以外の一卵性双生児のペアと出会ったことがある。トリオニーという冷月(コールド・ムーン)の港でのことだった。彼らはダンサーで、ある舞台に出演していた。もちろん自然に生まれたのであり、つくられたペアではなかったが、一卵性双生児にちがいはなかった。わたしはすっかりどぎもを抜かれた。ふたりは見た目がそっくりなのに、同じなのはそこまでだった。髪型や服はまったく同じというわけではなく、話す声もそれぞれ区別がついたし、部屋のなかでは別々に歩きまわり、別々の相手と話していた。

アリエカでは、ここ数世代、ここ二メガ時にわたって、わたしたちの代表者は双子ではなく、クローン生成された分身（ドッペル）だった。それが唯一の実現可能な手段だったのだ。彼らは大使ファームでふたり組で育てられ、特定の心理的性質が強まるよう調整を加えられる。生まれながらの双生児はずっとまえから違法とされていた。

教育と投薬と技術的リンクでふたりのあいだに一定の共感をつくりだすことはできるが、それだけでは充分ではない。大使たちは、統合された精神をもつひとりの人間となるよう生みだされ、育てられる。遺伝子は同じだがそれだけではない。その慎重にはぐくまれた遺伝子のつくりだす精神こそ、ホストたちが聞きとることができるものなのだ。正しく育てて、正しく教えて、それぞれのリンクを接続すれば、彼らはゲンゴを話せるようになる――ひとつの知覚体にかぎりなく近づいて、アリエカ人に理解してもらえるようになるのだ。

シュタット検査は、現在でも、精神や言語を学ぶ学生たちによってアウトで実施されている。だが、もはや実用性はない――エンバシータウンで自前の大使たちを育てているので、幼い双子たちのなかから貴重な潜在力をもつ者を見つける必要はなくなった。ゲンゴの話者を調達する手段として、シュタット検査はもう時代遅れだと、わたしは思っていた。

後日 2

「みなさんどうぞごいっしょに」――わたしには見えなかったが、外交ホールへ到着した人びとについてだれかが大声でアナウンスしていた――「エズ／ラー大使をお迎えしましょう」

　大使たちはあっというまに取り囲まれた。そのときのわたしには、見えるところに親しい友人はいなかったし、緊張を分かちあったり目くばせをかわしたりする相手もいなかった。ただ、エズ／ラーがひとめぐりするのを待った。いざはじまると、そのやりかたがまた、この大使たちの異様さをしめすことになった。彼らはわたしたちにそれがどう見えるか知っていたはずだ。ホア／キンとワイアットがふたりを人びとに紹介するあいだ、エズとラーは離ればなれになり、すこし距離を置いて行動した。ときおりカップルのように視線をかわしていたが、ほどなくふたりのあいだには数メートルの距離ができた――分身のすることではないし、大使のすることでもない、彼らのリンクはふつうとはちがう働きをするにちがいない、とわたしは思った。ふたりの小さな装置に目をやると、それぞれデザインがことなっていた。そんなことで驚くべきではなかった。不安を役人特有の冷静さで隠しながら、ホア／キンがエズを、ワイアットがラーを案内していた。

　新任の大使のそれぞれが好奇心旺盛な群衆の中心にいた。ほとんどの人びとにとって、これが彼らと顔を合わせる最初の機会だった。しかし、スタッフと大使たちの新来者に対する強い関心は、彼らだけの最初の会合のあとで薄れたりはしなかったようだ。リー／ナ、ラン／ドルフ、ヘン／リーは、小柄なほうのエズといっしょに声をあげて笑っていたし、ラーは恥ずかしそうにアン／ドルーの質問にこたえていたし、マグ／ダーは常にラーの手にさわれるほど近くにへばりついていた。

　パーティは佳境にはいっていた。わたしがようやくアースルの画像表示された両目をとらえて目くばせしたとき、ラーが近づいてきた。ワイアットがアーッと声をあげて、両手を差し出し、わたしの左右の頬にキスした。

「アヴィス！　ラー、こちらはアヴィス・ベナー・チョウ、エンバシータウンの……。ええと、アヴィスはいろいろなことにかかわっているんだ」ワイアットはなにかを授与するようにわたしにおじぎした。「彼女はイマーサーなんだよ。アウトでかなりの期間をすごし、いまはコスモポリタンとしての専門知識やとても貴重な旅行者の視点を提供してくれている」わたしはワイアットのことも、そのささやかな心理戦術も気に入っていた。相思相愛の仲だったと言ってもいいかもしれない。

「ラー」わたしはそう言って——ためらいは短かったので相手には気づかれなかった、と思う——手を差しだした。〝ミスター〟とか〝閣下〟とかいった敬称をつけるべきではなかった——法的には、彼はひとりの人間ではなく、なにかの半分でしかない。彼がエズといっしょにいたなら、〝大使〟と呼んだだろう。わたしは、そばで見ているアン／ドルーとマグとダーに会釈した。

「チョウ操舵員」ラーが静かに言った。彼もやはりためらってからわたしの手を取った。

　わたしは声をたてて笑った。「それじゃ昇進ですよ。アヴィスです。アヴィスでかまいません」

「アヴィス」

　わたしたちはいっとき黙り込んだ。ラーは長身で痩せていて、肌の色は青白く、黒い髪をうしろで編んでいた。すこし不安そうだったが、彼はなんとか気を取りなおして会話にとりかかった。

「イマーに潜れるとはすごいな」ラーは言った。「わたしはどうしても慣れない。たくさん旅をしてきたわけではないが、まさにそれが理由のひとつでね」

自分がどう返事をしたかはおぼえていないが、なんであれ、そのあとは沈黙がおりた。しばらくして、わたしはラーに言った。「もうすこし上手になったほうがいいですよ。ちょっとしたおしゃべり。これからは、それがあなたのお仕事なんですから」

ラーはにっこりした。「それはちょっと言いすぎではないかな」

「そうですね。ワインを飲んだり、書類にサインをしたりといった仕事もあります」ラーはこれを聞いてよろこんだようだった。「そのために、あなたははるばるアリエカまでやってきたんでしょう。これから先ずっと滞在して」

「ずっとではないよ。ここにいるのは七〇か、八〇キロ時間だけだ。つぎの交代要員がやってくるまでだと思う。そのあとはブレーメンに帰るんだ」

わたしは愕然とした。ぺらぺらとしゃべるのをやめた。もちろん驚いたりするべきではなかった。大使がエンバシータウンを離れる。そんな状況はまったく筋がとおらない。大使にどこか帰るところがあるというのは、わたしにとっては矛盾だった。

ワイアットがラーになにかささやいていた。マグ/ダーがふたりの背後からわたしにほほえみかけた。わたしはマグ/ダーが好きだった——彼女たちは、わたしがカル/ヴィンと不仲になったあとでも態度を変えたりしなかった大使のひとりだった。

「わたしはブレーメン出身なんだ」ラーがわたしに言った。「きみのように旅をしてみたいよ」

「あなたはカットなんですか、それともターン?」わたしはたずねた。

ラーはあきらかにその質問をいやがっていた。「ターンだ」彼はわたしより年上だったが、それほど離れているわけではなかった。

「どうしてこういうことになったんです？　あなたとエズは？　何年もかかるでしょう……どれくらい訓練を受けたんですか？」

「なあ、アヴィス」ワイアットがラーの背後から言った。「そういうことはあとでぜんぶ――」彼はとがめるように眉をあげたが、わたしも眉をあげ返した。ワイアットといっとき視線をかわしてから、ラーが口をひらいた。

「わたしたちはずっと友人だったんだ。テストを受けたのは何年もまえ、というか、何キロ時もまえのことだ。ほんとにたまたまで、シュタット手法についての展示の一環だった」室内のざわめきが大きくなり、ラーは口をつぐんだ。マグあるいはダーが、笑いながらわたしとラーのあいだに割り込んできて注目をもとめると、ラーは礼儀正しく彼らのほうをむいた。

「彼、緊張してる」わたしはワイアットにささやきかけた。

「こういうのが得意だとは思えないな」ワイアットがこたえた。「まあ、きみだって同じだろ？　こんな動物園にほうりこまれて気の毒な男だ」

「〝気の毒な男〟。あなたが彼のことをそんなふうに言うなんて、すごく、すごく妙な感じ」

「妙な時代だからな」わたしたちは音楽のうねりのなかで声をあげて笑った。香水とワインのにおいがきつかった。わたしたちはエズ／ラーを見つめた。実際には、エズ／ラーではなく、エズとラーで、数メートル離れていた。エズはやすやすと、楽しげに、冗談を言い合っていた。彼はわたしの視線に気づくと、話していた人びとにことわって、こちらへ近づいてきた。

「やあ。わたしの同僚と会ったようだね」エズは手を差しだした。

「あなたの〝同僚〟？　ええ、会いましたよ」わたしは首をふった。ホア／キンが、まるで年老いた両親のように、エズの両側にぴたりとくっついていた。わたしは彼らに会釈した。「あなたの同僚ですか。あなたはわたしたちを憤慨させようと心に決めているみたいですね、エズ」

「おいおい、頼むよ。そうじゃない。まさか、とんでもない」エズは案内役の分身たちにむかって申し訳なさそうな笑みをむけた。「ただ……まあ、きみたちとはすこしやりかたがちがうようだ」

「それがとても貴重なことなのだ」ホアあるいはキンが熱心に言った。ふたりは交互にしゃべった。「きみはいつも言っていた、われわれが……」「……自分たちのやりかたにこだわりすぎると。これはいずれ役に立つだろう……」「……われわれにとって、エンバシータウンにとって」ひとりがエズの背中をぴしゃりと叩いた。「エズ／ラー大使は言語学者としても官僚としてもずばぬけているのだよ」

「ふたりが〝旧弊を一掃する改革者〟になるとでも言うつもり？」わたしは言った。

ホア／キンは笑った。「いいではないか」「なにかいけないかね？」「まさにそのとおりなのだから」

わたしたちは、アースルとわたしは、失礼なふたりだった。こういうたぐいのイベントではいつも、ふたりでくっつき、ひそひそことばをかわして気取った態度をとっていた。だから、アースルが３Ｄの手をふってわたしを呼び寄せたとき、わたしはいつもの遊び気分でそちらへむかった。ところが、そばへ寄ってみると、アースルは切迫した声で話しかけてきた。「サイルがいるわ」

わたしはあたりを見まわさなかった。「ほんと？」「彼が来るなんて思ってもみなかった」

「いったいなにが……」夫と最後に顔を合わせてからずいぶんたっていた。修羅場はごめんだ。わたしはちょっとこぶしを噛んでから、背すじをのばした。「カル／ヴィンといっしょじゃない？」

「このふたりの娘さんは力尽くで引き離すしかないのかな？」またもやエズだった。わたしは思わずどきっとした。ホア／キンの熱心な付き添いからのがれてきたらしい。エズはわたしに飲み物を差し出した。彼が体内でなにかを動かすと、強化ボットがゆらめき、周囲のぼんやりした光が色を変えた。わたしは、エズが体内のテクノロジーの助けを借りてわたしたちの話を聞いていたのかもしれないと気づいた。わたしはエズに意識を集中し、サイルを目で探したりしないようにした。エズはわたしより背が低く、体つきはがっしりしていた。髪は短く刈り込んであった。

「エズ、こちらはアースル」わたしは言った。驚いたことに、エズはアースルを一瞥すると、なにも言わずにわたしに目をもどした。あまりに失礼な態度に、わたしは息をのんだ。

「楽しんでいるかい？」エズがわたしに言った。角膜の表面をちっぽけな光点がいくつも横切っていた。アースルがその場を離れようとした。わたしはいっしょについていってエズを置き去りにしようとしたが、アースルはエズの背後ですばやく表示した——〈残って、情報を集めて〉。

「これからはもっとうまくやらないと」わたしはそっとエズに言った。

「え？」エズは驚いたようだった。「なにが？　きみの——」

「彼女はわたしのものではありません」わたしは言った。エズはわたしを見つめた。

「あのオートムか？　すまない。悪かった」

「わたしにあやまってもしかたがないでしょう」エズは首をかしげた。

「なにをモニターしているんですか？」沈黙のあとで、わたしは口をひらいた。「いろいろ表示されているのが見えますけど」

「ただの習慣だよ。気温、空気中の不純物、環境雑音。ほとんどは無意味だ。ほかにもいくつか——そういう状況で何年もすごしたんだ……つまり、3Dとか、カメラとか、人の耳とか、そういうものをチェックするのが日常だった」わたしは眉をあげた。「翻訳ウェアは走らせておくのがふつうだったし」

「へえ！　スリル満点ですね。じゃあ、正直に教えてください。耳にも＊ウェアを入れてますか？　録音機能を作動させていますか？」

エズは声をたてて笑った。「いや。それはもう卒業した。やめてから……まる一週間か二週間はたつ」

「なぜ翻訳プログラムを走らせているんです？　あなたは……」わたしは腕を彼のそれに置き、おおげさに打ちひしがれたような声を出した。「あなたはゲンゴをしゃべるんですよね？　ああ、ひどい誤解があるのかも」

エズはまた笑った。「いやいや、ゲンゴならなんとかなるよ。そのためじゃないんだ」すこし真顔にもどり——「ただ、シュラース人やケディス人の方言はしゃべらないし、あと……」

「でも、今夜は異星人と会うことはありませんよ。もちろん、われらがホストは別ですが」わたしはエズがそのことを知らないのに驚いた。エンバシータウンはブレーメンのコロニーであり、ブレーメンの法律ではここの数少ない異星人たちを臨時労働者の地位におくことは禁じられていた。

「きみはどうなんだ？　強化ボットは見当たらない。だったらゲンゴをしゃべるのか？」

一瞬、エズがなにを言っているのか本気で理解できなかった。「いいえ。わたしはソケットを閉じています。以前はいくつかこまごまとつけていました。イマーに潜るときに役に立つので。それに、まあ、ホストたちの言うことを理解する助けになるものがあれば、ずいぶん……有益でしょう。でも、まえに見たことがあって、なんだか……うっとうしいんです」

「それは言えてるな」

「ええ、なにか役に立つならがまんできますが、ゲンゴはあれでは手に負えません。あれをつけてホストの話を聞くと、目と耳に大量のナンセンスが流れこんできます。〝やあスラッシュ問い合わせ万事うまくいっているか？　括弧適切なタイミングを置いて問い合わせスラッシュ暖かさのほのめかし六〇パーセント対話者が話し合うべきトピックをもっている信念のほのめかし四〇パーセントうんぬん〟」わたしは眉をあげた。

「あれは無意味でした」

エズはわたしを見つめた。彼はわたしが嘘をついているのを知っていた。ゲンゴのための翻訳ウェアを使うという考えは、エンバシータウンの住民にとってはとてつもなく不適切なことだ。違法ではないが、おそろしく見当ちがいなのだ。なぜあんなことを言ったのか、自分でもまったくわからなかった。

「きみのことは聞いている」エズが言った。わたしは続きを待った。エズ／ラーがほんのすこしでもまともに仕事のできる人たちなら、今夜出会う可能性のある人びとの大半について、なにか個人的な話題を用意しているはずだ。ところが、エズがつぎに言ったことばに、わたしは愕然とした。「どこできみの名前を聞いたのか、ラーが思いださせてくれた。きみは直喩なんだろう？　それに都市へ行ったことがあるね？　エンバシータウンの外の」だれかがエズをかすめてとおりすぎた。彼はわたしから目を離さなかった。

「ええ」わたしは言った。「行きました」

「すまない、わたしはただ……申し訳ない……わたしには関係のないことだな」

「いえ、ちょっと驚いただけです」

「もちろんきみのことは聞いている。われわれも下調べはしたんだよ。エンバシータウンの住人でも、きみがやったようなことをした人は多くない」

わたしは返事をしなかった。ブレーメンのエンバシータウンに関する報告のなかで自分が取りあげられていたと聞かされて、なにを言えばいいのかわからなくなっていた。エズにむかってグラスをかしげ、別れを告げて、群衆のなかで筐体を走らせているアースルを探しにいった。


「で、あのふたりはなんなの？」わたしは言った。アースルは画像表示された両肩をすくめた。

「エズは魅力があるでしょ」アースルは言った。「ラーのほうがいい感じだけど、内気だから」

「オンラインのほうは？」アースルは周囲を流れるデータにハッキングを試みているはずだった。

「たいしたことないわ。あのふたりがここにいるのは、ワイアットにとってはクーデターみたいなもの。彼が大声で叫んでるものだから、雛鶏たちがそこらじゅうで大騒ぎになってる。だからスタッフがあんなに緊張しているわけ。なにかの末端の情報を解読したんだけど……スタッフがエズ／ラーにテストを受けさせたのはほぼまちがいない。ほら、アウトから大使がやってくるのは、もうだれにもわからないくらい久しぶりのことだから、ここで育っていない人がゲンゴを話すとかいってもニュアンスをつかめるのかどうか疑っているんだと思う。スタッフは今回の任命に憤慨しているのよ」

「彼らだって厳密に言えば任命されて来たのよ、忘れないで」わたしは言った。それはスタッフにとってはいらだちの種だった――ワイアットも、ここへやってきたときには、ほかの随行員と同じように、大使たち全員にブレーメンの代弁をすることを正式に認めなければならなかったのだ。「それはともかく、彼らはゲンゴを話せるの？　エズ／ラーは？」

アースルはまた肩をすくめた。「テストに受かっていなければここには来ていないでしょ」
部屋のなかでなにかが起きた。その瞬間、お祭り気分が続いていたにもかかわらず、急にそちらへ意識を集中せざるをえなくなった。ホストたちが部屋にあらわれるといつもそうなるのだが、まさにそのとき、彼らが外交ホールへはいってきたのだった。

パーティの出席者たちは不作法にならないよう努力した——あたかも、わたしたちがホストたちに対して不作法なことができるかのように、ホストたちの考える礼儀正しさがわたしたちにとってなにか意味があるかのように。とはいえ、ほとんどの人びとはそれぞれのおしゃべりを続けて、ホストたちをじろじろ見たりはしなかった。

例外は船の乗組員で、彼らはいちども見たことのないアリエカ人たちをまじまじと見つめた。わたしは部屋のむこう側にいる操舵員を見つけて、その顔に浮かぶ表情を見た。以前、こんな理論を聞いたことがある。それは、人はどれだけ旅をしようと、どれだけコスモポリタンになろうと、どれだけ生物的にその住みかの交雑を進めようと、はじめて見た異星種族に無頓着でいることはできないという事実に、なんとか説明をつけようとする試みだった。その説によれば、わたしたちは物理的にテラの生物群系とつながっていて、その時代に取り残された故郷から派生したものではない存在を目にするたびに、身体がこんなものは見たことがないと察知するのだという。

過去 2

サイルにとってエンバシータウンがどのような場所になるかはよくわからなかった。彼が帰還者によってアウトから連れてこられた最初の移民ということはありえないはずだが、わたしはほかにそういう人を知らなかった。

わたしは、イマーにはいった船のなかや、一日の長さが人間に合わない惑星の港で長い時間をすごしてきた。故郷への帰還は数千時間ぶりだったので、日周期インプラントを使わなくても実際の太陽のリズムに慣れることができるはずだった。サイルとわたしは、アリエカの十九時間しかない一日に順応するために、ほとんどの時間を屋外ですごすという伝統的な方法をとった。

「警告したでしょ」わたしはサイルに言った。「ここはちっぽけな土地だって」

あの日々を思いだすと心からのよろこびをおぼえる。いまでも。わたしはサイルに、あの小さな土地へもどることで自分は大きな犠牲を払うのだと言い続けた――アウトからもどるのよ！　あの狭いところへ吸いもどされるのよ！――が、清風ゾーンで密封された列車からおりて、エンバシータウンのにおいを吸いこんだときには、想像していたよりもずっと幸せな気持ちになった。まるでこどもにもどったみたいだったけれど、そうではなかった。こどもというのはどんなものにも似ていない。あれは唯一の存在だ。あとになって考えてみると、青年ならあてはまるかもしれない。

エンバシータウンにもどってすぐのころ、わたしには蓄えと、アウトから来たイマーサーという立場があった。わたしは意気揚々と歩いた。わたしを知っていた人たち、わたしと二度と会えないと思っていた人たち、先行したマイアブで届けられたわたしの帰還の知らせを信じられなかった人たちから、大よろこびで歓迎された。

どんな基準から言っても裕福ではなかったが、わたしの蓄えはブレーメンのユーマルクだった。言うまでもなく、エンバシータウンの設立時の通貨だが、めったに見かけることはなかった。本国を離れてからの三〇キロ時かそこら——エンバシータウン年で一年かそこら——で、わたしたちのささやかな経済は自立した。ブレーメンのほかのコロニーと同じように、ユーマルクに敬意を表して、わたしたちの通貨は模造品(エアザッツ)と呼ばれていた。そうしたエアザッツはどれも独立していて同じ基準では計ることができず、それぞれの政体の境界を越えたら価値はなかった。わたしがダウンロードして持参したのは、ブレーメンだと数カ月暮らすのがやっとでも、エンバシータウンでならつぎの救援、ひょっとしたらそのつぎの救援まですごせるだけの金額だった。人びとがそれを不快に感じているとは思いもしなかった——わたしはその金をアウトで稼いだのだ。わたしは人びとに、いまはそれで浮浪(はぐれ)ているのだと言った。不正確な説明ではあった——最低限これだけは従わなければならないという命令があるわけではなく、ただ働いていなかっただけだ——が、人びとはイマーのスラングを聞いてよろこんだ。ぶらぶらしているのはわたしの当然の権利なのだと考えているようだった。

まだ働いていたわたしの輪番親たちがパーティをひらいてくれたとき、わたしは、いささか驚いたことに、故郷へもどって、保育所へはいり、あのやさしい男女——めんくらうほど老いている人もいれば、見た目は変わっていない人もいた——にキスして抱きしめて歓声をあげてあいさつをかわすことに、大きな幸せをおぼえた。「きみはきっともどってくると言っただろう!」パパ・シェミはわたしとダンスをしているあいだ何度もそう言っていた。「言ったとおりだ！」輪番親たちは、わたしが持参したブレーメンの見かけだけは派手な装身具の包みを解いた。「なんてすてきなの、あなた！」ママ・クイラーが、美的強化ボットの仕込まれたブレスレットを手に叫んだ。パパたちとママたちは照れくさそうにわたしの夫をもてなした。その夜、わたしが飲んだくれていたあいだ、サイルはがんばって笑みを浮かべたまま、彼自身に関する同じ質問に何度もこたえていた。

いっしょに育った友人たちの何人かとは、たとえばシモンのように、再会することができた。あまり期待はしていなかったものの、ヨーンを見かけることはなかった。新しくつくった友人たちは、なじみのない階層の出身者だった。スタッフのパーティにも招待されていた。ここを離れる以前は、交際範囲にこうした人びとはいなかったが、訓練中のイマーサーだったわたしにとって、小さなエンバシータウンには充分なひろさがなかった——少なくとも彼らに近づくほどには。あのころに顔や評判だけは知っていた人びとや、スタッフや、大使たちが、急に知り合いになったり、それ以上の間柄になったりした。ただ、再会できると期待していた人たちの何人かはいなくなっていた。

「オーテンはどこ？」わたしは、エンバシータウンの3Dでよくスタッフの代弁者をつとめていた男性についてたずねた。「パパ・レンショウはどこ？」「ゲイ／ノーはどこ？」あの高齢の大使の片割れは、わたしをゲンゴに採用したとき、「アヴィス・ベナー・チョウ、ですね」と言ったのだが、リズムがすばらしく大仰だったため、それはわたしの私的言語の一部となり、フルネームで自己紹介するときにはいつも、頭のなかで、彼女の声で、小さく〝ですね？〟と付け加えるようになってしまった。「ダル／トンはどこ？」あの悪名高き大使は、頭が良くて策略が巧みだとの評判を得ていて、しきたりどおりに同僚との議論を隠すことにはあまり関心がなかった。わたしがまだ幼かったころ、例のマイアブが壊れたときに、ダル／トンが民衆の怒りをしめしたのだと知ってから、ずっと会ってみたいと思っていたのだ。

オーテンは地元でささやかな富を得て引退していた。レンショウは亡くなっていた。まだ若かったのに。わたしは悲しかった。ゲイ／ノーも、ひとりが亡くなったあと、間を置かずに、もうひとりがリンクショックと喪失感で亡くなっていた。ダル／トンは、聞いたところでは――同僚たちとの絶え間ない意見の対立とほのめかされた最終的ないらだち、あからさまに不可解なスタッフの内輪もめのあと――姿を消したか、あるいは消されていた。興味をひかれて、ちょっと調べてみたが、それ以上なにもわからなかった。帰還者であるわたしには、そういった質問を大使たちに直接、かなりぶしつけにするだけの資格があったが、どこまで追及して、どこでやめるべきかの判断はできた。

これはまちがいなくかんちがいなのだが、わたしは自分が、アウトで長くすごしたおかげで、まえよりも頭の回転が速くなり、皮肉もうまくなり、よりウイットに富んでいるような気がしていた。人びとはサイルに親切で、彼にすっかり魅せられていた。サイルも逆に人びとに魅せられていた。彼はいくつかの世界をおとずれたことがあったが、エンバシータウンには壁のドアをとおり抜けるように出現した。そしてあちこち探索してまわった。わたしたちの関係は秘密ではなかった。ああいう非夫婦関係の結婚は、エンバシータウンでも知られていたが、めったにないことだった。わたしたちは、それでもほとんどの時間をふたりでいっしょにすごしていたが、サイルが自分の交際範囲をひろげるにつれて、その時間はだんだんと少なくなっていった。

「気をつけて」わたしがサイルにそう言ったのは、あるパーティのあとのことだった。ラミアという名の男が、強化ボットを使って自分の顔を地元の美的感覚では刺激的なものに変えてサイルを口説こうとしたのだ。サイルが男性に興味をしめしたのを見たことはいちどもなかったが、念のためだ。同性愛はちょっとだけ違法なの、とわたしはサイルに言った。例外は大使たちだけ。

「あの女はどうなんだ、ダミエイは?」

「彼女はスタッフだもの。どのみち、違法といってもちょっとだけだから」

「えらく古風だな」

「そうよ、すてきでしょ」

「だったら、きみが以前女性と結婚していたことは知られているのか?」

「わたしはアウトにいたのよ。なんだろうと好きなことができたの」

わたしはサイルに自分が遊んでいた場所を見せてあげた。ふたりでギャラリーや3Dの展示場へ出かけた。

サイルはエンバシータウンの放浪オートム――見た目は哀れな物乞いマシン――に心を奪われた。「あいつらは都市へはいるのか?」たしかにはいるのだが、たとえ彼らをつかまえることができたとしても、彼らのアートマインドはあまりにも頭が弱いので都市について説明できるはずはなかった。

もちろん、サイルがそこにいるのはゲンゴのためだったが、彼はそれ以外のふしぎなものを見逃すことはなかった。アリエカ人のバイオリグには度肝をぬかれていた。友人たちの家では、半生物の工芸品や、精巧きわまりない構造や、ところどころに見られる医学的微調整や、人工器官などを、まるで鑑定士のように見つめた。エンバシータウンのあちこちのバルコニーや展望橋で、わたしといっしょに清風の息吹のへりに立ち、発電所や工場の群れが放牧されている様子をながめた。そう、サイルはゲンゴが存在する都市を見つめていたが、同時に都市そのものも見ていたのだ。いちど、サイルが少年のように手をふると、遠く離れた相手にはわたしたちの姿は見えなかったはずなのに、ひとつの発電所がそのアンテナを揺らして返事をしたように見えた。

エンバシータウンの中心部の近くに最初の記録保管所の敷地があった。一面のがれきは片付けることもできたはずだが、崩れたあと、もう何世代ものあいだそのままになっていた——一・五メガ時以上、地元の暦では半世紀を超える。初期の都市設計者が人間には廃墟が必要だと考えたにちがいない。それでも、わたしたちがそうだったように、こどもたちはときどきやってきたし、長く放置されたままの敷地は、テラの動物たちや、わたしたちの呼吸する空気に耐えられる土着の生物でにぎわっていた。サイルはそんなものも時間をかけて観察した。

「あれはなんだ?」イヌの頭をもつ赤いサルのようなものが、一本のパイプをよじのぼっていた。

「キツネ、と呼ばれてる」わたしはこたえた。

「改造されたのか?」

「わからない。たとえそうだとしても、ずっとまえのこと」

「あれはなんだ?」

「コクマルガラス」「トゲネコ」「イヌ」「原産種のなにかだけど、名前は知らない」

「ぼくがいたところでイヌと呼ばれていたものとはちがうな」サイルはそんなふうに言ったり、「コクマル、ガラス」と、ていねいに名前を復唱したりした。彼がいちばん興味をしめしたのは、見なれないアリエカの原産種だった。

いちど、とても暑い日射しのもとで数時間すごしたことがあった。ふたりでいろいろな話をして、やがて黙り込み、手を静かにじっとつないで、動物たちがわたしたちが生き物であることを忘れて風景の一部とみなしてくれるのを待った。わたしの前腕くらいの大きさがある二匹の動物が草のなかで格闘していた。「見て」わたしはささやいた。「しーっ」その動物たちからすこし離れたところで、小さくて不格好な二足動物がじりじりと遠ざかろうとしていた。お尻の端が血に染まっていた。

「怪我をしてる」サイルが言った。

「そうでもないよ」エンバシータウンのこどもならだれでもそうだが、わたしもそいつが何者であるか知っていた。「見て。あれはハンターなの」獰猛な改造アナグマ、黒と白の毛皮があたりに散っていた。「戦っている相手のほうはキリツメと呼ばれてる。あの逃げようとしているやつも同じ。二匹が別の動物に見えるのはわかってる。あっちのやつのお尻がぼろぼろになっているのが見える？　それに、改造アナグマを相手にしているやつの頭も裂けてるでしょ？　あれが同じ動物の脳ハーフで、あれが肉ハーフなの。二匹はキリツメが攻撃を受けたときに分裂した——肉ハーフがあらゆる捕食動物をくいとめて、そのあいだに、脳ハーフが交尾する最後のチャンスをもとめて走って逃げる」

「ほかの土着の動物とは似ても似つかないな」サイルが言った。「でも……あれはテラ産じゃないと思うんだが？」キリツメの肉ハーフが改造アナグマを組み伏せて、勝利をおさめようとしていた。「分裂するまえは脚が八本あったはずだ。テラに八本脚の動物はいなかっただろう？　水中にはいたかもしれないが、しかし……」

「テラ産でもアリエカ産でもないよ。数キロ時まえの事故で、ケディス人の船が持ち込んだの。ジプシーみたいなもの。いいにおいでもするのかな——たくさんの生物が彼らを襲うの。たとえ勝っても、キリツメの肉を食べたら、吐いたり、命を落としたりするんだけどね。かわいそうな難民たち」

　キリツメの脳ハーフは、長く崩れたままの石や回路が落とす影のなかにひそみ、もとは後肢だったものが勝利をおさめるのを見守っていた。ミーアキャットか小型の恐竜のように体を上下に揺らしていた。目がついているのは脳ハーフだけなので、肉ハーフは、逃げた精神を守ろうとして、ほかに敵がいないかとやみくもにあたりを嗅ぎまわっていた。

よくわからない感傷により、サイルは、どうにかキリツメの肉ハーフの鉤爪を避けて——残った肉だけの部分が考えるのは戦うことだけだったので、たいした手間ではなかった——そいつを家に持ち帰った。何日か生かしておくことはできた。サイルが組み立てた檻のなかに餌を置くと、キリツメはその周囲をめぐってすばやくかじり取りながら、果てしない不寝番を続けたが、もはや守るべき脳はなかった。そばにブラシや布きれを垂らしてやると、戦おうとした。そいつはやがて死に、塩をかけたナメクジのようにあっというまに崩壊して、処分する残骸がわずかに残った。

硬貨の壁で、わたしはサイルに初めてブレンと出会ったときのことを話した。自分が彼をそこへ連れていったりそのときの話をしたりするのをためらっていることに気づいて、いらだちをおぼえたので、思いきって出かけたのだ。サイルはブレンの家をまじまじと見つめた。

「いまでも彼は住んでいるの？」わたしは地元の露天商にたずねた。

「めったに見かけることはないが、いまでも住んでるよ」露天商は悪運退散の指サインをして見せた。

これらすべてがサイルをわたしのこども時代へといざなった。ある朝遅く、広場の端ですわって朝食をとっていたとき、わたしは若い大使見習いのグループを見つけて、サイルに教えてあげた。いずれ自分たちがはいることになる街への、統制のとれた、囲い込まれた、保護された遠征。ぜんぶで五、六組らしく、全員が同年代の、思春期まで数キロ時ある、十人か十二人のこどもたちがいて、それを教師たちと、警備員たちと、ふた組のおとなの大使——男性組と女性組——が導いていたが、距離があったのでだれかはわからなかった。見習いたちのリンクが激しく明滅していた。

「なにをしているんだ?」サイルが言った。

「宝探し。授業。わからない。自分たちの領地を見せてまわっているの」いささか恥ずかしいことに——ほかの食事客たちはおもしろがっていたが——サイルは立ちあがって見習いたちを見物しはじめた。本人が大好きだと言っている(いまのわたしには質素すぎる)エンバシータウンのみっしりしたトーストをもぐもぐやりながら。

「よく見かけるものなのか?」

「そうでもない」そういうグループを見かけた数少ない機会のほとんどは、わたし自身がこどもだったときのことだ。友人たちといっしょのときなら、大使未満の若者たちの視線をがんばってとらえ、うまくいったらくすくす笑って逃げだし、ときには付き添いの連中に追いかけられたりもした。見習いたちのとおるそばで、すこし緊張するからかいのゲームを、これみよがしに何分か続けたものだった。わたしは朝食に注意をもどし、サイルが腰をおろすのを待った。

サイルはすわったとたんに口をひらいた。「こどもたちのことをどう思う?」

わたしは若き分身たちが連れていかれたほうへちらりと目をむけた。「おもしろい思考の流れね。ここでは、よそとちがって……」サイルの生まれた世界にある、彼の生まれた国では、こどもを育てるのは、たいていの場合、遺伝的に直接のつながりがある二人から六人のおとなたちだった。サイルは、自分の父親や母親や叔父やなんやかやについて、いちどならず愛情をこめて言及していた。彼は長いあいだそれらの人びとと会っていなかった——アウトではそういうつながりは薄れてしまうのがふつうなのだ。

「知ってるよ。ぼくはただ……」サイルは街のほうへ手をふった。「ここはすてきな場所だ」

「すてき？」

「ここにはなにかがある」

「〝なにか〟。ことばがあなたの仕事だってよくわかるね。それはともかく、あなたの話は聞かなかったことにするから。こんなちっぽけな場所を押しつけるなんて……」

「おいおい、よしてくれ」サイルは笑みを浮かべたが、声にはすこし棘があった。「きみはたしかにここを出ていった、それはわかってる。きみはそのことを自分で言うほどには気にしていないんだ、アヴィス。きみはぼくのことをそこまで好きじゃないから、それがきみにとって苦行だとしたら、ここへもどることはなかったはずだ」彼はまたほほえんだ。「そもそも、なぜ気にするんだ？」

「あなたはひとつ忘れてる。ここはアウトじゃないの。ブレーメンでは、わたしたちがここでやっていることの大半が——バイオリグは別としても、例のあの人の恩寵から離れた——やくざなフィールド医学とみなされている。セックステクノロジーも例外じゃない。こどもがどうやってつくられるかおぼえてる？　あなたとわたしは厳密には……」

サイルは声をたてて笑った。「ごもっとも」彼はわたしの手をとった。「シーツのあいだ以外のすべてで相性がいいんだけどな」

「だれがシーツのあいだでしたいなんて言った？」それはジョークで、誘いかけではなかった。

いま考えてみると、そのすべてが前兆だったように思える。わたしが地元以外で異星人をはじめて見たのは、セブジと呼ばれていたちっぽけな世界にあるがさつな町でのことだった。紹介されたのは、ミツバチ型生物の一団だった。彼らが何者で、どこからやってきた種族なのか、なにもわからなかった。そういう種類のものを見たことがなかった。ひとりが偽足を動かして進み出てくると、砂時計の形をした体をわたしのほうへかしげ、とがった歯の生えた小さな空洞から、完璧なアングロ＝ウービック語で言った。「ミズ・チョウ。会えてうれしい」

サイルは、ケディス人やシュラース人やパネゲッチ人に、当時のわたしよりも冷静に対応していたにちがいない。彼はエンバシータウンの東で、自分の仕事や旅のことを語り聞かせた（わたしは、彼がほんとうのことを話しながら、しかも自分の人生を首尾一貫した、正確な弧を描くもののように聞かせることができるのに感心した）。そのあと、三人組のケディス人が、ひだに含まれる有色細胞をそれぞれに明滅させながら近づいてきて、雌の話し手がその奇妙なことばづかいでサイルに礼を言い、巻き尾のような生殖器で彼と握手した。

サイルは、ガスティと呼ばれているシュラース人の小売店主に自己紹介をして――サイルは、そいつのほんとうの名前列を、仰々しく、うれしそうに教えてくれた――つかのまの友情をはぐくんだ。人びとは街を行くふたりの姿に魅せられた。サイルはガスティの胴体に気さくに腕をまわし、シュラース人の繊毛はサイルの歩調に合わせてせかせかと歩みを進めていた。ふたりはいろいろな情報を交換していた。「あんたはイマーの話ばかりする」ガスティが言う。「螺旋ドライヴを試してみるがいい。いやはや、あれこそが旅というものだ」ガスティの精神が、彼のさまざまな逸話がしめすほど人間のそれと似ているのかどうかは、結局わからなかった。彼は人間のおしゃべりをうまく演じていて、いちどなどは、近所のケディス人のへたくそなアングロ＝ウービック語をまねするという、ややこしいジョークを披露したほどだった。

もちろん、サイルはアリエカ人と会いたがった。夜になって社交活動をやめたとき、彼が進めていたのはアリエカ人の研究だった。アリエカ人のほうがサイルを避けていたのだ。

「まだアリエカ人についてはほとんどなにもわかっていない」サイルは言った。「彼らはどんなものを好み、どんなことを考え、どんなことをして、どんなふうに働くのか。大使たちの書いた資料を見ても、彼らの仕事とか、彼らのアリエカ人との、その、交流については、どれも……信じられないほど中身がない」彼はなにかをもとめるようにわたしを見た。「大使たちはやるべきことは知っていても、自分たちがなにをやっているかは知らないんだ」

いっとき、サイルがなぜ文句を言っているのか理解できなかった。「大使たちの仕事はホストを理解することじゃないから」

「じゃあだれの仕事なんだ？」

「ホストを理解するのはだれの仕事でもない」あのときはじめて、わたしはふたりのあいだにあるずれに気づいたのだと思う。

いまでは、わたしたちはガーダやケイリーなどを知っている。スタッフとその近くにいる人びとだ。わたしはアースルと友だちになった。彼女はわたしに職業がないことをからかい（エンバシータウンのほとんどの住民とはちがい、彼女はわたしに教えられるまえから〝浮浪屋（はぐれ）〟という用語に精通していた）、わたしはお返しに同じことで彼女をからかった。アースルには権利も職務もなかったが、わかっているかぎりでは、数世代まえの植民者だったオーナーが遺言を残さずに死んだあと、彼女はほかのだれかの所有物になったことはなかった。廃品回収法にはいろいろな解釈があるので、理屈のうえではだれかが所有権を主張する可能性はあったが、いまとなってはそれは言語道断な行為とみなされるだろう。

「あれはただのチューリングウェアだ」サイルはアースルがいないときにそう言ったが、見たことがないほどすぐれたものだということは認めた。彼はわたしたちとアースルとの関係をおもしろがっていた。わたしはそういう態度は気に入らなかったけれど、サイルが相手を人間とみなしているかのような礼儀正しさで接してくれたので、その件で喧嘩をふっかけたりはしなかった。いちどだけ、サイルがアースルに心からの興味をしめしたのは、呼吸をしない彼女なら都市へはいれるのではないかと思いついたときだった。わたしはサイルに正直に話した――わたしがそれについて質問したとき、アースルは、都市にはいちどもはいったことがないし、これからはいるつもりもないし、その理由をこたえることもできないと言っていた。あの口ぶりからして、わたしから頼むつもりもないと。

アースルは、エンバシータウンのアートマインドやオートムの修理を頼まれることがあり、それでスタッフと密接にかかわることになった――わたしたちは公式の夜会でよく顔を合わせることがあった。わたしがそこにいたのはやはり使い道があったからだ。わたしはおえらがたのだれよりも最近までアウトにいた――公務でブレーメンへ出かけて帰ってきたことのあるスタッフはごくわずかだ。わたしは情報源であり、チャロ・シティの最近の政治や文化の状況について話すことができた。

最初にエンバシータウンを離れたとき、パパ・レンショウがわたしをわきへ連れていった――文字どおり、お別れパーティの会場で部屋の端へ引っぱっていったのだ。またもや、父親らしい説教とか、アウトでの生活にまつわるあやまった噂を聞かされるのだろうと思ったのだが、パパが言ったのは、もしも帰ってくることがあったら、エンバシータウンはブレーメンの現状にまつわる情報におおいに興味をしめすだろうということだった。あまりにも礼儀正しく事務的な口調だったので、スパイするよう頼まれたのだと確信がもてるまでしばらくかかった。そのときは、あまりにも突拍子のない話に笑いそうになっただけだった。それから何千時間もたって、エンバシータウンにもどったときには、自分が頼まれたとおりに役に立つ存在になっていることに気づいて、またもや憂鬱な笑いがこみあげてきたものだった。

サイルとわたしはなにをしても興味の的だった。彼は、精力的で魅力あるよそ者であり、まさに珍品だった。わたしは、ゲンゴの一部で、出戻りのイマーサーで、二流の有名人だった。しかし、ブレーメンにまつわる情報を提供したことで、一般人であるわたしと、やはり一般人であるわたしの夫は、そうでなかった場合よりもずっと円滑にスタッフの輪へ迎え入れられることになった。そうした招待は、エンバシータウンのささやかなマスコミが放蕩イマーサーについてのインタビューや記事を流すのをやめたあとも続いた。

彼らはわたしが帰還するとすぐに接近してきた。もちろん、大使たちではなく、何人かの大臣や高い地位にある重要人物が、会議への同席をもとめてきたのだ。彼らの言いかたがひどくあいまいだったせいで、わたしはしばらくむこうの目的を把握できず、パパ・レンショウのことばを思いだしてようやく、〝ブレーメンとその連合国におけるある種の傾向〟とか〝属領とその大望に対する考え得る姿勢〟とかいったひかえめな質問が、政治にまつわる情報の要求だと気づいた。そして、彼らが報酬を提示していることも。

この最後の点についてはバカバカしく思えた。わたしは知っているわずかな情報と引き換えに金を受け取ったりはしなかった。わたしの情報は、彼らの政治的関心事についてのだれかの如才ない説明を沈黙させた——そんなことは問題ではなかった。わたしは彼らにニュースパイプやダウンロードから入手した情報を見せて、ブレーメンで優位にあるコスモポリタン民主党における力のバランスについて、わずかかもしれないが伝えることができた。ブレーメンがどこと戦争をしたとか、どんな介入をしたとか、どんな緊急事態があったとかは、わたしにはまったく興味のもてないことだったが、そういうものにより注目している人にとっては、わたしの伝えたことは、最近の有為転変を見抜く手がかりとなったのかもしれない。正直言うと、どれもこれも彼らのアートマインドとアナリストたちなら予見ないし推測できたことだった気もする。

それは諜報ドラマとはほど遠かった。数日後、当時はエンバシータウンに来たばかりだったワイアットを紹介された。わたしが通じていたスタッフたちは、彼のことを口にするときは、遠回しに警告するような口ぶりになった。ワイアットは、会って間もないころに、すぐさまそれをネタにわたしをからかった。彼の寝室にカメラをつけたのかとか、そういったことをきいてきたのだ。わたしは声をたてて笑った。ワイアットと顔を合わせる機会があるとうれしかった。彼はわたしに私用の番号を教えてくれた。

こうしたエンバシータウンの社交界において、わたしはカル／ヴィン大使と出会い、彼らの愛人となった。彼らがわたしのためにしたことのひとつが、サイルにホストたちと会う機会をあたえたことだった。

カル／ヴィンは背が高く、灰色の肌をした男たちで、わたしよりすこし年上で、ちゃめっけがあり、優秀な大使に特有の好ましい尊大さをそなえていた。彼らはわたしと、わたしのもとめに応じてサイルを会合に招待し、いっしょに街へくりだした。大使たちがスタッフの付き添いなしで通りを歩くのは珍しいことだったので注目を集めた。

「大使」サイルが勇気をふるい起こして、まずは用心深く、カル／ヴィンにたずねた。「あなたがたとホストたちとの……交流について質問があります」それから、彼はもっとこまごました、具体的かつ難解な質問へと移っていった。当時はわたしに恩を売りたがっていたカル／ヴィンは、忍耐強かったが、その返事はあきらかに満足のいくものではなかった。カル／ヴィンの付き合いで、わたしは、そうでもなければ接することのなかったエンバシータウンの暮らしの様相を、くわしく見て、聞いて、感じとった。愛人たちがちらりと口にすることを、ほのめかしを、余談を、すぐさま理解した。突っ込んだ質問をしても常にこたえてもらえるわけではなかった――彼らは同僚たちの堕落とかアリエカ人の派閥についてなにか言っておきながら、あとで説明を拒んだりした――が、盗み聞きするだけでも学ぶことはあった。

わたしはカル／ヴィンにブレンのことをたずねてみた。「めったに会わないの。彼は集まりには顔を出さないみたいで」

「そういえば、きみはブレンとつながりがあるんだったな」カル／ヴィンは、そろってわたしに目をむけていたが、やりかたはすこしだけちがっていた。「ああ、ブレンはみずから追放者になっている。実際に離れたわけではないよ、わかっているだろうが」「ほかの者から見ると、それは彼の考える自身の姿とは合致しない」「それに彼にはチャンスがあった。ほんとうに離れることもできたのだ」「分裂したあとで」「ところが……」ふたりは声をたてて笑った。「彼はわれわれの公認の苦悩のようなものだ」「彼はなにが起きているかをほぼ把握している。それどころか――知るべきではないことまであれこれ知っている」「彼を忠臣と呼ぶことはできない。だが役には立つ」「だが、ほんとうに忠臣と呼ぶことはできないんだ、過去はどうあれ、いまとなっては」サイルは夢中でふたりの話に耳をすました。

「どんな感じなんだろう？」サイルはわたしにたずねた。「つまり、ぼくはふたりの相手としたことがあるし、きみだってそういうことがあったはずだけど、それはきっと――」

「ちょっと、やめてよ。まったく、あなた最低ね。それとはぜんぜんちがうんだから」当時のわたしは断固としていた。いまは疑いをもっている。

「彼らはふたりともきみに集中しているのかな？」サイルは言った。わたしたちはくすくす笑った。彼はそのバカげたわいせつさに、わたしはほとんど冒瀆のように感じられたそのことに。

「いいえ、あれは完全に平等なの。カルとわたしとヴィン、みんながそれに参加している。正直に言うとね、サイル、大使の相手をしているのは自分ひとりじゃないような――」

「でも、ぼくが接することができるのはきみひとりだよ」そのころには、わたしはそれがほんとうかどうかわからなくなっていた。「たしか同性愛は認められていないはずだけど」

「ただ言ってみたいだけなんでしょ。カルとヴィンがいっしょにしているのはそういうことじゃない。彼らでも、ほかの大使たちでも。わかるでしょ。あれは……マスターベーションね」それはスキャンダラスだがありふれた表現で、口にしたらこどもにもどったような気がした。「ふた組の大使たちがいっしょになったらどうなるか想像してみて」

サイルは、たくさんの時間をついやして、アリエカ人の話し声の録音に耳をかたむけ、彼らと大使たちとの出会いをとらえた3Dや2Dの映像をじっと見つめた。ひとりでなにやら口を動かし、判読できないメモをとり、片手で自分のデータスペースへ入力した。彼は急速に学んでいった。それはわたしには驚きではなかった。ついにカル／ヴィンが、ホストたちの参加する行事にわたしたちを招待してくれたとき、サイルはゲンゴをほぼ完璧に理解していた。

それは大使たちがホストたちを相手に数週間にいちどおこなっている協議だった。世界間の貿易は数千時間にいちどの頻度でしかないかもしれないが、その裏側では、綿密かつ慎重な交渉が進められていた。イマー船が到着するたびに、スタッフとホストのあいだで（ブレーメンの代表者の許可を得て）合意された条項が伝えられ、船はその詳細とアリエカ人の物品やテクノロジーを載せて出発し、つぎにもどってくるときには、わたしたちが見返りにアリエカ人に約束したものを運んでくる。彼らは忍耐強いのだ。

「歓迎会がある」カル／ヴィンの片割れがわたしたちに言った。「出席したいかね？」

当然ながら、実際の交渉の場にはいることは許されなかった。サイルはこれを残念がった。「気にすることないでしょ？」わたしは言った。「ものすごく退屈に決まってる。貿易交渉よ？　やれやれ。これがどれだけとか、なにがほしいとか……」

「知りたいんだよ、まさにそういうことを。彼らはどんなものをほしがるんだろう？　きみはぼくたちが彼らとなにを交換するか知っているのか？」

「専門的知識がほとんどね。ＡＩとかアートマインドとかそういったもののための。彼らには作ることのできない……」

「知ってるよ、ゲンゴのおかげで。だけど、アリエカ人がテクノロジーを手にするとき、それについてどんなふうに語るのかをぜひ聞いてみたいんだ」

言うまでもなく、アリエカ人はアートマインドに入力することはできない——書くという行為を理解できないのだ。音声入力も同じだ——異星心理学の専門家たちが調べたかぎりでは、ホストたちはマシンとの対話を認識できない。コンピュータは、わたしたちの耳には完璧に聞こえる土地の言語で返事をすることができるが、アリエカ人にとっては、その背後に精神がなければ、発せられることばはノイズでしかない。

そこで、設計者たちは盗聴機能をもつコンピュータを開発した。アリエカにあるバイオリグの単純な拡声器動物と電話動物から作り出したものだ。それらは——どうやってかはだれにもわからないが——おたがいの声（と、われらが大使たちの声）を理解することができて、それはスピーカーをとおしたものや録音したものでもかまわなかった。語られることあるいは語られたことの背後に、それをしゃべる正真正銘の精神が、距離や時間でその明晰さやその意図がそこなわれることのない、サイルが刺激的に〝魂〟と呼んだものがあるかぎりは。わたしたちはそれら小さな仲介者をアップグレードし、改造し、ときには、ホストが作り出せなかったコミュニケーション・テクノロジーとそっくり交換した。わたしたちは彼らの声にアートマインドを経由させたのだ。

そのプログラムは対話者のあいだで作動し、それとなく独自の指示を生成するよう設計されていた。アリエカ人がいつものように仲間と話をして、その会話が特定の理論的方向転換をすると、＊ウェアがそれを傍聴し、計算をして、生成物を変更し、自動化された作業をこなす。アリエカ人がなにが起きていると思っているのかは、もちろんわたしにはわからないが、とにかく、彼らはわたしたちがなにかを提供したことを知った——そして結局、対価を払ったのだ。

「それで、こちらはなにを手に入れるんです？」サイルが言った。

カル／ヴィンがわたしたちの頭上のシャンデリアをしめした。それは、先端が巻きひげ状になったライトをのばしたり引っこめたりしながら、ゆったりした動きで部屋の暗いエリアへみずからを運んでいた。「もちろん、バイオリグだ」大使は言った。「知っているだろう」「ブレーメンでも見たはずだ。大量の食料。それといくらかの宝石やこまごまとしたもの」エンバシータウンのほとんどの住民と同じように、わたしは大使の説明している物々交換の詳細についてよくわかっていなかった。「それと黄金」

その最初のパーティで、仕事だったとはいえ、カル／ヴィンは来客をきちんともてなした。サイルは、人間用とアリエカ人用のごちそうがならんだテーブルのわきに立ち、待っていた。「ついに地元民と親交を深めてるわけ？」アースルが静かにわたしの背後に近寄ってきていた。いきなり話しかけられたので、わたしはびっくりして笑ってしまった。

「彼はとても立派にふるまってる」わたしは顎でサイルのほうをしめしながら言った。

「辛抱強いこと。もっとも、あなたはそんな必要はないのよね、もうホストたちと会ってるんだから」

ちょっと寄っただけなの、とアースルは言った、たぶんなにかのアップグレード作業で。彼女はくるりと旋回すると、ごろごろとサイルのそばを通過しながらなにやらささやいた。サイルはあいさつを返し、去っていく彼女を見送った。「カル／ヴィンがぼくになんて言ったか知ってるかい？」サイルはそっとわたしに告げた。彼は遠ざかるアースルへむかってグラスを差しあげた。「彼女はゲンゴをしゃべることができる。それは完璧に聞こえる。どの大使も、彼女がなにを言っているかはちゃんとわかる。ところが、彼女がホストを相手に同じことをしても、ひとことも理解してもらえない」彼はわたしと目を合わせた。「彼女はほんとうはゲンゴをしゃべっていないんだ」

サイルはがんばっていらだちを隠し続けた――少なくとも、その件で不作法なことはしなかった。カル／ヴィンは、サイルが会ったことのないスタッフや大使たちに、忘れることなく彼を紹介した。そしてもちろん、とうとう彼らが到着して、いつものように部屋の雰囲気が一変したときには、ホストたちに。

ホストたちをあんなに近くで見たのは数千時間ぶりのことだった。ぜんぶで四人いた。三人は中年で、第三齢にあり、背の高い輪郭はひげでふるえていた。あとのひとりは最終齢にはいっていた――もう老いぼれだ。腹は大きくふくれて垂れさがり、外肢は細長くのびていた。歩きかたはしっかりしていたが思慮がなかった。同胞たちが一種の思いやりで連れてきたのだ。そいつは視覚と化学物質の痕跡により、勘で仲間たちを追っていた。それはアリエカで複数の門に共通している進化戦略で、動物の最終齢は若い個体のための食料庫とみなされていた。若者たちはそいつの栄養たっぷりの腹を、命を奪うことなく数日はかじり続けることができた。わたしたちのホストも、初期の歴史ではそういうことをしていたが、数世代まえに、わたしたちの推測どおり、野蛮な行為であるとして実践を放棄していた。彼らは、仲間が最後から二番目の形態にはいって精神が死ぬと、嘆き悲しみ、その歩く屍を、やがて崩れてばらばらになるまで丁重に導いた。

死にかけのホストがテーブルにぶつかって、ワインとカナッペをひっくり返すと、ヘン／リー、ロー／ガン、カル／ヴィンをはじめとする大使たちは、ジョークでも聞いたように礼儀正しく笑い声をあげた。

「どうぞ」カル／ヴィンがそう言って、サイルを前方へ、名誉ある土着民たちのほうへとうながした。わたしにはサイルの表情は読めなかった。「サイル・チョウ・バラジャン、こちらはスピーカー――」そのあと、カットとターンが同時に、先頭のホストの名前を告げた。

そいつは何本も突き出たサンゴ状のでっぱりからわたしたちを見おろした。それぞれのでっぱりにひとつずつ目がついていた。

「シャフンディ（コーラ）」カル／ヴィンが同時に言った。ホストの名前をしゃべることができるのは大使たちだけだ。

首のそばにある茎のような喉の先端でゆれる、人間の唇と妙によく似たカットの口で、ホストがつぶやいた。わたしたちの胸の高さ、そいつの体がふくらんでいるあたりで、ターンの口がひらいて咳き込み、小さく円唇母音を吐き出した――テオ、デオ、セオ。

そいつはちっぽけな動物たちの臓器を首のまわりに巻きつけていた。短剣のような足のあいだをうねうねと進んでいくのは共生動物。脳の死んだ老いぼれ以外のすべてのアリエカ人に付き添っているやつだ。赤ん坊ほどの大きさがある、太くて短い脚と繊細な触角をそなえた、地虫に似た生物で、背中にならぶ穴は、いくつかが金属のリングで縁取られていた。移動する様子は疾走とひきつけの中間といったところか。ゼルという、バイオリグのバッテリー獣で、リード線やワイヤーを穴へ差し込めるようになっており、そこから、所有者がどんな餌をあたえたかによって、ことなる動力が流れ出す。アリエカ人の都市にはそういう動力源がたくさんあるのだ。

シャフンディ(コーラ)が、ちょっと蜘蛛に似た、長くて、関節がやたらと多い、黒い毛の生えた四本の脚で踏みだしてきて、二種類ある翼をひろげた。背中からは、聴覚をつかさどる、色とりどりのファンウイングを。前側の、大きいほうの口の下からは、他者とのやりとりやこまかな操作に使われる外肢、ギフトウイングを。

〝あなたのギフトウイングをわれわれの手でふるわせたいです〟カル／ヴィンがゲンゴで言うと、サイルが、顔をわたしの顔に近づけたまま、唇だけをほんのちょっとすぼめて、片手を差し出した。ホストは、歓迎のしるし——本人にはなんの意味もなさないはずだが——として、わたしの夫の手を握り、ついでわたしの手を握った。

こうして、サイルはゲンゴが話されるのを目の当たりにした。彼は耳をすました。ホストとのやりとりについてカル／ヴィンにすばやく質問ぶつけたら、驚いたことに、彼らはがまんして聞いてくれた。

「ええっ？　彼はあなたが同意できないだろうとほのめかしているんですか……？」「いや、それは……」「……もっとややこしいことでね」「待ってくれ」

それから、カル／ヴィンはふたりで同時にしゃべった。「スヘイシュコー」わたしは以前にそのことばを聞いたことがあった。彼らは〝頼む〟と言ったのだ。

「ほぼすべて理解できたよ」サイルはあとになってわたしに言った。彼はとても興奮していた。「彼らは時制を変化させるんだ。交渉について話すとき、彼らは――つまり、アリエカ人は――不連続の現在形を使うんだが、そのあとで、省略された過去現在形へ移行する。その理由は、あー……」その理由なら知ってるよ、とわたしは言った。サイルがすでに教えてくれていたのだ。どうして笑みを浮かべずにいられる？　わたしは、何百時間ものあいだ、常に興味をもっていたわけではないとしても、やさしい気持ちで彼の話に耳をかたむけた。

「こんな言語はありえないと思ったことはないか、アヴィス？　あ、り、え、な、い。まるで筋がとおらないんだ。多義性というものがない。単語はなにも意味しない――指示対象そのものなんだ。知性を有しながら記号言語をもたないなんてことがありえるか？　彼らの数字はどんなふうに機能するんだ？　まるで筋がとおらない。しかも大使は双子で、ひとりの人間じゃない。彼らがゲンゴを話すとき、その背後にある精神はひとつじゃないんだ」

「彼らは双子じゃないけどね」わたしは言った。「わかった。きみの言うとおりだ。クローン。分身。アリエカ人は自分たちがひとつの精神を聞いていると思っているけど、それはちがう」わたしが片方の眉をあげると、サイルは続けた。「ああ、ちがうんだ。ぼくたちと彼らは、おたがいに誤解をしているから話が通じているようなものだ。ぼくたちが彼らの単語と呼んでいるものは単語じゃない――彼らの単語はなにも、つまり、表明しないんだ。そして、彼らがぼくたちの精神と呼んでいるものは精神じゃない」わたしが笑っても、サイルは笑わなかった。「きみはふしぎに思わないか？　彼らが――スタッフのことだけど――どうやってふたりの人間に自分たちはひとりだと思いこま要求がとおるはずはないのに。サイルはこどもたちがどんなふうに育てられるのかを見たがった。

スタッフや大使たちは定期的に都市へ出かけていたが、くわしい話を聞きたがるのは若者か未熟な者だけだった。やんちゃなこどもだったわたしたちは、通信をハッキングして、秘密と思われた（もちろんそれほどのものではなかった）写真や報告書を見つけ、なにが起きているかの手がかりを得た。

「ときどき」カル／ヴィンは言った。「彼らはわれわれが自治集会と呼んでいるものにわれわれを招くことがある。彼らは唱和する――ことばではない、というか、われわれの知らないことばで」「彼らの唱和が終わると、続いてわれわれが、ひとりずつ順番に、彼らにむかって歌うのだ」

「なんのために？」わたしがたずねるのと同時に、カル／ヴィンは「わからない」とこたえて、にっこり笑

せているのか」

「そうね、でも彼らはふたりじゃないの」わたしは言った。「そこが大使の重要なところ。そこであなたの仮説はそっくり崩壊してしまう」

「でも、そうなることはできたはずだ。そうなるべきだったんだ。彼らはいったいなにをしたんだ？」

一卵性双生児とはちがい、分身はうりふたつになるように作りあげられたものだ。信念にもとづいて。毎晩、毎朝、大使たちは修正される。アートマインドによる顕微鏡手術で、それぞれのペアのそれぞれの片割れがそのまえの昼か夜にひとりだけつけてしまったちっぽけな傷あとやしみを残らず見つけだし、もしも消せないときには、無傷のほうの片割れにそれを複写する。サイルは本気で言っていて、しかも話はそれだけにとどまらなかった。彼はこどもたちを見たがった――養育室にいる若き分身たちを。彼もまだそういう話をしてわたしを憤慨させることができたのだ。そんな

った。

べつのイベントのために、だれもがふたたびめいっぱい着飾った。それは過去のどんなイベントともまったくちがっていた。わたしは真っ赤な翡翠がちりばめられたドレスを着た。サイルはタキシードを着て白いバラを飾った。わたしたちを迎えにきた飛行船はバイオリグのハイブリッドで、アリエカの繁殖技術が使われていたが、その半生物の内装はテラ人の必要に合わせたものだったし、操舵員はわたしたちのアートマインドだった。

カル／ヴィンからいっしょに出席してもかまわないと言われたとき、わたしたちはたいへんな衝撃を受けた。これは大使館でひらかれるパーティではなかった。ホストの都市へ、〝嘘祭〟へ出かけるのだ。

わたしはイマーで何千時間もすごしていた。何十もの世界で何十もの国の港をおとずれ、わたしたち浮浪屋が〝再ツアー〟と呼ぶ旅人に特有のショックも経験していた。新しい世界の異質さにそなえて準備をしたあとで、まったく非人間的な首都を歩いてややこしい土着の動植物をながめていると、以前にそこをおとずれたことがあるような気がしてくるのだ。それでも、サイルとふたりで都市へ出かけるための身支度をしていたあの晩は、アリエカを離れてからいちども経験したことがないほど神経が高ぶっていた。

飛行船での航行中、ツタと屋根のならぶわたしの小さな隔離された都市を窓からながめていた。建築様式が、わたしが幼少期をすごしたレンガやツタの這う木材からホストたちのポリマーとバイオリグの肉へと変わり、ごちゃごちゃした路地から地形学的にことなる通りもどきへ変わるあたりでは、思わず息を吐き出した。ビルのようなものがやってきて置き換わりつつあった。建設現場は、食肉処理場と子犬の飼育場と採石場をごちゃ混ぜにしたようだった。

一行は総勢二十名ほどだった——五組の大使、ひと握りのスタッフ、そしてわたしたちふたり。サイルとわたしはマスク越しにほほえみをかわし、小さな携帯用の清風から流れる空気を吸い込んだ。機体はどこかの屋根にすばやく、あっというまに着陸し、わたしたちは連れのあとを追って、外へ出て、くだって、都市にある大きな建造物にはいった。

入り組んだ、部屋数の多い建物で、わたしはその角度にひどく驚かされた。わたしの沈着冷静さについて口にしたことがある人ならだれでも、わたしがその部屋のなかで文字どおりよろよろとあとずさるのを見て笑ったことだろう。壁も天井も、鎖とカニから生まれたような機械生物によってカチカチと動いていた。ひとりの親切なスタッフがサイルとわたしを導いてくれた。一行はアリエカ人の付き添いなしで歩いていった。わたしは壁にさわってみたかった。自分の心臓の音がよく聞こえた。ホストたちの音が聞こえた。突然、わたしたちは彼らのなかに踏み込んでいた。見たこともない数だった。

その部屋は生きていて、わたしたちがはいると細胞がさまざまな色に変化した。アリエカ人が順番にしゃべっていて、大使たちは異質な礼儀にのっとって歌った。のみこまれそうな通路を抜けたときは、最終齢にはいっている何人かのホストが、威厳にあふれた思慮のない足どりでうろついていた。一本の橋がわたしたちにむかって口笛を吹いた。

わたしは生まれてはじめて若いホストを見た――湯気のたつ栄養液が幼生で沸き立っていた。もっと奥には戦闘室があって、小さくて獰猛な第二齢がいっしょに遊んだり殺し合ったりしていた。腱にのった通路やたくましい外肢にのった演壇が縦横にのびるホールには、数百人のアリエカ人がいて、ギフトウイングをひろげ、ファンウイングをインクと天然の色素できれいに飾って、嘘祭のために集まっていた。

ホストたちにとって、話すことは考えることだ。彼らにしてみれば、話し手が事実ではないとわかっていることを言えるとか、主張できるとかいうのは、わたしが事実ではないとわかっていることを信じられるというのと同じくらいバカげたことだ。存在しない物事をしめすゲンゴがなければ、彼らはそれについて考えることもできない。それは夢よりもはるかに漠然としている。だれかがなにかを心に思い描くことができたとしても、それはかすんでいて頭のなかに閉じこめられたままになるだろう。

だが、わたしたちの大使たちは人間だ。彼らはゲンゴでも、自分たちの言語のときと同じように嘘をつけるので、ホストたちをとてつもなくよろこばせることができる。このような嘘をつくための祭典は、当然のことながら、わたしたちテラ人がやってくるまでは存在しなかった。嘘祭がはじまったのはエンバシータウンの設立から間もないころだった——それはわたしたちからホストへの最初の贈り物のひとつだった。わたしも話には聞いていたが、この目で見られるとは思ってもいなかった。

わたしたちの大使が、ざわめく数百人のアリエカ人のなかへ踏み込んでいった。スタッフとサイルとわたしは、ここでは話すことができなかったので、じっと見守った。部屋はあちこちに空洞があいていた——そいつの呼吸している音が聞こえた。

「彼らはぼくたちを歓迎している」サイルが全員の声に耳をすましながら言った。ざわめきが増す。「いま言っているのは、たぶん、これから見る、えーと、奇跡を。彼がぼくたちの最初の〝なにか〟にまえへ出るよう頼んでいる。あれは合成語だな、ちょっと待って……」緊張した声だった。「ぼくたちの最初の〝嘘つき〟だな」

「アリエカ人はどうやってその単語をつくるの？」

「知ってるだろう。〝事実ではないことを語る者〟とかそういうやつだよ」

部屋のなかへ突き出した家具が、みずから姿を変えて、円形競技場のような形になっていた。メイ／ベル大使――初老のおしゃれな女性たち――が、ひとりのアリエカ人のまえに立つと、そいつは自分のギフトウイングのなかで、繊維をたなびかせた大きなキノコのようなものを差しあげた。垂れさがった繊維を、足もとでひょこひょこ体をゆらしているゼルのソケットに差し込むと、キノコのようなものから音がして、その色がつぎつぎと急激に変わりはじめ、やがて光沢のある青色で止まった。

ホストが口をひらいた。

「あいつは言っている――〝それを描写しろ〟」サイルが小声で説明した。メイ／ベルが返事をした。メイがカット声で、ベルがターン声で。

アリエカ人たちが、急に全員で動きをそろえて、体を上下にゆらした。張りつめた興奮。彼らはふらふらしながら騒々しく鳴きかわした。

「彼らはなんて言ったの？」わたしは言った。「メイ／ベルは？　彼らはなんて――？」

サイルはとても信じられないという顔でわたしを見た。「彼らはこう言ってる――〝それは赤い〟」

メイ／ベルがおじぎをした。アリエカ人たちの大騒ぎが続いているあいだに、リー／ロイが位置についた。さっきのアリエカ人が足もとのゼルをなでると、それにつながっている物体の形と色が変化し、大きな緑色の涙になった。「それを描写しろ」サイルがまた通訳してくれた。

リー／ロイはちらりと顔を見合わせてしゃべりはじめた。「彼らは言った――〝それは鳥だ〟」サイルが通訳した。アリエカ人たちがぼそぼそとつぶやきをもらした。その名詞は土着の翼をもつ生物の呼び名をちぢめたもので、わたしたちのエンバシータウンの鳥の意味でもあった。リー／ロイがふたたびなにか言うと、数人のアリエカ人が我を忘れて叫んだ。「リー／ロイは、それが飛び去ったと言ってる」サイルがわたしのヘルメットのなかへささやいた。わたしはホストたちがサンゴ状の目を高々とのばすのをたしかに見た。それは命をもたない原形質が飛び立ったかのようでもあった。リーとロイがまた同時になにか言った。「彼らは……」サイルは眉をひそめた。「彼らはそれが車輪になると言ってる」聴衆の異様な大混乱はまだ続いていた。

ひとりずつ順番に、すべての大使が嘘をついていった。ホストたちは、それまでいちども見たことがないような騒ぎっぷりで、毒でも盛られたのかと不安になるほどだった。まさに嘘酔いだ。サイルは緊張していた。部屋はひそひそとささやいて、その住民たちの騒ぐ声に呼応していた。

つぎはカル／ヴィンの番だった。ふたりは熱弁をふるいはじめた。「〝そして壁は消え失せる〟」サイルが通訳した。「〝そしてエンバシータウンのツタはわれわれの脚に巻きつく……〟」ホストたちが自分の外肢をしげしげとながめた。「〝……そして部屋は金属に変わりわたしは大きくなって部屋とわたしはひとつになる〟」

もう充分だ、とわたしは思い、同じことを感じたらしいだれかがカル／ヴィンにささやきかけた。ふたりはおじぎをして舞台を離れた。

アリエカ人たちは徐々におちついていった。わたしはもう終わったと思った。ところが、見ているうちに、数人のホストがまえに進み出てきた。

「スポーツだな」カルかヴィンが言った。ふたりは驚いているわたしを見て、汗だくで近づいてきた。「究極のスポーツだ」もうひとりが応じた。「ここ何年か、彼らはわれわれのまねをしようとしている」「わずかだが、なかなかうまくやっている者もいるよ」わたしはじっと見守った。

「それは何色だ?」対象となる物体を手にしたアリエカ人が、テラ人のときと同じように、対戦相手にむかって言った。ひとりまたひとりと、ホストは嘘をつこうとした。

ほとんどは成功しなかった。彼らは苦労してモーとかカチカチとかいった音を発していた。

「赤」サイルが通訳した。電球は赤色で、話し手は失望とおぼしきクンクンという音をたてた。「青」べつのホストが言ったが、それもまた真実だった。物体はそのたびに色を変えた。「緑」「黒」なかには、失敗のしるしであるカチカチやゼーゼーといった雑音が出るだけで、まったくことばにならない者もいた。

ささやかな成功があるたびにお祝いになった。物体が黄色のときに、嘘をつこうとしたホストは――ファンウイングがはさみのような形をしているアリエカ人だった――身をふるわせ、いくつかの目をひっこめて、気力を奮い起こし、ふたつの声でひとつの単語を口にした。それは翻訳すれば〝黄色っぽいベージュ色〟といった意味だった。劇的な嘘とは言えなかったが、群衆は熱狂した。

一団のホストがわたしたちに近づいてきた。「アヴィス」カルかヴィンが礼儀正しく言った。「こちらは……」そしてふたりは名前を告げはじめた。

わたしのような者とアリエカ人とのあいだでこんなきちんとしたあいさつをする意味がさっぱりわからなかった。彼らはゲンゴを話す者にしか精神はないと思っているのだから、大使たちがこの口もきけない半分に切れたしろものをていねいに紹介するのを、ふしぎに思っているはずだった。アリエカ人が、自分のバッテリー動物に礼儀正しくあいさつしろとだれかに強要するようなものだ。

わたしはそんなことを考えていたが、実際にはそういう展開にはならなかった。カル／ヴィンにうながされるまま、アリエカ人たちはギフトウイングでわたしと握手をかわした。彼らの肌は冷たく乾いていた。わたしは口をしっかりと閉じて、胸のうちにわきあがってきた気持ち（あれがなんだったのかはいまだにわからない）を隠そうとした。大使たちがわたしの名前を伝えると、アリエカ人たちはなにかの感情をあらわした。彼らがなにかしゃべり、サイルがすぐにそれをわたしの耳もとで通訳した。

「彼らはこう言っている――〝これか？〟」サイルはわたしに告げた。「〝これがそうなのか？〟」

後日　3

ホストたちを見分ける方法はいくつかある。各自のファンウイングには指紋と同じように唯一無二のパターンがある（この事実にまつわる所見のあとには、たいてい、エンバシータウンだけはテラ人の指紋が唯一無二と言いきれない場所だという、聞きあきた指摘が続く）。甲皮の濃淡や、外肢の棘や、目のついている角の形にも微妙なちがいがある。このころには、わたしはめったに気にすることがなくなっていて、出会ったアリエカ人の名前も、わずかな例外をのぞいておぼえることはなかった。というわけで、都市をおとずれたあの最初のときやその後のいずれかの時点ですでに出会っていたのかどうかはわからなかった――たくさんのキロ時がすぎたあと、ありえない新任の大使、エズ／ラーを迎えるために外交ホールへやってきたホストの代表者のだれかと。

見たところ、全員が中年で、第三齢にあり、それゆえ知覚力を有していた。何人かは（わたしには）理解できない階級または偏愛をしめす帯をつけていた。何人かはキチン質が厚めのところに醜悪な小さい宝石をちりばめていた。もっとも上級の大使たち、メイ／ベルとホア／キンが、ホストたちといっしょにゆっくりと歩いて部屋のなかを進み、ひとりひとりにシャンパン——彼らの好みに合うよう入念に手が加えてある——のグラスを渡していた。ホストたちはグラスを優雅にかかげて、カットの口でそれを飲んだ。エズがそんな彼らを見つめていた。

「ラーが来るわよ」アースルが言った。

「彼のことはなんて呼ぶの？」わたしは言った。「ラーとエズはおたがいにとってどういう存在なの？　あのふたりは分身じゃないでしょ」

部屋のどこにいようと、だれといようと、サイルは、この異様きわまりない状況に、わたしと同じように緊張しているはずだった。エズとラーがおたがいに近づき、距離感を変えて、別のモードにはいった。

どうやってあんなことを実現したんだろう？

すべての構造はあるべき場所におさまっていたのだ、何千時間も、何年ものあいだ。エンバシータウンの年は、わたしが生まれ育った年は、昔の暦へのバカげた郷愁によって名付けられたために一カ月が長く、それぞれの週の長さも数十日ある。エンバシータウンの暦でほぼ一世紀のあいだ、エンバシータウンが誕生してからずっと、すべての構造はあるべき場所におさまっていた。クローンファームはずっと運営されてきた——、慎重かつほかに類のない子育てによって、分身は大使へと成長し、やがて必要となる統治スキルを身につける。もちろん、すべてはブレーメンの指導のもとで進められた。ブレーメンはわたしたちの本国であり、エンバシータウンの公的な建物にはかならずチャロ・シティ時間の時計とカレンダーが掲示されている。とはいえ、ここイマーの遠いはずれでは、すべてはスタッフのコントロールのもとにあったはずだ。

カル／ヴィンから聞いたところでは、惑星アリエカの埋蔵物——豪華なもの、変わったもの、そして土地の黄金——に対するブレーメンの当初の期待は、楽観的すぎたらしい。ただ、アリエカ人のバイオリグはたしかに貴重なものだった。このアリエカ産の、かつてテラ人が生み出したどんな粗雑なキメラや継ぎ接ぎ細工よりもずっと優雅で機能的なしろものは、ホストたちによって肥沃な原形質から成形されるのだが、その技術は、単にまねできないだけでなく、わたしたちの科学では実現不可能だった。はたしてそれで充分だったのか？　いずれにせよ、縮小されたコロニーはいままでひとつもない。

チャロ・シティは、なんのために、どうやって、このありえない大使を訓練したのか？　あの実験とその異様な結果——共感力の数値がシュタット基準を大きく逸脱した——にまつわる物語は、わたしだけでなくだれでも知っている。だが、たとえこのランダムなふたりの友人たちに、なんらかの偶発的な精神面の要素により、そのようなつながりが存在しているとしても、なぜ彼らが大使になるのだろう？

「ワイアットが興奮してる」アースルが言った。

「みんな同じよ」ガーダがいつのまにかそばに来ていた。音楽演奏のシフトが終わったので、楽器は片付けてあった。「当然でしょ？」

「お集まりのみなさん」強化ボットがホア／キンの声を隠されたスピーカーへ中継した。ホア／キンとメイ／ベルは、アリエカ人のゲストたちをほめたたえはじめた。それがすむと、彼らは新任の大使へ歓迎のことばを送った。

わたしは大使たちのお披露目パーティに出席したことがあった（奇妙な、尊大な、魅力あふれる若き分身たちが群衆に迎えられる）。だが、当然ながら、今回はそのような会合とはまったくちがっていた。

ホア／キンが言った。「これは特別な時です。われわれには任務があたえられました……」「……避けようのない任務、経験のない任務です……」「……新しい種類の歓迎を考えなければならないのです。ひょっとすると、新任の大使が到着したことをすでにご存じのかたもおられるかもしれません……」礼儀正しい笑い声。「……ここ数日、われわれは彼らと多くの時をすごしてきました……」「……われわれが彼らを知り、彼らにわれわれを知ってもらうためです……」「……それはたぐいまれなるひとときでした……」そのとおりだ！　とラン／ドルフが言った。「……この場にいられるのは名誉であり、たとえわれわれが歴史に記されたとしても……」「……どうぞご寛容ください。これはまさに歴史的な瞬間です……」「……紳士淑女のみなさん……」「……ホストのみなさん……」「……すべてのゲストの方々。おおいなるよろこびをもってエンバシータウンへお迎えしましょう……」「……エズ／ラー大使を」

喝采がやむと、ホア／キンはかたわらに立つホストたちに顔をむけて、新任の大使の名前をゲンゴで正確に告げた。「エズ ラー」とふたりは言った。ホストたちがサンゴ状の目を高くのばした。

「ありがとう、ホア／キン大使」エズが言った。彼は静かにラーとことばをかわした。「ここへ来られたのは大きなよろこびです」エズはありきたりな感謝のことばをいくつか続けた。わたしはほかの大使たちを見ていた。ラーの自己紹介は短く、自分の名前よりすこし長いていどだった。

「はっきり言いまして、これはわれわれにとって大きな名誉です」エズは言った。「エンバシータウンはブレーメンにとってもっとも重要な開拓地のひとつであり、それ自体が活気にあふれたコミュニティです。みなさんのすばらしい歓迎に、われわれはことばにならないほど感謝しています。エンバシータウンのコミュニティの一員となり、その未来のために、ブレーメンのため、ともに働きたいと思います」もちろん喝采がわきあがった。エズはそれがおさまるのを待った。

「われわれはみなさんといっしょに働くのを楽しみにしています」ラーが言った。スタッフと大使たちの何人かは不安を隠そうとしていた。別の何人かは、おそらく、熱意を。

「みなさん質問がたくさんあると思います」エズが言った。「どうぞご遠慮なく。われわれは自分たちが……〝異色〟だと知っています、いまのところは……」彼はにっこり笑った。「その件についてもよろこんでお話ししますが、正直なところ、なんのために、どうやってこういうことになったのか、われわれもよくわかっていません。このような存在は、みなさんと同様、われわれにとっても謎なのです」彼は笑い声を待ったが、反応はごくわずかだった。「これから、われわれがとても長いあいだ熱心に訓練してきたことをやりたいと思います。われわれは大使であり——わたしはそれを公言することに強い誇りをもっています——われわれにはやるべき仕事があります。ぜひ、この恵み深いホストのみなさんにあいさつさせてください」今度の喝采は邪心のないものに聞こえた。

　蜂カメラが押し寄せて、エズとラーが新しい同僚たちの案内でホストたちへ近づいていく映像が、ウォールスクリーンに無数のアングルから表示された。アリエカ人たちは半円を描いて立っていた。彼らがこの状況をどんなふうにとらえているのか、わたしには見当もつかなかった。ほかのことはともかく、この相手が大使で、‖（エズ／ラー）と呼ばれていることはわかったはずだ。

　エズ／ラーはほかの大使たちと同じようにふたりで

ささやきをかわし、ことばを準備した。ホストたちが目を高くあげた。部屋にいるテラ人はみな、ぐっと身を乗り出し、息をころしているようだった。芝居がかったしぐさで、エズ／ラーがむきを変えてゲンゴをしゃべった。

　エズがカット声で、ラーがターン声だった。ふたりは美しく、巧みにしゃべった。わたしでもそれがわかるくらいは聞きとれた。みごとなアクセントで、タイミングも良かった。声もそろっていた。彼らはホストたちにむかって、みなさんにお会いできるのは光栄ですと言った。シュラスヘイル（スヘイル）と言った。良いあいさつだ。

　その瞬間、すべてが変わった。エズ／ラーは顔を見合わせ、にっこり笑った。彼らの最初の公式発言。よほどおかしな失言でもしないかぎり、わたしたちはみんな拍手していたと思う。多くの人びとが彼らにできると本気で信じてはいなかったのだ。

　わたしたちはエズ／ラーがしゃべる声に熱心に耳をかたむけ、その能力を計っていた。あのとき、ホストたちの反応に注意をむけていた者はひとりもいなかったと思う。

第二部

嘘　　祭

後日 4

だれもが新任の大使を見つめていた。

エズはかがみこんですこしだけ好戦的なポーズをとった。こぶしをひらき、また閉じる。あきらかに自分のしていることを楽しんでいた。彼は眉根を寄せて下からホストたちを見あげた。

ラーが横からそれを見ていた。その場でまっすぐに立ち、あんまり高々とのびあがっていたために、かすかに左右へ揺れているように見えた。ふたりの姿はバカバカしいほどちがっていて、やりすぎてしまったジョークのように見えた。ローレルとハーディ、マーロとラトルシェイプ、サンチョ・パンサとドン・キホーテのことが頭に浮かんだ。

ふたりの話がすむと、外交ホールにいる人びとのあいだに、ツタを波立たせそうなほど濃密ななにかが流れすぎたような気がした。わたしはアースルに顔をむけて眉をあげた。それが重大なことだというのはだれもがわかったけれど、たっぷり五秒ほどたつまで、なにか良くないことが起きたのだとはだれも気づかなかった。

ホストたちが海にでもいるように体をゆらしていた。ひとりはギフトウイングとファンウイングを激しくふるわせ、べつのひとりはそれらを不自然なほどぴたりと静止させていた。ひとりはその薄い膜を神経質に何度かひらいたり閉じたりした。

三人はそれぞれのゼルに化学物質またはエネルギーを吸いあげる肉糸を差し込んでいて、おそらくはそのフィードバックにより、ホストの不吉な態度がバッテリー動物にまで影響をおよぼした。小さな歩く発電機はよろめき、いままで聞いたこともないような音を発した。

不安になるほどゆっくりしたユニゾンで、アリエカ人たちは恍惚状態から脱した。サンゴ状の目がこちらへだらんと垂れ、ようやく焦点が合った。まるで眠りから覚めようとしているように、体をまっすぐに起こして脚をほぐした。

エズ/ラーは眉をひそめていた。ふたりでささやきをかわし、あらためてしゃべりだした。

〝ホストの肉体や脳は、侵入する生物学的実体あるいは環境要因へのアレルギー反応によって影響を受けるのですか?〟彼らはそう言ったのだと、わたしはのちに知った。彼らはさらに続けて、〝なにかあなたがたを困らせることが起きたのですか? だいじょうぶですか?〟

彼らのことばは、エズがたどたどしく詩を口にして、同時にラーが鳥の声をまねたように響いた。ふたりがしゃべると、アリエカ人たちはまたもや体をひきつらせ、あの醜悪な同時性により、リンクしたゼルもぱっと引きもどされた。彼らの目からふたたび生気が失われた。今度はひとりが雑音をたてた——カットロからのうめき声だった。

ホア/キンとメイ/ベルがうろたえてことばをかわした。メイ/ベルがアリエカ人に近づいた。ホストたちはふたたびゆっくりと、とてもゆっくりと、おちいっていた状態から復活した。カル/ヴィンがわたしを見た。わたしたちは部屋越しにひさしぶりに見つめ合った。彼らの目のなかにあるのは恐怖だけだった。

スタッフが集結し、大使たちが踏み込んできて、あわただしくホストたちを連れ出そうとした。このなんだかわからない状態から脱したアリエカ人たちは、おたがいのあいだで、大声で、混乱したように、激しくことばをかわしはじめた。彼らは新任の大使に質問をしていた。エズ／ラーはどこだ？　彼らはそう言い続けた。エズ／ラーはどこだ？　わたしもそれが聞きとれるくらいにはゲンゴを理解していた。

「みなさん、お願いです」ホア／キンの片割れが言った。スタッフのだれかが待機していた楽団に声をかけたらしく、ふたたび演奏がはじまった。わたしは演奏が止まっていたことにすら気づいていなかった。ウエイターたちが人びとのあいだをめぐりはじめた。警備員たちがどこかへ出ていくのが見えた。シモンも混じっていて、統制はとれていたもののあきらかに切迫した様子だった。

「申し訳ありません、みなさん」ホア／キンが口をひらいた。「ゲストが、ホストたちが……」彼らはことばを切ってなにやら相談した。「ちょっとした誤解がありましたが……」「……心配するようなことではありません……」ロー／ガン、シャー／ロット、ルー／シー、アン／ドルーがホストたちを連れ去っていくのが見えた。「重大なことではありませんし、われわれの落ち度でもありません……」ふたりは声をたてて笑った。「いま事態を収拾しているところです」「みなさんが心配することはなにもありません！」「パーティはこのまま続けます。みなさんごいっしょに乾杯しましょう」

多くの地元民は安心をもとめていた。新来者や一時滞在のゲストたちはなにを心配するべきなのかわかっていなかった。わたしたちはグラスをかかげた。

「イマー船、トルパドル・マーターズ・レスポンス号の船長と乗組員に……」ホア／キンが言った。「……だれよりも歓迎すべき移民たち、新たな市民たちに……」「そしてなにより、エズ／ラー大使に。彼らがここエンバシータウンで長く幸せなキャリアを築けますように」「エズ／ラーに！」

全員が唱和した。乾杯を受けた人びとも、それにこたえて自分たちのグラスをかかげた。彼らはホストたちが連れ出されたドアに目をむけていた。パーティがだいなしにならなかったのはスタッフのおかげだった。十分とたたないうちに、ほとんどの人びとの態度はおおむねもとどおりになっていた。

「あれはいったいなんだったの？」わたしはそっとガーダにたずねた。

「見当もつかない」ガーダはこたえた。

サイルの姿が見えなかった。部屋にはまだ大使たちがスタッフといっしょに残っていた。わたしはエド／ガーに近づいたが、驚いたことに彼らはわたしに背をむけた。聞こえないふりができない大きさの声で名前を呼ぶと、彼らはわたしを一瞥して言った。「いまはだめだ、アヴィス」

「まだなにをしてくれとも言ってないのに」

「よしたまえ、アヴィス」「いまはだめだ」エド／ガーは、とおりかかる人びとに笑顔であいさつをするあいまにことばを挟み込んだ。

群衆が一瞬だけ割れて、まるで予定していたかのように、カルかヴィンの姿があらわれた。彼はまだわたしをじっと見ていた。わたしはぎょっとして動きを止めた。その男の分身は見当たらなかった。パーティがふたたび彼の姿を隠した。

もどってきたガーダは操舵員と腕を組んでいた。彼女はわたしを見てためらい、たずねるような目をむけてきた。わたしは手をふった――どうぞどうぞ。わたしがこの都市の統治者たちよりどれだけ多く旅をしてきたとしても、彼らにどれほど気軽に知識をあたえたとしても、彼らがそれをどれほど熱心に受け取ったとしても、それはなんの意味もない。エド／ガーが背をむけたように、わたしは何者でもない。彼らやそのほかの大使たちこそが、閉ざされた場において、これまでに起きたできごとや、これから起こるできごとを決める。彼らが法律をつくったのだ。

過去 3

ずっとまえ、わたしはあるレストランの残骸のなかで、謎めいた不快な儀式をおこなった。そのため、わたしは自分がいないところでアリエカ人たちから敬意を表されているのだと、大使やスタッフからときどき言われていた。そんなことばにはなんの意味もなかった――あのホールで、あの祭で、あの嘘のあとで、ホストたちがわたしが何者であるかを知ったあの瞬間までは。

ホストたちは早口にしゃべり、サンゴ状の目を高くのばした。彼らは毎日わたしを話していた、とサイルからあとで聞いた。彼らがカル／ヴィンに言ったのはそういうことだったのだと。〝わからない〟ひとりのホストがわたしについてカル／ヴィンに告げた。〃わたしが彼女なしでどうやっていたのか、考える必要があることをどうやって考えていたのか〃

彼女？　これはわたしたちが〃かぞえかたの謎〃と呼ぶ疑問だ――ホストたちは大使のことを、ふたつの体にひとつの精神がはいった存在とみなしているのか？　もしそうだとしたら、彼らはほかの人間のことを、半端な、不適切な、マシンのようなものだと思っているのか？　都市には大使たちのマリオネットがあふれているのだと？　わたしが直喩だと知ったとき、ホストたちはわたしをもどすよう要求してきたが、わたしには自分がゲストなのか、展示品なのか、ほかのなにかなのかよくわからなかった。わたしたちが出かけていくと、ホストたちはよく世話をしてくれた――わたしたちが人間だと理解していようがいまいが。

わたしがホストたちの招待を受けたのは、常にサイルが同行してくれたからだ。サイルはこの贈り物にすっかり夢中になっていたが、イベントのあとでは、わたし以上に、話をして、その感想を聞きたがっていたのだと思う。わたしたちはホストのいろいろなホールへ案内された。ふつうは大使や大臣などもその場にいたので、生涯かかえていくことになる秘密――ホストの都市で行き交うスタッフ――をそうやってかいま見ることは、わたしにとって、ほかのどんなことにも劣らず心乱されるできごとだった。大使たちがアリエカ人と話をしながら肉の廊下を歩いていくのを何度も見かけた――どんな人間にも用事があるとは思えない場所で。

こうしたイベントは、そこに参加できないわたしの友人たちの多くにとっては、興味をそそられるものだった。「祭？　嘘の？」最初のイベントのあと、ガーダがあるパーティで言った。「ホストたちがあなたを要求したの？」みんながわたしを取り囲んで、ホストの都市がどんなふうなのかを教えろとせっつき、だれかがこどものときとまったく同じ口調で〝そいつはヤバいな〟と言ったものだから、わたしは思わず声をあげて笑った。

わたしがときどき都市へ出かけるのは、大使たちにとっては困ったことだったようだ。彼らはわたしがそこにいるのを見たくなかった。これは謎だった。スタッフは、わたしのお出かけが終わるたびに、なにを見たかとか、なにがわかったかとか根掘り葉掘り聞きだそうとしたのに。

二度目に都市へ出かけて、大勢のホストといっしょにまた別のホールをおとずれたときには、なんだかよくわからない一群の物体と、麻酔をされたアリエカの動物たちと、清風ヘルメットの曲面に酵素光を映り込ませた四人の人間たちのそばに置き去りにされた。人間のうちのふたりはリー／ナ大使で、わたしを無視していた。あとのふたりは若い男で、わたしと同じ一般人だった。

「やあ」ひとりが言った。彼は熱っぽく笑いかけてきたが、わたしは笑みを返さなかった。「おれはハッサ――おれは用例だ。ダヴィンは話題。あんたはアヴィスだろ？　あんたは直喩だ」

このときも、都市にはいったほかのどのときも、わたしが参加した最初の集まりとはちがっていた。それらはもっと雑然としていて、まとまりに欠けているようだった。ホストたちのあいだでは、集会とはどんなものであるかについて、しばらくまえからひとつの流行があった。珍しい嘘だけではなくもっと範囲をひろげた、ゲンゴの祝典だ。事実を構築するのに必要なわたしたちをできるだけ大勢ひとつの場所に集め、ゲンゴ化された要素を可能なかぎりたくさん――生物、無生物、有知覚、無知覚――そろえたうえで、わたしたちを見て、わたしたちを使って理論化を試みるのだが、意見の一致を見ることはない。わたしたちがおとなしくすわっているあいだ、周囲では、ぜいぜいと、たどたどしく、歌うように議論がくりひろげられる。それはわたしが最初に見たひたむきな嘘ほど心動かされるものではなかった。

わたしがカットロとターンロのうなり声とささやき声になごんでいるあいだ、サイルが通訳を試みた。ホストたちは足を踏み鳴らして前後へ動きまわり、意見はそれぞれに分かれていた。わたしが比喩的表現として役に立つと考える者たちと、そうは考えない者たちとのあいだで論争のようなものが進んでいた。

停滞した、奇妙な議論だった、と思う。一部のホストたちは、わたしがもっと別のことをするように作られてさえいれば、自分たちはもっと良いことを言えたはずだし、もっと良いことを考えられたはずだと考えていた。正確にしゃべるものを必要とする者たちにとって、わたしがもっと良い直喩になれたはずだと。わたしと似ている――と彼らが主張する――わたし以外のなにかについてしゃべるために。だが、当然ながら、そうした批判派はそれらの考えがどんなものになるか言うことはできなかった――なぜなら、彼らはそれを考えることができないのだ。

「しかし……」サイルが言った。浮かない顔だった。

「その考えというのは、きっとホストたちの心の奥にあるのね」わたしは言った。「だから彼らは怒っているの？　それを否定されてしまったから」

「ちょっと待った。彼らのひとりがきみのことを話している――〝それは比較だ、そして……新しいなにかだ〟理解できないな。理解できない」

「だいじょうぶよ、あなた……」

「おい」サイルがささやいた。「彼らは別の比喩的表現を使っているぞ」彼がしめしたのは、ホストたちが見つめている、やはりエンバシータウンから来た仲間たちのことだった。彼は驚いてふりむいた。「ぼくの理解が正しければ……あのハッサーという男、あいつはぼくたちに嘘をついた。あいつは用例じゃない――きみと同じ直喩なんだ」

わたしの有効性に対してどのような疑問が呈されようと、わたしにはそれなりの使い道があったにちがいない――こうしたイベントが流行した数週間、ホストたちはわたしを呼びもどし続けた。

カル／ヴィンとわたしのあいだではなにかが失われてしまった。ここ数週間、セックスの最中、わたしはさわりかたがそれぞれちがうと言ってふたりをからかっていた――彼らもそれがすこしは事実だと知っていたのかもしれない。はじめてのときは、自分が大使と寝ていることに青臭い興奮をおぼえた。けれど、そういう演じられた軽薄は長くは続かなかった。

あのふたりの感触を、首にあるリンク、思考を増幅しておたがいへ伝える宝飾品の冷たさをおぼえている。彼らがおたがいにふれる姿をおぼえている――その風変わりな、一種独特なエロティックさを。終わったあと、ふたりの見分けがついたときには、みだらな笑みを浮かべることもあったが、それはいらだたしいゲームだった。「カル」わたしはひとりを指さして言ってから、もうひとりを指さす。「ヴィン。カル……ヴィン」ふたりは笑みをたたえることもあれば、横をむくこともある。ときどき、特に朝のうちだと、ちがいを見分けられることがあった。夜が残したしるし――枕の跡がついた顔、目の下の独特なたるみ。カル／ヴィンはしばらくすると沐浴へむかい、補正室のドアをロックし、こまかな相違をすべて削除するかコピーするかしてあらわれる。

彼らはわたしが協議や集会に呼びもどされるのをこころよく思わなかった。だが、スタッフがホストのそういう要求を拒否するのはむずかしい。いちど、カル／ヴィンの片割れが、なんのまえぶれもなく急に腹を立ててわたしに告げたことがある。大使にはこれっぽらず姿を見せていた。彼らはわたしの用法を褒めたたえ、男や女やそのほかのものにさまざまなかたちで組み込まれているどんな寓意あるいは修辞装置よりも上とみなした。「ファンがついたようだね」サイルは言った。それはわたしが直喩として名声を得た数カ月だった。

ハッサーはほかのときにも何度か見かけた。激しい議論がくりひろげられるあいだ、わたしたちは突っ立ってじっと待っていた。ゲンゴ反対派は、わたしやほかの直喩がなっていたかもしれないものを再構想すべきだと主張した。ほかのホストたちの反応からすると、この思考実験は悪趣味だったようだ。そうした議論のあとで、わたしはいちどサイルに、ホストたちがハッサーと話すのを聞いたか、もし聞いたのなら彼はいったいなんなのかとたずねた。

サイルは大使と同じくらいゲンゴをよく理解していたが、「ぼくにはきみたちがどうやって機能するのかっちも権力などなく、クソな決定をくだすのはほかのスタッフや大臣やそれ以外の連中であり、彼や彼の分身の発言力はだれよりも低いのだと。

ときには、カル／ヴィンを相手に喧嘩もした。わたしからはじめたのではないと断言できる、ある不愉快きわまりない口論のあと、カルかヴィンが戸口にいっときとどまり、読めない表情をたたえてわたしを見つめ、そのあいだに分身が立ち去ったことがあった。ひょっとして、もしも彼らがイマーに潜れたら、わたしはそれを不快に感じたのだろうか。だが、自分がそんなことを気にするとは思えなかった。

「同じじゃないよ」わたしは残ったほうの片割れに言った。「あなたはゲンゴをしゃべる。わたしはゲンゴそのものなの」

わたしの直喩をほかのどれよりも気に入っていたホストたちがいて、わたしが出席するイベントにはかかなさっぱりわからない」とこたえた。「きみが意味していることと彼らがしゃべっていることとのあいだにどんな関係も見いだせないし、彼らがきみをなにと比べているのか、きみをどんなことに利用しているのかもわからない。そんなぼくに、きみは彼らがハッサーでなにを考えているかきこうというのか？　見当もつかないな」

「そういう意味じゃないんだけど」

「つまり、文字どおりハッサーがどういう意味かということ？」

「そう。だから、基礎となる事実、ちょうどわたしの意味が〝あたえられたものを……〟まあ、わかるでしょ」

サイルはためらった。「確信はないが、あれは……彼らが言ったのは〝開かれてまた閉じられた少年のような〟だったと思う」

わたしたちは顔を見合わせた。

「ああ、そんな」わたしは言った。

「うん。断言はできないから、けっして……でも、そういうことだ」

「なんてこと」

コーヴィッドに乗って、エンバシータウンへ連れもどされる途中、わたしはハッサーに言った。「なぜあなたが直喩だということを教えてくれなかったの？」

「すまない。じゃあ、聞いていたのか？」ハッサーはにっこりした。「ことは複雑でね。おれはよく考えるんだよ、直喩になるってことを。だが、あんたがどう感じるかわからなかった……仲間のなかには、たとえ……たとえこういった話をしようとしても」ここで、彼の口ぶりは警戒するような、しかし興奮したものになった。「それが重要なことだと思うやつはごくわずかだからな」

「直喩たちが？　あなたたち、その、集まったりしてるわけ？」

まあな。もちろん、おれたちは別の比喩たちやゲンゴのいろいろな瞬間も知っている、とハッサーは説明した。だが、特に直喩たちがおたがいに共通性を見いだしているのはたしかだ。話を聞いてすぐに、わたしはその人たちのことを軽蔑した。

「おれたちがどうしてあんたを見逃したのかわからない。彼らがあんたを口にするのは知っているが、これまでずっと、ホストたちはどうしてこういうイベントであんたを見逃したんだろう？　あんたはどうしておれたちを見逃したんだ？」

「自分がゲンゴだということは、わたしの人生においては重要なことではなかったと思う」わたしはこたえた。うっかり侮蔑をおもてに出してしまったのだと思う。考えてみれば、もしもイマーに潜る方法を学んでアウトへ出かけていなかったら、わたしだって直喩たちの集まるバーやホールや飲み屋で日々をすごしていたかもしれないのだ。悪名をはせる奇妙な人生にはちがいないが、それはなにかではある。わたしは軽蔑したことをあやまりたかった。ハッサーに、これはあなたにとってどんな意味があるのかとたずねてみた。ちょっと身がまえてから、彼はこたえた。「一部になるってことさ！　ゲンゴの」

後日　5

すこしでも知性がある者はだれひとり、パーティがほんとうに正常にもどったとは考えなかった。「アースル」わたしは小声で呼びかけて手招きしたが、長い筐体を正確にくねらせてわたしのところへ近づいてきたアースルは、通信をハッキングしてなにが起きたか突き止めることはできなかったと告げた。

　わたしは部屋に残っていた大使たちをふた組見つけた。マグ／ダーとエス／メーだ。

「どうなってるの？」わたしは彼らにたずねた。「ねえ。マグ／ダー。教えて」

「われわれとしては……」エス／メーの片割れが言った。「あれは……」「なにもかもきちんとコントロールされている」

「マグ／ダー。いったいどうなってるの？」

　マグとダーとエスとメーは、なにか言おうとしているように見えた。エス／メーはわたしのことが好きではなく、アウトからの帰還者、イマーサー、浮浪屋、などなどに対して大使らしい意見をもっていたが、それでも、彼女たちはためらっていた。

　たまげたことに、サイルがわたしたちのそばにあらわれた。わたしを見る目には感情がこもっていて、彼はそれを隠そうともしなかった。「マグ／ダー」サイルは言った。「来てラーと話をしてくれ」

　大使たちはうなずき、わたしは機会を失った。五人がそのまま歩きだしたので、わたしはサイルの腕をつかんだ。わたしは冷静な表情をたもち、サイルも同じように冷静にわたしをふりかえった。わたしよりも彼のほうが事態の中心に近いところにいるのは驚きではなかった。彼はスタッフとともに働いていたし、大使たちと共謀していた。大使たちはゲンゴを使うことにばかり集中してきて、それについて学ぼうとしてこなかったので、エンバシータウンで状況が変わり、そうした疑問について考えるのが有益なことになったとき、サイルの理論に心奪われたのではないかと思う。サイルはその研究のおかげで役に立っていた。スタッフとしての機能ならたしかにわたしより上だった。

「それで?」わたしは言った。自分の厚かましさにほんのすこしだけ驚きをおぼえた。浮浪屋(はぐれ)はやるべきことをやるのだ。「どうなっているの?」

「アヴィス」サイルは言った。「きみに話すわけにはいかないんだ」

「サイル、なにが起きているか知ってるの?」

「いや。知らない。ぼくは……ほんとに知らないんだ。こんなのは予想外だった」

わたしたちの近くで、ふたり連れがワイングラスを小さなベルのようにふれ合わせた。演奏者たちはすでに飲んでいて、音楽はふらふらしていた。これは地元民がイマーサーの乗組員と会える唯一のチャンスであり、彼らはそれをめいっぱい活用していた。ふたり連れや少人数のグループが会場を離れるのを見ていたら、イマーの借り物のセックスアピールを思いだした。わたしだって帰還したばかりのころはそれを利用していた――まさに陶酔の数週間だった。

「もう行かないと」サイルが言った。「彼らがぼくを必要としている」

エスがサイルの片方の腕をとり、メーが反対の腕をとった。ふたりはサイルとわたしの関係が悪化していることも、ひょっとしたらその理由も知っているようだった。ふたりが彼と寝ているとは思えなかった。サイルが呼ばれるのは短時間だったし頻繁でもなかった。ブレーメンの婚姻関係はどれもエンバシータウンでは合法だったが、地元民は、独占的な、特性にもとづいたかたちを好む傾向にあった。わたしはもちろんサイルに嫉妬していたけれど、それは彼の得た立場や、彼の知っている秘密に対してだった。

わたしのアパートまでは半時間。アースルがいっしょについてきた。過去におとずれた多くの国で、一般人はみな自分用の乗り物を持っていた。エンバシータウンの通りはいちばん広い何本かを別にすればどれもとても狭く、しばしば勾配が急だった。いくつかのルートをめぐる改造動物やバイオリグの運搬車もあって、必要な場所では車輪やキャタピラから脚に切り替わるようになっていたが、ほとんどの人は徒歩で移動した。

エンバシータウンは狭くて混み合っていて、人口の増加は清風の息吹のへりによって制限されていた。全体がホストの都市に取り囲まれていて、最北端のアリエカ平原がはじまるあたりだけが例外だった。半合法的な都会の成長は容認されていて、間に合わせの部屋が壁と縫い合わされ、ひさしのように路地へのしかかったり、屋根へ投げあげられたりして、いつでも放棄されるかまえだった。ほとんどのスタッフはこうした意欲的な空間最大化を黙認していた。そこかしこになかば訓練されたバイオリグの小物があり、その一部はテラ産テクノロジーとの非合法交配により運だけでひとつにまとまって、家庭的な様相を呈していた。

エンバシータウンの上にアーチのようにかかる大使館が、その平原に迫っていた。百メートルをいくらか超える、市内でもっとも高い建物。一本の太い支柱から、水平な大枝と着陸パッドが突き出していて、遅い時間になっても、生体発光のコーヴィッドがそこを出入りしているのが見えた。大使館の基部は溶けたようにひろがって、周囲の通りと一体化していた。スタッフの居住地区はなかばおおわれていて、路地であると同時に大使館そのものの内部になっていた。アースルとわたしはパネル張りのリフトで降下し、連絡通路から、回廊と通りの中間のなにかと化した回廊と、ガラスのない窓のならぶ半開放式のアーケードを抜け、風の吹くまっとうな通りへはいった。

「ああ、外に出るとほっとする」わたしは言った。

「実際には出てないけどね」アースルが言った。「あたしたちはいつだって清風の息吹のなかにいる」空気の部屋。

それを聞いて、わたしは、その気になればエンバシータウンを離れられるのにそうしないアースルのことを考えた。彼女は都市に興味をもつようプログラムされていたわけではなかった、と思う。それ以上考えるのはやめておいた。部屋にもどると、わたしはさらにワインを飲み、アースルはそれに付き合って似たようなグラスの3D映像を表示し、3Dの頭を動かしてそれをあおった。彼女はわたしのステーションに接続したが、ローカルネットではその晩のできごとに関する情報はなにも見つからなかった。

「家に帰ったらもういちど試してみるわ」アースルは言った。「気を悪くしないでほしいんだけど、あなたのマシンは……岩を打ち合わせるほうがまだ可能性がありそう」

アースルの家は何度かおとずれたことがあった。狭くて、がらんとしていたけれど、壁には絵画がならんでいたし、キッチンも、人間やそれ以外の来客のための家具もあった（美しく、見た目の卑猥なシュラース人用のスツールが一脚）。彼女のアパートとその趣味のよい備品は、おそらくわたしやそのほかの人びとのためにあったのだろう――絵画も、コーヒーテーブルも、輸入品の絨毯も、オペレーティングシステムの要素であり、利用者が彼女を使いやすくなるデザインになっているのだ。そんなふうに思うのは恥ずべきことであるような気がした。わたしはエズ／ラーのことを考えた。

過去 4

ハッサーがわたしに電話してきた。「どうやってわたしの番号を手に入れたの？」わたしは言った。

「頼むよ」ハッサーは言った。とりたてて押しつけがましい口ぶりではなかったが、わたしはイマーサーらしい最狂レベルの威嚇的な態度をとっていた。「あんたを見つけるのはむずかしくなかった。一杯やりにこいよ」

「なぜわたしが一杯やりにいくわけ？」

「頼むって。あんたがどうしても会うべき連中がいるんだ」

直喩たちが集まったのは、エンバシータウンのおだやかに崩壊しかけている部分、まだ若い廃墟の近くだった。わたしは遠まわりをして、午前中のほとんどをかけて歩き、数多くのないがしろにされた宿無しのオートムたちのそばをとおりすぎた。硬貨の壁さえとおりすぎて、いつものようにあのドアを一瞥した。

チャロ・シティにもスラム街はあり、わたしは自分で望む以上の時間をその周辺ですごしてきた。わたしが船を入れた港の多くは、そういう地域のなかやそばにある——まるでスラム化が船によって運ばれる伝染病であるかのようだ。エンバシータウンでいろいろパーティに出ていたとき、改革派のメンバーが気取った演説をはじめると、わたしはよく口をはさんだものだった。「スラム街？　信じて、みんな、わたしはスラム街をいくつも見てきた。わたしがどこにいたか知ってるでしょ？　スラム街のことならよく知ってる。ここにはスラム街はないよ」

エンバシータウンでは、ぼろきれをまとったこどもたちが臭い水たまりで紙の船で遊んだりすることはなかった。人びとが食べ物のためにイマーサーやアウトから来た連中に体を売ることも、バイオ宙賊にDNAや肉のかけらを売り渡すこともなかった。枝を編んで土を塗った小屋が、頭上で船が上昇や降下をするたびに揺れたり、何度か着陸があるたびに倒壊したりすることもなかった。わたしたちの社会のグラフはかなり平坦だった——財力や権力の格差は少なかった。例外はスタッフ、それと大使たち。

手入れのされていない地域のウォールスクリーンとプロジェクタは忘却ループにはいっていて、そのサイクルは終焉期にあった。いくつかは、製造中止になった製品や、もうずっとまえになくなっているアウトからの贅沢品の広告を流していた。エンバシータウンのどこでも同じだが、ここでも壁はツタと改造ツタにびっしりおおわれ、土着のコケもどきが点在していたので、そうした広告や荒削りな公衆芸術が投げかける光はツタの葉の落とす影でまだらになっていた。

ところどころで、群葉を押し分けて、レンガやプラストーンのなかに埋め込まれたパイプが、情報を吸いあげたり、非合法で問題の多い意見をスクリーンへ流したりしていた。歩いていくわたしをゆらめく光で包みこむ、不正に表示されたブレーメンへの非難のことば、ワイアットとそのささやかな取り巻きに対する暴力の脅迫。扇動的な3Dの幻影が、自由や、民主主義や、徴税についてつぶやいていた。ワイアットでさえこんな半端な過激派の扇動について深く心配したりはしないだろうが、こうした落書きを切断できていない治安隊は厳しい叱責を受けるはずだった。

わたしは革製品と改造革製品を専門にしている商店街にいた。なめし革と内臓のにおいがする店では、バイオリグの木で熟した財布がつぎつぎと収穫されていた。解体屋がそれらを巧みに切り離し、切り込みを入れて留め金をつなぎ、内臓をすくいだして皮にシール加工をほどこす準備をしていた。店の奥ではまだ熟していない傘の群れが、バカげた贅沢品が、コウモリの天蓋を弱々しくひくつかせていた。改造革製品は口もなく尻もない単純なもので、生きられるはずがなかった――店の排水溝にこぼれた内臓は漠然とした意味のない存在だった。

少なくとも一ダースの直喩たちが、〈クラヴァットト〉というワインカフェに集まっていた。わたしはそこへ来るよう指示されたのだ。3D看板が店のまえをえんえんと歩きまわっていた――首のネクタイをうまく締められない人物の姿だった。わたしはそこをとおりすぎて（3Dウェアは予想外の派手な動きでびっくりしたような映像を見せてから、もとのくりかえしにもどった）店にはいった。

「アヴィス！」ハッサーがうれしそうに言った。「紹介しよう……装身具のかわりに工具を身につけた、ダリウス。目が見えないまま三晩起きていた、シャニータ。毎週魚たちといっしょに泳ぐ、ヴァルディク」彼は部屋をめぐりながら説明した。「こちらはアヴィス――あたえられたものを食べた少女だ」

もちろん、アリエカ人がしゃべる直喩がすべて集まっていたわけではなかった。その一部は動物や無生物だった――エンバシータウンのある家では、何年もまえに、ホストたちがなにかの比喩を口にできるようにするために、家具をぜんぶ運びだしてから、またもどしてあった。例の割れた岩がああなったのも、ホストたちが〝割れて修理された岩みたいな〟と考えられるようにするためだった。だが、ほとんどは、テラ人の男女だった――わたしたちにはなにか役に立つ面があったのだ。

多くの直喩たちは、当然ながら、自分の置かれた立場に関心がなかった。スタッフのなかにもひとりかふたりいたと思う。大使たちのなかにさえ。彼らはけっして顔を出さなかった。

「大使たちはゲンゴであることを好まない」ハッサーがいった。「それを弱点と感じるんだ——彼らが好きなのはゲンゴをしゃべることであって、ゲンゴになることじゃない。それに、彼らは一般人と親しく付き合わなけりゃならないからな」その敬意と敵意がややこしく入り混じった口調は、以前にも聞いたものだったし、その後も何度も聞くことになった。

わたしたちはゲンゴについて、自分たちのような存在になることにどんな意味があるのかについて、語り合った。語るのは彼らで、わたしはほぼ聞き役だった。わたしは彼らのたわごとを聞いてわきあがるいらだちを抑えようとした。とにかく、自分から参加したのだ。不釣り合いなほど大勢の直喩たちが、ていどの差はあれ、独立主義者であるように見えた。彼らはブレーメンの暗愚な支配や冷酷な代理人たちについていろいろなことを言った。ワイアットと出会っていたわたしは、特にこの部分に反発をおぼえた。

「あなたたちはマイアブで届けられたものを拒絶していないみたいだけど」わたしは言った。

「ああ」だれかがこたえた。「でも、われわれは取引をするべきなんだ、クソな税金を払ったりただ働きをしたりするんじゃなくて」

議論が続くあいだ、ハッサーがわたしの話し相手についてわきからいろいろ教えてくれた——まるで大使に耳打ちする大臣のように。「彼女が辛辣なのは、あまり頻繁に呼ばれないからだ。彼女の直喩は難解すぎるんだよ」「正直言って、彼は直喩というよりは用例だ。本人もそれはわかっている」家に帰ったとき、わたしはこれらすべてに怒りをおぼえていた。そしてサイルに、どんなにバカげた光景だったかを話した。それでも、わたしはまた出かけた。どうしてなのかずいぶん考えてきた。だからといって説明できるわけではない。

二度目に出かけたときは、毎週魚たちといっしょに泳ぐヴァルディクが、自分の直喩化にまつわる物語を話した。ヴァルディクは継続中だった——彼の立場を決めるのは、彼がやったことや彼に対してなされたことではなく、彼が続けてやらなければならないことだった。〝毎週魚たちといっしょに泳ぐ男のような〟とホストたちが言って、なにかよくわからない主張をしたがったとして、そのためには、実際にヴァルディクがそれをやっていなければならなかった。だからそれが彼の義務になっていた。

「スタッフの住まいには大理石の浴槽がある」ヴァルディクは言った。ちらりとわたしを見あげ、また目を伏せた。「何年もまえに、イマーを抜けてはるばる運んできたんだ。彼らは塩素に耐えられる小さな改造魚をおれといっしょに浴槽へ入れる。おれはオーバーデイごとに泳いでいる」それぞれの出張のはざまの十一日間、ヴァルディクはつぎにそなえてすごしていたのではないかと思う。わたしには、そういう行為を確実に続けるためにどれほどの努力がいるのか、ホストたちの直喩でいるためにどれほどの緊張を強いられるのかはわからなかった。それもまた、大使たちがわたしたちにかすかな不安をいだく理由のひとつだったのだろうか——直喩のストライキの可能性。

順番が来たとき、わたしは新しい仲間たちに、レストランのことや、わたしが食べたもののことや、そこで起きたことがとても不快だったのでわたしがいくらかの信用を得たことを話した。何人かはわたしをまじまじと見つめた。ひとりかふたり、たとえばヴァルディクは、まったく目を合わせようとしなかった。「仲間へようこそ」だれかがそっとつぶやいた。わたしはそれがいやだったので、表情をとりつくろうのをやめて、いやだという気持ちをはっきり顔に出した。さらにいやだったのは、順番が来て、彼をゲンゴにするためになされたおそろしいことを説明したときに、開かれてまた閉じられたハッサーが、声色を変えてしゃべるテンポも調節し、真実であるにもかかわらず、それをひとつの物語にしたことだった。

後日 6

大使館で多くの時間をすごしていない一般人は、どこがおかしいのかわからないかもしれなかった——検問所には人がいる、スタッフもスタッフ見習いもうろついている、3Dおよび2Dのスクリーンには変わらず情報が表示されている。だが、わかる者にとっては、あのパーティ以来、不安がひろがっているのは明白だった。

今回やってきた船は、かつてないほど気もそぞろな別れのあいさつに送られて旅立っていった。もちろん、充分に仰々しい見送りは試みられた。到着舞踏会が終わって間もなく、一部の人びとがまだ陽気な混乱のさなかにあるうちに、船に乗り込んだイマーサーたちは、集まった大使やスタッフやわたしのような人びとによって見送られ、エンバシータウンの住民たちは息をころしていた——ひとりきりにされて、なんであれ起きていることにむきあえるようになるまでは。現実には、彼らも、わたしたちも、まったくむきあうことはできなかった。スタッフのなかには、あとで知ったことだが、船はまだ出発していないと言い張る者もいたほどだった。

わたし——アヴィス・ベナー・チョウ、イマーサー、カル／ヴィンの最初は愛人でのちに元愛人（エンバシータウンの住民のなかには嘘だと思う者もいるだろうが、それはわたしの一部であり事実でもあった）、アウト方面に関するスタッフの助言役——は、神経質な治安官によって国務用オフィスへの立ち入りを阻止された。すこしばかりの浮浪（はぐれ）——あなたはミスをしていると思うよ、治安官、（間）でもね、わたしはまさにそのためにここにいるの、彼らがわたしの協力をもとめているの——により、わたしは通行を許された。部内者に対する自分の持株に幻想をいだいてはいなかった。とはいえ、ただ通路にはいるだけのためにあんなことが必要になるとは？

内部には見せかけの平穏すらなかった。わたしは小声で議論するスタッフを押しのけて進んだ。探していたのはエド／ガーか、確実にわたしと話をしてくれるだれかだった。「ここでなにをしているの？」アグ／ネスのアグかネスが言い、その分身が首をふった。ふたりはむしろ貴婦人と言ったほうがよく、わたしがぼそぼそと返事をしてもいっさい注意を払わなかった。「わたしは急いでいるの、娘さん」「あなたはただ……」「……じゃまなだけ」ほかの人びとはそこまで拒絶的ではなかった——ラン／ドルフは笑顔で疲労困憊の身ぶりをしてみせたし、いちど飲んだことがある地位の高い大臣はウインクまでしてくれた——が、アグ／ネスの言ったとおり、わたしはただの障害物だった。

最上階のティーハウス——屋根のつくる景色とそれが都市の輪郭へと移行していく様子を見渡すことができる——で、警備員のシモンを見つけたので、つかまえた。なにも知らない、おまえにはなにも話せないと義務的に主張したあと、彼は言った。「パーティのあとエズ／ラー大使を見かけていない。ふたりがどこへ行ったのかわからない。当初のスケジュールだと、半時間まえにある会談に出ているはずだったんだが、結局姿をあらわさなかった。言っておくけど彼らだけじゃないぞ。予定はほとんどめちゃくちゃだよ。ホストたちはいったいどこにいるんだ？」

いい質問だった。エンバシータウンとホストたちとのあいだの主要問題にまつわる協議——採掘権、わたしたちの各ファーム、テクノロジーの交換、ゲンゴの祝典——は、ごくたまにおこなわれるだけだったが、こまごました問題については日ごとに確認をとる必要があった。通路にはいつも、なにかの交渉に出席する少数のアリエカ人がいた。彼らの先がとがった足に耐えられるよう、大使館の床は頑丈にできていた。

「ホストたちがいない」シモンはバイオリグの腕の奇妙な肌をさすった。「ひとりもだ。約束というのがどういう性質のものであるか何世代もかけて歩み寄りを進めてきたから、今日の午前中はここに何人かいなければならないし、ふつうだったらいるのに、実際にはいない。電話をかけても応答がない。おれたちといっさい連絡をとっていないんだ」

「ずいぶんひどく機嫌をそこねたみたいね」わたしはやっとのことで言った。

「そのようだな」

「で、あなたはどう思う？」

「ファロテクトンなら知っているだろうな。あるいはエズ／ラーなら」ふたりとも口をつぐんだ。「オレイティーという名前に心当たりはあるか？」シモンが言った。「あるいはオレイティーズは？」

「いいえ。だれなの?」大使のようには聞こえなかった——まんなかに幻の強勢がない、奇妙な名前。

「わからない。カル/ヴィンとヘン/リーが話しているのを聞いたんだが、そいつらはなにが起きているのか知っているような口ぶりだった。おまえだったら心当たりがあるかもしれないと思ったんだ。おまえはだれでも知ってるからな」うれしいことばだったが、そんな話に付き合うつもりはなかった。「アグ/ネスとほかのふた組の大使がこの件でワイアットを責めているんだ」

「なんで?」

「なんでもさ。起きてしまったことについて。彼らが話しているのを聞いたんだ。〝なにもかも彼とブレーメンの責任だ〟と言っていた。〝彼らがわれわれを弱らせようとしているのはわかっていた、こうなったら……〟」シモンは義手のほうを開いたり閉じたりして、おしゃべりな口を演じてみせた。

「だったら、彼らはなにが起きているか知っているのね?」

シモンは肩をすくめた。「そうは思わないな。事情がわからなくてもだれかを責めることはできる。いずれにせよ、彼らは正しい。これはどう考えても……策略だよ、まちがいない。エズ/ラーは……ブレーメンが送りこんできた兵器だ」

もしもアグ/ネスが正しかったら? その場合、わたしが手持ちの最後の連絡先カードを切ったら、それは、おそらく、エンバシータウンに対する裏切りになる。カル/ヴィンとサイルのことを思いだして、わたしはためらいを捨てた。そしてワイアットに電話した。接続を待つあいだ、できるだけ戦略的に考えようとした。ワイアットがどういうところでプロに徹し、どういうところで折れそうかを計算して、どんなふうに言えばすこしでも情報を引き出し、秘密をもらすよう説得できるかを考えようとした。それだけの不正行為に対する見返りはあまりにも平凡だった。

「アヴィス」電話がつながると、ワイアットがいきなり叫んだ。「よくかけてきてくれた。だれに連絡してもつながらないんだ。なあ、アヴィス、いったいなにが起きているんだ？」

ワイアットはわたし以上に締め出されていた。もちろん、彼と何人かのアシスタントは大使館の中心部にオフィスをかまえているのだが、スタッフのだれかが彼を非難し、別のだれかが彼をいま起きている事態から締め出すことを望み、全員が彼抜きで幹部会議をひらくことに同意した。法律ではブレーメンの監督官であるワイアットのほうが彼らよりも高い地位にあるのだが、彼らはそれに違反することなく締め出しをやり遂げたのだった。

スタッフはその日のたくさんある会議の一覧を、義務づけられているとおりに配布した。ワイアットがメインホールでひらかれるすべての会議にそれぞれ職員を派遣し、自身は『緊急対策組織』と題された会議に出席したところ、それらはすべて枝葉で、中級レベルのスタッフがたとえば事務用品の購入などといった議題について話し合う即席の会議でしかないことがわかった。パーティで起きたことの検証や、ホストたちの沈黙についての推測といった、ほんとうに重要な話し合いは、公共事業委員会の〝その他案件〟という会議でとっくに終わっていたのだった。

「まったく腹立たしいよ、アヴィス！」ワイアットは言った。「これはまさに阻止しなければならない事態であり、われわれはまさにこういうことをやめさせるために派遣されているんだ。彼らは共謀してわたしを締め出した。わたしのほうが地位が上なのに！　彼らがエズ／ラーにしていることは言うまでもない——自分たちの同僚なのに、追放しようとしている。じつに恥ずべき行為だ」

「ワイアット、ちょっと待って。エズ／ラーはどこにいるの？」

「ラーは自分の部屋にいる、というか、わたしが電話したときはそこにいた。エズはわからない。きみの同僚たちが――」

「彼らはわたしの同僚じゃ――」

「きみの同僚たちがエズ／ラーを締め出したのだ。可能なら逮捕していたにちがいない。エズは応答しないから、居所がわからないし……」大使がそれぞれ別の部屋にいて、別のことをしていると考えると、まだ頭がくらくらした。

「ふたりはなにが起きているか知っているの？」

「知っていればわたしに話すと思わないか？　わたしを締め出そうとしているのは全員というわけじゃなく、きみたちのクソな大使だけだ。彼らがなにをたくらんでいるにせよ……」

「ワイアット、おちついて。なにが起きているにせよ、スタッフがあなた以上にそれをコントロールできているわけじゃないのはわかるでしょう」あの夜から大使館がホストの都市とまったく連絡がとれなくなっているのは、彼も知っているはずだった。「ホストたちはなにも話そうとしない。たぶん……」わたしは慎重に言った。「たぶん、エズ／ラーが……あるいはわたしたちのしたなにかが……たまたま彼らの機嫌をそこねたのよ……ひどく……」

「そんなバカな」ワイアットが言った。わたしは目をしばたたいた。「これはそういう物語とはちがうんだ、アヴィス。クック船長は、いちどだけへまをして、クソな土着民の機嫌をそこねた。ちょっと口をすべらせるか聖なる食器のあつかいをまちがえるかしただけで、バンッ、たちまち焼き網の上だ。そういうのがどれほど誇張されているか、考えたことがないのか？　そういう物語はどれも、〝うわ、まずいことを言った〟的な文化面での無神経さについて、みずからの過失を認めているふりをしているが、実際には土着民のバカげた過剰反応でしかない」ワイアットは声をあげて笑い、首をふった。「アヴィス、われわれは長年のあいだに何千ものそういうへまをしでかしてきた。考えてみたまえ。はじめてテラへやってきた訪問者たちが人類と出会ったときにやったことと同じじゃないか。そのとき、こちらはおおむね自制心をたもっただろう？　アリエカ人は――それだけじゃなく、ケディス人、シュラース人、サイマール人といった、わたしがこれまで付き合ってきたほぼすべての異星人たちは――自分が侮辱されたのか、あるいは誤解でしかないのか、完璧に理解することができる。クーとロノの物語みたいなやつの裏にはかならず……盗みと砲撃があるんだ。信じてくれ」彼は顔をしかめて付け加えた。「それがわたしの仕事なんだ」ワイアットは指で泥棒のしぐさをしてみせた。こういうことを言うから、わたしは彼のことを気に入っているのだ。

「いつだってやかましく言われるんだよ」ワイアットはスクリーンにむかって身を乗り出した。「わたしのような仕事をしていると。いままでわたしが失礼な態度をとったことがあるか？」ここで突然、彼は悲しげな口調になった。「だが今回は……アヴィス、ものには限度がある。ホア／キンやメイ／ベルやそのほかの連中――彼らにはわたしがなにを代表しているか思いださせてやる必要がある」

ブレーメンは強国なので、ダゴスティンやそれ以外の世界にある国々と、常に戦争をしていた。もしも敵がわたしたちのほうへ戦艦を送りこんできたら？　あちこちのコロニーでブレーメンに攻撃をしかけてきたら？　わたしたちはどうする、ライフルやバイオリグの大砲をかまえて、空へ狙いをつけるのか？　そうしたささやかな集団虐殺への反撃は、彼らなら片手間でやってのけることができるわけだが、ブレーメンそのものから到来することになる――それだけの価値があるという計算が立てば。通常宇宙の真空中での白兵戦、あるいはイマーでのおそろしく奇妙な射撃戦。その脅威と、アリエカがイマーの辺境で孤立しているという事実——さらに、あまり語られることはないが、ここが重要な世界ではないという事実——が、そのような規模の攻撃に対する抑止力になっていた。だが、ブレーメンの軍事的打算には別の要素も含まれていた。

アリエカ人は平和主義者ではなかった。ときには不可解な内輪もめで殺しや争いが起こると言われている。ワイアットがなんと言おうと、どのような理由があろうと、出会ったばかりの時代には、ふたつの種族のあいだで、暴力をともなう対立や、死があった。両種族が結んだ条約はとても強固で、何世代ものあいだ、その関係においてトラブルは存在しなかった。それだけに、アリエカ人が、あの都市が、エンバシータウンに背をむけるというのは筋がとおらなかった。とはいえ、わたしたちは数千人で、彼らはそれよりはるかに数が多く、しかも武器を持っていた。

ワイアットはただの役人ではなかった。彼はブレーメンの代表者であり、わたしたちの正式な保護者だった。それゆえ、彼は武装しなければならなかった。彼の配下の職員たちは、オフィス勤務にしては妙に体格がしっかりしていた。よく知られていたことだが、エンバシータウンには武器庫がいくつもあり、ワイアットだけがそこへ出入りすることができた。秘密の武器庫には、わたしたちのちゃちな銃器とは桁ちがいの火力がおさめられているという噂だった。もちろん、目的はわたしたちを守るためだとされていた。ここへやってくるブレーメンの役人たちは、強力に暗号化されたキーをその強化ボットに仕込んでいた。ワイアットがそんなふうに、部下たちが兵士で、武器を入手可能で、自分がその指揮官だということをあからさまに口にするのは、ある意味ではよそ者で、彼の友人のようなものでもあるわたしにとってさえ、無分別な、すこしばかり怖いことに思えた。

　ワイアットが辛抱強いのは事実だった。彼は、マイアブが到着したときや、数年ごとにブレーメンの税が徴収されるときにエンバシータウンでくりひろげられる中小さまざまな着服行為を黙殺していた。職員たちがスタッフや一般人と付き合うことを奨励し、ときどきある結婚さえ認めていた。コロニーへの赴任は常にそうだが、彼の仕事もむずかしいものだった。上司と連絡できるのはほんのときたまで、自発性と柔軟性がなによりも重要だった。過去には差し出がましい男や女が彼の地位についたこともあったが、それは険悪な政治状況をもたらした。そのやさしくおだやかな姿勢と引き換えに、ワイアットは感じていた。大使たちは不当だと。

　わたしはワイアットを気に入っていたが、彼は愚直すぎた。いざというときには、彼はブレーメンの人間だった。わたしはそのことを、それがなにを意味するかを理解していた――たとえ本人が理解していなくても。

過去 5

ときどき、ホストたちがひょいと視界にはいってきた。ひとりで、あるいは小人数のグループで、ゼルを足もとに従え、いつものゆったりした急ぎ足でこちら側の路地を抜けていく。どんな用事があるのかはわかるはずもない。ただの見物かもしれなかったし、奇妙な地形学に従って近道をするために、こちらの地区にはいってまた出ていくのかもしれなかった。清風の息吹の奥深く、エンバシータウンの市街地まではいりこむような連中は、直喩を探していた。そうしたアリエカ人はファンなのだった。

数日おきに、ひとりかふたりか小さな集団がキチン質のきゃしゃな脚を運んでやってきた。〈クラヴァット〉にはいってくるとき、彼らはファンウイングをひくつかせ、飾りの布を身にまとっていた——ひれや針金の生えた帯で、風を受けるとそれぞれ独特の音をたてるので、けばけばしい色と同じくらいはっきりと区別がついた。

「大衆はおれたちをもとめている」わたしがはじめてホストの来訪を見たとき、だれかがそう言った。だれでも思いつく陳腐なジョークではあったが、この観客は直喩たちにとって大きな意味をもっていた。いちど、アースルを説き伏せていっしょに来てもらったことがあった。おもてむきは、逸話をためこんで、あとでわたしの新しい知り合いたちを笑うためだったが、彼女はホストたちの来訪にすっかり困惑してしまったようだった。アリエカ人について説明するわたしのささやきも耳にはいらず、ときどき関係のない話をおざなりに口にする以外はほとんどしゃべらなかった。もちろん、アースルといっしょにホストたちと同席したことはあったけれど、あんなふうに非公式な場ではなかったし、エンバシータウンのおえらがたの要求ではない、ホストたちの意味不明な気まぐれに付き合うなどということも経験はなかった。アースルは二度と顔を出さなかった。

〈クラヴァット〉のオーナーや常連たちから礼儀正しく無視されるなかで、ホストたちはおたがいにぼそぼそとことばをかわしていた。サンゴ状の目が高くのびて枝分かれし、見返すわたしたちを見渡していた。ウエイターや客はそっと彼らのまわりをめぐった。ホストたちは静かに語り合いながらわたしたちをしげしげと見ていた。

「金属を秤にかける者を探しているそうだ」だれかが通訳する。「きみだよ、バーナム。ほら立って！ 教えてやるんだ」「きみの服の話をしているぞ、サーシャ」「あいつはおれのほうがおまえより役に立つと言ってる——いつもぼくをしゃべっているらしい」「そんなこと言ってないだろ、あつかましいやつだなあ……」などなど。ホストたちがまわりに集まってくると、わたしはときどき、幼い自分があのレストランにいたときの記憶を抑えつけなければならなかった。

くりかえしやってくるホストを、サンゴ状の目の配置やファンウイングの模様で見分けるのはむずかしくなかった。ちょっとした冒瀆がもたらす高揚感とともに、わたしたちはそれぞれの特徴に応じて呼び名をつけた——〝切り株(スタンピー)〟、〝クロワッサン〟、〝五つ叉(ファイバー)〟。ホストたちもわたしたちをやすやすと見分けているようだった。

多くのホストについて、お気に入りの直喩がわかってきた。わたし自身の常連の発言者のひとりは、背の高いホストで、あざやかな黒と赤のファンウイングがちょうどフラメンコのドレスのようだったので、みんなから〝スパニッシュダンサー〟と呼ばれた。

「こいつはすごいことをするんだ」ハッサーがわたし

に言った。彼はわたしは聞き取りが苦手だと知っていた。「あんたについて話すときに」彼はニュアンスをどう伝えようか考えていた。「〝われわれが会話について話すとき〟とあいつは言う。〝ほとんどの者はあたえられたものを食べた少女と似ている。だが、われわれは彼女でなにを語るかを選んでもよい〟たいした名手だな」ハッサーはわたしの顔つきを見て肩をすくめ、そのまま話を流そうとしたが、わたしは説明してもらった。

わたしの直喩は、おもに、ある種のやりくりを描写するのに使われていた。ところが、スパニッシュダンサーとその友人たちは、なんらかの奇妙なレトリックにより、ある特定の音節を強調することで、変化の可能性を暗示するためにわたしを使った。そういう華麗な行為がホストたちを恍惚とさせることができるのだ。わたしには、彼らの多くが常にそれほどゲンゴに心奪われているのかどうかはわからなかったし、そうした執着が生まれたのが、大使たちや、ゲンゴの欠けた奇妙な存在であるわたしたちとの交流の結果なのかどうかもわからなかった。

サイルはいつもなにがあったのかをくわしく知りたがった——だれがなにを言ったとか、どのホストがその場にいたとか。「不公平よ」わたしはサイルに言った。「いっしょに店に来るつもりはないのに、わたしがだれかの言った退屈なことばをいちいち再現できなかったら怒るんだから」

「ぼくは歓迎されないし、それはきみもわかっているはずだ」そのとおりだった。「そんなに退屈ならどうしてかよい続けるんだ?」

もっともな質問だった。ほかの直喩たちがホストの来訪者たちに反応するときの興奮っぷりや、ホストたちがいないときに彼らが話す内容、というか内容の欠如は、毎回、わたしをひどくいらだたせていた。それでも、わたしは感じていたのだと思う——ここがいろいろなことのはじまる可能性を秘めた場所であり、とても重要な場所なのだと。

よくスパニッシュダンサーといっしょに来るホストがいた。たいていのホストよりずんぐりしていて、脚はねじ曲がり、下腹部はずっと低く垂れさがり、老年期に近づいているのはあきらかだった。理由は忘れたが、わたしたちはそいつを〝蜂の巣（ビーハイヴ）〟と名付けた。

「まえに見たことがあるわ」シャニータが言った。そいつはひっきりなしにしゃべり、わたしたちは耳をかたむけたが、それはぶつ切れの文節がごちゃまぜになったように聞こえた。そいつがなにを言っているのかはさっぱりわからなかった。わたしはどこでそいつを知ったのか思いだした——はじめて都市へ出かけたときのことだ。そいつはあの嘘祭で競い合っていた。嘘を言うための物体をまちがって描写するのが異常なほどうまかった。そいつは物体をなにか別の色で呼んでいた。

「そいつは嘘つきだ」わたしは言った。そして指をパチンと鳴らした。「わたしもまえに見た」

「ふん」ヴァルディクが言った。疑っているようだった。「いまはなんて言ってる？」ビーハイヴはぐるぐるまわって、わたしたちを見つめて、ギフトウイングで空中をひっかいていた。

「〝こんな、こんな〟」ハッサーが通訳して、首をふった——さっぱりわからない。「〝ちょうど、彼らは、直喩、ちがう、同じじゃない、同じ〟」

〈クラヴァット〉はわたしたちが集まる唯一の場所ではなかったが、群を抜いて頻度の高い場所だった。ときには、商業地区の近くにあるレストランや、別のカフェの運河沿いにならぶベンチに集まることもあったが、それはあらかじめ予定をしたときだけで、偏屈になってはいけないという漠然とした感覚に迫られてのことでしかなかった。だが、〈クラヴァット〉は、ホストたちがわたしたちを見つけられるかもしれないとやってくる場所であり、そうやって見つかることがなによりも重要だったのだ。

直喩たちはあの集まりを討議サロンと考えていたが、許されているのは一定の範囲の不一致だけだった。いちど、ある若い男がわたしたちに議論をしかけてきて、話が独立から扇動活動や反スタッフ主義まで進んだとき、わたしは彼が殴られないように仲裁にはいらなければならなかった。

わたしはその男を外へ連れ出した。「帰って」わたしは言った。直喩たちが集まり、男にむかってあざけりの声をかけ、もどってきてもういちど大使たちを非難してみろと叫んでいた。

男は言った。「あの人たちは過激派だと思っていたのに」彼があんまり見放されたような顔をしていたので、わたしは抱きしめてあげたくなった。

「あの連中が？　それはだれと話すかによるよ」わたしは言った。「まあ、ブレーメンに言わせれば反逆者だね。でも、彼らはスタッフ自身よりもスタッフに忠実なんだよ」

住民投票による政治はエンバシータウンではバカげたことだった。わたしたちのだれかがホストと話せるみたいではないか！　〈クラヴァット〉の仲間たちについて言えば、たとえ大使たち抜きではエンバシータウンの崩壊が避けられないという事実を無視したとしても、ホストの直喩であることにそれほどの誇りをもっている男女とだれが話そうと思うだろう？

後日 7

アリエカ人はどれだけ連絡してもいっさい応答しなかった。連絡が途絶えていたあいだ、わたしは何度も、カル／ヴィンかサイルに電話をして情報をもとめようかと思った——ほかのだれよりも、そのふたりだったらなにか知っている可能性が高かった。そうしなかったのは、ふたりとの衝突を避けたからではなく、脅そうがすかそうがなにも聞きだせるとは思えなかったからだ。

エンバシータウンは春を迎え、冷気は消えようとしていた。大使館の高みから、わたしは都市の屋根がつくる景色を、動物船やまばたきする建築物を見おろした。なにかが変わりつつあった。色彩かその欠如、動き、麻痺。

一隻のコーヴィッドが大使館の着陸パッドから上昇し、空をわたって都市の空域へとむかい、あちらこちらへ移動し、ときには静止したりしながら、着陸する場所を探していたが、うまくいかず、結局はもどってきた。乗っている大使たちが、さまざまな家の上を飛びながらメッセージを送ったものの、返事がなかったのだろう。

エンバシータウンの住民のなかには、まだなにも事情を知らない者がたくさんいるはずだった。公営のマスコミは忠誠心が強くて役に立たない。とはいえ、あのパーティは出席者が多かったので、噂はひろまりつつあった。

太陽は変わらずのぼったし、商店は品物を売っていたし、人びとは仕事に出かけた。それはゆるやかな破局だった。

アースルから教わった番号にかけてみた。新たに不完全なアップグレードが実施されたネットから落としたもので、エズの番号だと言われた。エズ――という か、わたしが電話をかけただれか――は、応答しなかった。できるだけ声を低くして悪態をつきながら、何度も何度もかけてみたがだめだった。

あとになって知ったことだが、その日、打つ手のなくなった大使たちは徒歩で都市へはいった。分身のペアたちは、出会うホストたちに必死に声をかけ、清風ヘルメットの送信機をとおしてゲンゴで話しかけたが、行儀よく無視されたり、理解不能なことばや、役に立たない大災害のほのめかしが返ってきただけだった。

だれかがわたしの家へやってきた。ドアをあけると、そこにラーが立っていた。わたしは黙ったまま彼をまじまじと見つめた。

「驚いているようだね」ラーが言った。

「それじゃひかえめすぎる」わたしはわきへ寄って道をあけた。ラーは電話を取り出したままで、いったんスイッチを切るようなしぐさをしたが、結局はそのままにした。「あなたに連絡をとろうとしているの？」

「ワイアットだけだな」

「ほんとに？　ほかにはだれも？　大使たちも？　追われているんじゃないの？」

「きみは元気かな？」ラーは言った。「考えていたんだが……」わたしたちは長いあいだ椅子にすわってむかいあっていた。ラーは肩越しに何度も背後をふりかえった。そこにあるのは壁だけだった。

「エズはどこ？」わたしは言った。

ラーは肩をすくめた。「出かけてる」

「いっしょにいなくていいの？」ラーはまた肩をすくめた。「大使館で？　そもそも、あなたはどうやって外へ出たの？　あなたたちは閉じこめられているのかと思ってた」わたしが責任者だったら、どういう状況であれ、それをコントロールする、あるいは封じこめるために、エズ／ラーを監禁していただろう。彼らも努力はしたのかもしれない。だが、ラーが事実を言っているとしたら、新任の大使はふたりとも脱出したことになる。

「まあ、そうだな」ラーは言った。「しかし、やむをえなかった。わたしはとにかく……分かれるしかなかった」わたしはちょっと笑ってしまった。いろいろあったにちがいない。

「それで」わたしは言った。「わたしたちの小さな街は気に入った？」今度はラーが笑う番だった。

「まったくなあ」ラーは、なにか良いものか予想外のものを見たかのようだった。外ではカモメたちが鳴いていた。進路を変え、数キロメートル先にかすかに見える海へしきりとむかおうとするのだが、そのたびに風の彫刻と清風の息吹によって引き返していた。カモメが土地の本来の大気のなかへ飛び出して命を落とすことはめったになかった。

「手を貸してもらいたい」ラーが言った。「なにが起きているのか知る必要がある」

「冗談でしょ？　わたしがなにを知っていると思ってるの？　ああもう、ほんと笑えるかんちがい。わたしがいままでなにを突き止めようとしていたと思ってるの？　なぜあなたがわたしのところへ来るの？」

「あのパーティの出席者とかたっぱしから話をしてみたんだが――」

「努力が足りなかったみたいね、わたしなんかのところへたどり着くってことは……」

「話したのはスタッフだけだ、それと大使館のほかの職員たち。もっと地位が高い連中はなにも教えてくれないだろうし、ほかは……アヴィス、きみには知り合いが大勢いると聞いた。大使たちも。そういう人びとならきみにいろいろ話してくれるだろう」

わたしは首をふった。「それは外界からやってきたという立場のおかげ。わたしを経由すればなにか情報をつかめると思ったわけ？　みんながそんなふうに言うのは、わたしがイマーサーだから。そして、しばらくのあいだカル／ヴィンと寝ていたから。でも何ヵ月も続かなかった。ブレーメンの月じゃなくて、ここの月で。わたしの夫は外国人で、わたしよりもいろいろ知ってるけど、わたしとは話もしてくれない」わたしはラーを見つめた。「ほんとになにが起きているか見当もつかないの？　ワイアットはあなたがここにいることを知ってるの？」

「いや。抜け出すのを手伝ってくれたけどね……エズも知らない。ふたりには関係のないことだ」ラーは唇をかんだ。「まあ、公式には、という意味だが……わたしはただ……」沈黙のあと、ラーはわたしと目を合わせ、立ちあがった。「いいかい」急に口調がおだやかになる。「なにが起きているか突き止めなければならない。ワイアットはまるで役に立たない。エズは権力をふりかざすばかり。彼がどれほどそれに毒されているかはじきにわかるだろう。そして、きみは事情を知っている人びとと知り合いかもしれない」そのときのラーは、エズのお荷物などではなく、宗主国を代表する高官に見えた。

「教えて」わたしは言った。「あなたが知っていることを。いったいなにが起きているのか。これまでに聞いたこと、推測したこと、なんでも」

ホストたちはすでにもどっていた。二日間の沈黙のあと、彼らは大使館にあらわれ、大所帯で着陸パッドをゆらゆらと横切ってきた。「少なくとも四十人はいた」ラーは言った。「どうやってあの機体に乗り込んだのやら。わたしとエズに会いたがっていた」

ラーの話によれば、アリエカ人は大使たちの質問やあいさつにほとんど反応しなかったらしい。妙に失礼な態度で、何度もくりかえし、エズ／ラーと話すことを要求した。

「わたしはこういう事態のために訓練を受けた」ラー

は言った。「彼らのことは調べてきたし、ゲンゴのことも調査ずみだ。きみはパーティでわれわれと会った最初のグループを見たか？　あれはふつうのことではなかったんだろう？　それはわかっていた。今回もそうだが、より度合いが増している。彼らは……動揺していた。話の内容も意味不明だった。わたしは最初からその場にいたんだが、そこへエズがやってきたとたん、彼らはわれわれに気づいた。そして言いはじめた——〝どうか、こんばんはエズ／ラー大使、どうか、どうか、イエスと〟そんな調子だ。

ほかの何人か——たとえばきみの友人のカル／ヴィンとか——が、話に割り込んできた。それはだめだと言って。われわれはしゃべりすぎだと」ラーは首をふった。「すると、ホストたちがじりじりと近づいてきた。われわれには行き場がなく、彼らは数が多かった。あの感じは……そこでわれわれは……声を張りあげてゲンゴをしゃべった。エズとわたしで。こんばんはと言った。名誉なことだとホストたちに伝えた。すると——」

ふたりがしゃべったとたん、まえと同じことが起きたが、このときは相手の数がずっと多かった。現場のビデオか3D映像を見つけることはできたかもしれないが——そこにも蜂カメラがいたはずだ——ラーの話を聞いただけで容易に想像がついた。集まったホストたちは身をかたくした。よろめく者もいた。倒れこんで甲皮の山になった者もいたかもしれない。音が、アリエカ人の嘆きの二重唱が、耳慣れない、対位旋律に変わった。ホストたちは気絶しかけていたのか？　彼らのたてる雑音がエズ／ラーの声と複雑に呼応しながら上下した。「われわれは続けようとした」ラーが言った。「しゃべり続けようとした。だが、とうとうエズが疲れて声が出なくなった。わたしも同じだった」ふたりの声が消えると、最前列にいたホストが目をあけ、体のむきは変えずに、のびた柄をぐるりとうしろにいる仲間たちのほうへむけて、こう告げた——「言ったとおりだろう」

アリエカ人たちがよたよたとはいってきた木張りの壁の大広間は、コンクリート造りのエンバシータウンを遠くに見渡し、空には空気の檻に閉じこめられた鳥たちが飛び交っていた。大使たちやスタッフはうろたえて突っ立ったままだった。

わたしたちはアリエカ人を古代の世界にあったものを基準として考えていた——わたしたちの目には、ホストは昆虫と馬とサンゴと扇がごっちゃになったものに見えた。それはわたしたち自身がかかえてきた荷物のキメラだ。現実のホストたちは、多声でうなり声をあげながら、完全に彼ら独自のものである夢想にふけっていた。

「ホストたちは去った。一部の大使たちは止めようとしていたが、行く手に立ちふさがる以外、なにができた？　彼らはホストたちに、その場にとどまり、話をしようと呼びかけていた。エド／ガーとロー／ガンは叫んでいた。ホア／キンとアグ／ネスは……なんとか説得しようという口ぶりだった。だが、ホストたちはそのまま引き返していった。わたしとエズがどうすればいいと言うと、カル／ヴィンとアーン／オールドがもうきみたちにできることはないと言った」ラーは両手で頭をかかえた。「もうマグ／ダーさえわたしたちと話をしてくれない。何日も会っていないんだ。きみはなにが起きているか知りたくないのか？」

「知りたいに決まってる。バカなことといわないで」

「とにかく怒鳴り声がひどかった」

「オレイティーってだれ？」

「知らないな。なぜ？」

「カル／ヴィンとヘン／リーが話していたの」シモンからの中途半端な情報だ。「その人たちならだれと話せばいいか知っているかもしれない。あなたは知っているかと思ったんだけど……」

「オレイティーか、カル／ヴィンか、ヘン／リーを見つければいいということか？」

「わからないけど……そうね」わたしは肩をすくめた。まあ、それでいいじゃない？

「きみなら助けになると思った。みんなきみの能力を高く評価しているようだから」

「わたしは浮浪（はぐれ）ができるとか言われなかった？　あんなこと言うんじゃなかった。みんなわたしがなんでもできると思ってる。でも、ほんとはそれはちがう——彼らはただ〝浮浪（はぐれ）〟ということばを口にする機会がほしいだけ」

「彼らは異星人たちに連絡している。大使たちはケディス人にもそのほかの異星人にもなにか起きていると伝えなければならない。事態をコントロールできていると思いたいようだが、しかし……」またドアベルが鳴った。「待って」ラーは言ったが、わたしはすでに立ちあがって部屋を出ていた。

ドアをあけると、治安官たちと警備員たちが顔をそろえていた。何人かはわたしより年下で、気後れしているようだった。

「ミズ・ベナー・チョウ？」ひとりが言った。「おじゃまして申し訳ありません。あー、ラーがこちらにいると思うのですが」敬語を抜かしたら舌がもつれたようだった。

「アヴィス、彼はどこにいるのです？」

その声は知っていた。「マグ／ダー？」わたしは言った。付き添いのうしろで姿が見えなかった。

大使が人を押し分けてまえに出てきた。「彼らと話をする必要があります」「緊急に」

「やあ」ラーが背後に近づいてきた。わたしはふりかえらなかった。

「ラー」腹を立てているのかと思ったが、マグもダーも彼の姿を見てほっとしただけのようだった。気持ちの面で。「いたのですね」「もどってください」

「あなたには保護拘置が必要です」ひとりの治安官が言った。マグ／ダーはそれを聞いて憤慨したようだったが、口ははさまなかった。「あなたの身の安全のためです。われわれが事態を収拾するまでのあいだ。どうかご同行ください」

ラーは堂々と立っていた。治安官が彼と目を合わせた。一瞬おいて、ラーはわたしにうなずきかけ、訪問者たちに身柄をゆだねた。わたしはうなずきを返した。ラーにはなんとなくがっかりしていた。

ラーを連れて帰るとき、彼らは手錠をはめようとはしなかった。うやうやしくかたわらを歩き、自分たちで言っていたとおり、身柄を保護しているかのような態度だった。礼節を重んじたのだろうが、エンバシータウンの政治をすこしでも理解している者なら、ラーが逮捕されたも同然だということがわからないはずはなかった。わたしはラーの後ろ姿を見送った。じきにエズや、おそらくはワイアットと合流するのだろう——

——徹底的に管理の行き届いた部屋で、外から鍵と警護をつけられて。

過去 6

宗教面では、エンバシータウンはブレーメンの切り抜きだった。伝統的な教会はなかったが、小規模なコロニーの多くがそうであるように、創設者たちのなかにはそれなりの人数の敬虔な信徒が含まれていた。ファロテクトン神教会が、わたしたちにとって公式の集会場にもっとも近いものだろう。その灯台の塔はエンバシータウンのつらなる屋根の上に突き出し、その回転するビーコンは、ぐるぐると夜を照らす光のスポークだった。

集会場はほかにもあった――ちっぽけなシナゴーグ、聖堂、モスク、教会が、それぞれ数十人規模の信徒を集めていた。どの宗派でも、ひと握りの超正統派は神を畏れぬ革新に断固反対していて、ブレーメンの三十七時間ある一日にもとづいた、あるいは、非常識なノスタルジアによりテラの想像上の日々や季節に合わせた宗教カレンダーを維持しようとしていた。

ホストたちと同様、エンバシータウンのケディス人にも神はいなかった。ケディス人の自称する信仰によれば、彼らの祖先やこれから生まれる者の魂が、彼ら自身、すなわち生者との果てしない嫉妬に満ちた戦いで結託しているというのだが、たいていのケディス人は、その神学論から想像されるほど厳しく追いつめられたものの見方をしているわけではなかった。シュラース人のなかにも信仰心のある者はいるが、それは反体制主義者にかぎられる――大半は無神論者で、それはおそらく、彼らが事故以外では死ぬことがなく、生まれることもめったにないせいだろう。

エンバシータウンの住民には信じない自由があった。わたしは罪悪について考えるのに慣れていなかった。

ビーハイヴの名前はテシュ・エシャー（サール）だということが、そいつとほかのホストたちとの会話からわかってきた。

わたしはカル／ヴィンにその名前を伝えるために、自分のモノラルの声でぶつ切りにして、カットとターンを順番に発した。「あいつが今度いつ嘘祭で競い合うか調べることはできる？」わたしは言った。「わたしの忠実なファンだから、できれば……お返しをしたいの」

「行きたいのか……」「……また嘘祭に？」

「そう。わたしと、ほかの直喩がふたりほど」はじめはただの思いつきで、わたしを見物する相手へのちょっとした好奇心でしかなかったけれど、いったん考えたら、そのアイディアが頭から離れなくなった。ハッサーとほかのふたりほどに話したら、みんな乗り気になった。「そんなことができると思う？　またわたしたちを祭に参加させられると思う？」最後にゲンゴ祭に呼ばれてからだいぶたっていたし、その嘘つきに特別な興味をそそられていたのはわたしだけだったとはいえ、〈クラヴァット〉に集まるほかの仲間たちは参加できるならことわるはずがなかった。

カル／ヴィンは調べてくれたけれど、よろこんでという感じではなかった。あのときわたしは、そもそもなぜ彼らがわたしの頼みをきいているのかふしぎに思った。カル／ヴィンのどちらかひとりは常にわたしに対して無愛想な態度をとっていた。態度のちがいはわずかだったが、大使たちに慣れたわたしにはそれを感じとることができた。昔ながらの警察官のやり口を応用して、冷たくしたりやさしくしたりを交互にやっているのではないかという気がした。

〈クラヴァット〉では、ホストどうしの会話がさまざまな相違をあきらかにしてくれた。ホストたちは理論と難解な政治学によっていくつかのグループに分かれていた。一部の者はわたしたちのことを——もちろんそんなことばは使うべきではないが——見世物として愛好しているようだった。わたしたちのいろいろな利点にランクづけをしている者もいて、わたしたちは彼らを批評家と呼んだ。〝魚たちといっしょに泳ぐ男は単純だ〟とある者は言った。〝あたえられたものを食べた少女はもっと多くのものに似ている〟ヴァルディクは笑ったが、自分の比喩が陳腐だと聞かされるのはうれしくなかった。わたしが〝サール・テシュ＝エシャー〟と呼ぶようになった——失敗するたびに正しい名前に近づく——ビーハイヴは、また別のグループの教祖のような存在だった。嘘つきのチャンピオン。

ビーハイヴにはかならず付き添いがいた。スパニッシュダンサー、わたしたちがスピンドルと呼んでいた者、それとロングジョン——そいつはバイオリグの交換用の蹄をつけていた。わたしたちがどう理解しようと、彼らがしゃべることをアングロ＝ウービック語で似せてしゃべるのは困難だった。考えてほしい。人びとが画廊である展示品のまわりをめぐって、それをながめ、ときおり単語ひとつか短いフレーズ、たとえば「未完成」とか、「将来性がある」とか、「事実の複雑さと表現の不確実性」とか、ときにはもっと長い不明瞭な台詞を口にするのだ。

「〝鳥たちが自分のまえに置かれたものを食べた少女のように旋回する〟」ハッサーが通訳した。「〝あの鳥たちは自分のまえに置かれたものを食べた少女に似ていて魚たちといっしょに泳いだ男に似ていて割れて修理された……〟」

テシュ・エシャー（サール）のグループに属さない、別のアリエカ人が、こうした要領を得ない主張に大声で返事をした。彼らはテシュ・エシャー（サール）とその仲間たちの存在に、興奮あるいは激昂によって応じた。反対に、テシュ・エシャー（サール）とスパニッシュダンサーとその仲間たちは、そうした批評家たちをいっさい相手にしなかった。わたしたちはテシュ・エシャー（サール）のグループを〝教授たち〟と呼んだ。

テシュ・エシャー（サール）はアナロジーの論理を拡大解釈した――鳥たちは、ほとんどのアリエカ人たちの見るかぎりでは、あたえられたものを食べた少女であるわたしとは似ていなかった。「彼らは鳥が似ていると言うのは失礼なことだと考えている」ハッサーが言った。浮かない顔だった。〝あの鳥たちはあたえられたものを食べた少女と似ている〟――と、〝教授たち〟のひとりがくりかえした。ことばがもつれ、単語がぶつ切れになったので、そいつはいったん口をつぐんでまた最初から言わなければならなかった。

　ある初冬の日に、わたしは〈クラヴァット〉へ顔を出した。また来てしまったと苦笑しつつ、エンバシータウンの路地からはねあがる腐った葉や冷たい塵でよごれた姿で。店にいたほかの直喩はヴァルディクだけだった。彼はわたしがいるとおちつかないらしく、ふだんよりいっそう口数が少なかった。外での生活でなにか悪いことでもあったのだろうかとは思ったが、そちらのことはなにも知らなかったし知りたくもなかった。わたしたちはよそよそしく黙ってすわっていた。

　コーヒーを一杯飲んで店を出ようとしたとき、シャニータとダリウスがいっしょにやってきた。女のほうは寡黙な直喩で、わたしがいるといつも萎縮している気配があった。男のほうは気さくで飾り気がなく、あまり聡明ではなかった。ふたりはそれなりに愛想よくわたしにあいさつした。

「サイルはなぜここにいたんだ?」ダリウスが腰をおろしながら言った。ヴァルディクはじっとすわったままで反応しなかった。

「サイルが?」わたしは言った。

「また来てたよ、さっき」ダリウスは言った。「ホストがひとりいてね。すごく妙な感じだった。きみの夫だよ、ホストじゃなくて。彼は店を歩きまわって小さな……」彼はひらひらさせてことばを探した。「小さなからくりをぜんぶのテーブルに置いていた。理由は言わなかった」

「また？　まえにも来たの？」

　どうやら、サイルは以前にもわたしがいないときに来たことがあったらしい。夜遅く、三人のホストがいたときに。ダリウスはその場にいなかったが、ハッサーがいて、彼に話してくれたのだ。そのときのサイルは変わった身なりをしていて、すべての服が同じ色だった。シャニータもそれを聞いてうなずいた。ヴァルディクは黙っていたが、シャニータによると、サイルはその最初のときも同じ物体を置いたという。

「いったいどういうこと？」ダリウスがたずねた。

「わからない」わたしは慎重にこたえた。

　黙っているところを見ると、ヴァルディクはそれがどういうことなのか見当がついているらしく、実を言えばわたしもそうだった。サイルは、そうした不自然な注意を引くための儀式によって、自分を相手の心に刻み込もうとしていた。考えると心地よいものに、なにかを連想させるものになろうというのだ。直喩になるために。

　いったいなにを考えているのだろう？　わたしは思ったが、すぐに胸のうちで訂正した——そんなことは問題じゃない。


　コーヴィッドがわたしたちを都市の奥深くへ落とした。そこには驚くばかりの部屋がならんでいて、地下通路は皮膚でおおわれ、アルコーブにはきちんと縫いつけられた屋敷の臓器が詰まっていた。

　ホールには入り乱れたゲンゴの律動があふれていた。第三齢になってゲンゴに目ざめたばかりの若者をあんなにたくさん見たのははじめてだった。大きさや姿かたちは親と変わりなかったが、こどもだということは、腹部の色や体のゆらしかたを見ればわかった。彼らは嘘をつこうとしている嘘つきたちを熱心に見物していた。

　ほとんどの競技者は、事実ではないことを言おうとして失敗し、じっと黙り込んでいることしかできなかった。わたしといっしょにいたのは、ハッサーと、ヴァルディクと、常連たちのなかからわたしの知らない方法で選ばれた、ほかの数名だった。お目付役としてアーン／オールドが同行していた。彼らの役割は、こんな子守りはいやでたまらないということを態度であきらかにすることだった。ホストたちは正しい名前で大使に呼びかけた――〝オールド アーン〟。

　サイルも同行していた。わたしの直喩の仲間たちにおずおずと話しかけていた。彼がゲンゴをその本場で見るのはひさしぶりだった。わたしはサイルのためにこれを頼んだのだ――本人もそれはわかっていて、感謝の気持ちで遠慮がちになっていた。わたしたちは最初の嘘祭のときほど親密な間柄ではなくなっていたので、この贈り物にサイルは驚いたのだと思う。彼がゲンゴになるための努力をしたという話は、その後は聞かなかった。わたしはその件について本人にはなにも言っていなかった。

　〝こうして人間たちがやってくるまで〟あるホストが、嘘アスリートが、〝教授たち〟のひとりが、しゃべっていた。

　〝人間たちがやってくるまでわれわれは……〟ことばが途切れた。連れのひとりがあとを続けた。〝人間たちがやってくるまでわれわれはある種の物事についてあまりしゃべらなかった〟聴衆のあいだにざわめきがひろがった。また別の話し手があとに続いた――〝人間たちがやってくるまでわれわれはある種の物事について……〟

　いろいろ経験を積んだわたしは、このトリックをよく知っていた――合作によるニセの嘘だ。最後のひとりはまえの文章をくりかえしたが、終わりのあたりでは音にならないほど声を落としていた。〝あまりしゃべらなかった〟と言ったのだが、とても小さい声だったので聴衆には聞こえなかった。ショーマンシップであり、ごまかしであり、聴衆をよろこばせるための行為であり、実際に聴衆はよろこんでいた。

アーン／オールドが身をかたくして同時に言った――

――テシュ・エシャー（サール）。

ビーハイヴだ。体をゆらしている。ギフトウイングが旋回し、ファンウイングはひろがっていた。そいつが嘘の舞台へあがった。

すこしだけ嘘をつけるごく少数のアリエカ人が嘘をつくときは、おもにふたつのやりかたがあった。ひとつはゆっくりしゃべることだ。彼らが事実ではない文章を考えようとしても、ほぼ不可能だ――そのような事実に反することは、たとえ口にしなくても、意味なく考えるだけで心がアレルギー反応を起こしてしまう。彼らは心の準備をするために、たとえ成功しようとしまいと、その文章を忘れたふりをする。文章を構成するそれぞれの単語を、一定のスピードで、間隔をおいて、べつべつに、話し手の心のなかで充分に離すようにしてしゃべれば、それぞれが、単体では発言可能な別個の概念となる。しかし、あるていどの速さとリズムがあれば、聞き手にとっては、個々の単語が融合して、冗長ではあるが理解可能な、しかも事実ではない文章となる。わたしがそれまでに見た嘘つきたちのなかで、いくらかでも成功をおさめていたのは、ゆるやかな嘘つきだった。

テクニックはもうひとつあった。より根源的で、鮮烈で、はるかにむずかしいテクニックだ。そのためには、話し手が精神面で崩壊し、個々の単語の意味さえわからなくなって、必要なすべての音を獣のように発しなければならない。むりやり文章を出すのだ。これはすばやい嘘――全体としてみると虚偽であるという事実が、話し手からそれについて考える力を奪うまえに、乱雑なノイズを吐き出してしまう。

テシュ・エシャー（サール）が口をひらいた。

〝人間たちがやってくるまで〟――そいつは怒ったようなスタッカートでまくしたてた――〝われわれはしゃべらなかった〟

長い静寂があった。それから大騒ぎがはじまった。

わたしはアリエカ人の身ぶりをすこしでも理解できればと痛切に願った。テシュ・エシャー（サール）が全身から発していたのは、勝利のよろこびだったのか、忍耐だったのか、なんでもなかったのか。そいつは後半部分にまったく真実をまじえなかった。分解再構築した文章をメトロノームのように一音ずつのろのろと発したりもしなかった。テシュ・エシャー（サール）が口にしたのはまぎれもない嘘だった。

聴衆は揺れた。わたしも揺れた。

ホストたちは第三齢にはいると突然ことばに目ざめ、ゲンゴがその意識内でひとつの直接的機能となる。

「何百万年もまえには、会話の内容が事実だと知っていることに、なんらかの適応上の優位性があったにちがいない」前回ふたりでこの歴史にまつわる仮説を立てたとき、サイルはこう言っていた。「それだけしか表現できない精神が選ばれたということだ」

「信頼の進化は……」わたしは言いかけた。

「信頼は必要ないんだ、このやりかたでは」サイルはわたしをさえぎって言った。機会、争い、失敗、生存、ダーウィン的に混沌とした本能による文法、厳しい環境に置かれた大きな脳をもつ動物を駆りたてるさまざまな要因、特性による淘汰が、真実しか語らない種族をつくりあげた。「ゲンゴは奇跡なんだ」サイルは言った。実は、わたしはこれになんとなく反発をおぼえた。たしかに、ゲンゴがどんなことを必要とするかを考えると、アリエカ人が生きのびてきたのは驚くべきことだ。サイルが言っているのはそういう意味だと判断して、わたしは同意した。

もしも進化が品行方正であるなら、寓話に登場する猿たちの三分の二と同じように、アリエカ人は嘘を聞くこともできないはずだが、実際の進化はもっとランダムかつ美しいものだから、そうなるのはみずからのささやかな虚偽を口にできるごく少数の者だけにかぎられる。ゲンゴの嘘は、そこでしめされるものが存在しなければ、当の嘘をつく者にとってただのノイズでしかない。生物学は怠け者だ――もしも口がかならず真実をしゃべるなら、なぜ耳は真実と虚偽を区別しなければならない？　語られることは正しいと決まっているのなら？　そして、この適応上の欠陥により、嘘をしゃべるようつくられていないのに、あるいはそのせいで、ホストたちは嘘を理解することができた。さらに、嘘を信じることもできたし――意味のない前提としての信念――あるいは、欺瞞が仰々しく重要なこととされる場所では、嘘を目のくらむような不可能事として、とても考えられないこととして、体験することもできた。

ここでは、偏執的なのはわたしだ――ホストたちが気にかけていたのはゲンゴだけだったとほのめかすのは公平ではないが、そうせずにはいられない。わたしが語っているのはほんとうの話だが、わたしが語るとなれば、当然いろいろなことがからんでくる。というわけで――ホストたちはあらゆることを気にかけていたが、なによりもゲンゴを気にかけていた。

過激で強情な<ruby>テシュ・エシャー<rt>サール</rt></ruby>は、その嘘を世界へ送り出した――噴出する音素として、みずからの心に逆らって。

聴衆は熱狂していた。眼前でくりひろげられているのはめったに見られない演技だった。わたしはよろこんでいた。アーン／オールド大使は驚いていた。ハッサーは困惑していた。ヴァルディクとサイルは呆然としていた。

後日 8

ケディス人とシュラース人が大使館へ送り届けられていた。ニュース放送の小さな蜂カメラが彼らの姿をとらえていた。

中級レベルのスタッフは、ケディス人のコミュニティから三人組と四人組をいくつかと、シュラース人の思考キャプテンを数名集めていた。さまざまな乗り物が、街の建築物の屋根、アンテナ、大梁の上で、煙突から立ちのぼる白い煙の上で、弧を描いていた。ひとつの映像がいくつもの掲示板で表示されていた――スタッフの若いメンバーが、わたしたちがその姿を見ていたカメラをぴしゃりと叩いた。そんなプロらしくない行動をとるところを見ると、よっぽど緊張していたてからずいぶんたっていた。だれかにかけてみたらどうだろう。いまさら気にすることはないでしょ？　とも思ったが、実際にはかけなかった。

わたしひとりではないはずだったが、わたしはすでに、どういう事態であれ、それに対するそなえをはじめていた。貴重と思われるデータをコピーし、たいせつな持ち物は隠し、必需品をショルダーバッグに詰め込んでいた。自分の体がやるべきことを片付ける様子にはいつも魅了された。苦しくてどうにもならない気分でも、手足は必要なことをやってくれるのだ。

気づかないうちに夜になっていて、清風の息吹はまだまだ冷たかった。こんな重大な変革の時でも、夜の鳥たちの鳴き声や土着の動物たちの騒ぎが聞こえたことを思いだす。それほど遅くはなかったので、まだ通りには往来があった。疲れはまったく感じなかった。

自分が見ているエンバシータウンからのさまざまな映像をどう考えればいいのかよくわからなかった。ニュースのだろう。

ニュース放送は、音声もテキストも、混乱していた。大半の地元民にとっては、この異星人たちの集合までは危機感などなかったかもしれない。大使館での説明のために彼らを運んできたポッドのまわりには、鳥たちが群れていて、こぶし大のカメラがそのなかで上下に動きまわっていた。

エンバシータウンの彼方では、天使たちの異常なふるまいと都市におとずれた騒動が拡大を続けているようだった。

アースルと、ラン／ドルフとシモンに電話をかけてみたが、だれにもつながらなかった。ちょっとためらってからワイアットも試してみたが、やはり応答はなかった。

ハンドセットにはハッサーやヴァルディクやそのほか数名の直喩の番号も残っていた。最後に連絡をとっースウェアは処理を続けていた。人間のコメンテーターが言った。「まだはっきりしたことはわかりませんが、見えるのは……なにか……なにかが都市から……あー……動きがあって……」

カメラの視界に見えるのはアリエカ人だった。アリエカ人たちが移動していた。スクリーンでも、部屋の窓からでも、コーヴィッドがあちこちの方角から空中をあわただしく飛んでくるのが見えた。なにか物音がしていた。わたしは家から身を乗り出し、音の出所へ目をむけた。ホストたちがみずからの都市を離れてエンバシータウンへ進入しようとしていた。

わたしはエンバシータウンと都市のはざまへ走った。物音で起きた住民が明かりをつけていたが、眠そうな目をした人びとの数がだんだん増えても、自分がなにかの一部になった気はしなかった。蛾がぶつかって音をたてている光球の下をつぎつぎと通過した。こどものときからずっと知っているアーチの下へ来て、空気が薄くなるのを感じたとき、あと通りを一本か二本抜ければ都市のへりに着くことがわかった。そこはベコン・ストリート、わたしたちの街から外へとむかうくだり坂だった。

エンバシータウンでも古い地域だ。家々の軒先には石膏のグリフィンが飾られていた。それほど遠くないところで、わたしたちの建築様式は圧倒され、這いまわるツタは肉物質の葉やアリエカ産のあれこれにおおわれていた。バイオリグにまとわりつかれたプラストーン、流れるような皮膚に包まれたレンガ。

ホストたちは道路を埋めつくし、奇妙な動きで押し合いへし合いしていた。単独のホストは優雅だが、集団になった彼らは、ゆっくりと暴走するひとつの群れだった。あんなに大勢を見たのははじめてだった。甲皮がカシャカシャと擦れ合い、無数の足がコツコツと路面を叩いていた。ゼルたちがちょこちょこと走りまわっていた。

人間の領地へはいってきたホストたちは、街灯や展示物の色彩によって陶酔状態になった。しわになった寝巻き姿の男女が歩道に列をなしていたので、エンバシータウンに入場するアリエカ人たちは、まるでパレードのように、人びとの歓迎を受けているように見えた。でしゃばりなカメラがいくつも頭上を飛び交っていた。

ホストたちの知覚レベルはさまざまで、意識を獲得したばかりの若者からいまにも無意識状態にはいりそうな高齢者までそろっていた。何百ものファンウイングがはためき、わたしはそのふるえる迷彩色を上から見おろしたくなった。ホストたちがわたしのそばを通過し、わたしは彼らのあとを追った。

見物しているテラ人の多くはゲンゴを理解できたが、もちろん、だれひとりしゃべることはできなかった。がまんしきれずにアングロ=ウービック語で問いかける者もいた――「なにをしているんだ?」「どこへ行くんだ?」わたしたちはアリエカ人を追って北へむかい、大使館をめざして坂をのぼり、道路やそのへりをたどり、雑草やがれきを踏みしめていった。治安官たちが到着していた。腕をふりまわしている様子は、人びとを追い払おうとするようでもあり、古びた壁を守っているようでもあった。彼らの言うことはなんの意味もなさなかった――「さあ動いて!」「そこをどくんだ!」

人間のこどもたちが見物に来ていた。大使ごっこをしているらしく、意味不明な雑音をデュエットしては、アリエカ人から返事があったかのように、物知り顔でうなずいていた。ホストたちは、どんどん見物人を集めながら渦を巻くように進み、ネコや改造キツネがそのまえにいきなり飛び出したりした。わたしたちは廃墟のそばを通過した。

数名の大使たち――見えたのはラン/ドルフ、マグ

／ダー、エド／ガー――が、治安官やスタッフを周囲に従えて暗闇からあらわれた。彼らはあいさつのことばを叫んだが、ホストたちは立ち止まりもしなければ返事もしなかった。

大使たちが「アーシュ/ヘサー」と言った。止まれ。待て。止まれ。

大使たちは叫んだ――友よ、どうすればいいか教えてくれ、なぜきみたちはここにいるのだ？　無視された彼らは、アリエカ人の群れの先頭でいったん退却した。だれかがウトゥディでもないのに教会の照明をつけて、そのビームが頭上で回転をはじめた。ホストたちがそれぞれふたつの声でしゃべり、叫びはじめた。はじめは不協和音で、ことばと音がごっちゃになった、意味をなすとは思えないものだったが、それがやがてひとつの詠唱になった。わたしの知らない単語もあったが、ひとつだけは知っていた。

「エズ/ラー……エズ/ラー……エズ/ラー……」

アリエカ人たちは大使館の黒い石段のまえで散開した。わたしは彼らといっしょに歩いた。ホストたちはサンゴ状の目で一瞥し、場所をあけてわたしを仲間に入れてくれた。とがった繊維質の外肢は茂みのようだし、堅固な体側部は磨きあげられたプラスチックのようだ。わたしの小さな体は隠れてしまったので、パニック状態の大使たちをこっそりと観察することができた。「エズ/ラー」ホストたちはくりかえしていた。エンバシータウンの住民たちもせいいっぱいそれをまねていた――「エズ／ラー……」ふたつの言語で同じことばが、ひとつの名前が、いつのまにか自然に唱和されていた。

ホア／キンとメイ／ベルが小声で激しくことばをかわしていた。ジャス／ミンとアーン／オールドとマグ／ダーの背後にカル／ヴィンの姿が見えた。打ちひしがれている様子だ。スタッフも口論をしていたし、周囲の治安官たちはパニックを起こしかけ、物騒なカービン銃や精神銃をかまえていた。

ひとりのホストがまえに進み出た。「ダー・コーラ・エシン｜ア・シャフンディ・ケス」そいつは言った——〝わたしはコーラ｜シャフンディ〟到着舞踏会でエズ／ラーにあいさつしたホストたちのひとりだ。

〝やあ〟とコーラ｜シャフンディが言った。〝われわれはエズ｜ラーに会いに来た。エズ｜ラーを連れてきてくれ〟などなど。まずホア／キンが、ついでメイ／ベルがしゃべろうとしたが、ホストたちはいっさいとりあわなかった。ほかのホストたちもいっしょになって要求をはじめた。彼らがゆっくりと前進してくると、いやでも意識せざるをえなかった——その巨大さを、その貝殻のように硬い外肢のゆらぎを。

「……ほかにどうしようもない！」ホアかキンの声が聞こえたので、わたしはてっきりメイ／ベルにむかって言ったのかと思ったが、相手がキンかホアだったのでショックを受けた。大使たちの密集がほぐれ、そのなかから踏みだしてきたのは、まるで奇術師のトリックのように出現したのは、エズ／ラーだった。

エズは不安そうだった。ラーはトランプ詐欺師のように無表情だった。同僚たちが道をあけると、エズは憎々しげな目で彼らを見た。階段のてっぺんで、エズ／ラーは集まった群衆を見おろした。

アリエカ人たちが枝分かれした目を大きくひろげてふたりの男を見つめた。

「エズ｜ラー」コーラ｜シャフンディがふたたび口をひらいた。人間たちのなかにいるゲンゴに堪能な者が、そいつの言ったことをすばやく伝えてくれた。

〝エズ／ラー〟そいつは言った。〝話せ〟

〝エズ／ラーはわれわれに話せ、さもなければわれわれがしゃべらせる〟

「こんなことをしてはだめだ」スタッフか大使の地位

にいるだれかが叫び、別のだれかが応じた。「ほかにどうできる?」エズ／ラーは顔を見合わせ、ぼそぼそと打ち合わせをした。エズはため息をついた。ラーは表情を崩さなかった。

〝友よ〟ふたりは言った。エズが〝グーリッシュ〟でラーが〝ロア〟——友よ。アリエカ人の胸郭と外肢がカチンと鳴った。

〝友よ、われわれはこの訪問に感謝します〟エズ／ラーが言うと、アリエカ人たちが揺れて、わたしの体にぶつかった。〝友よ、われわれはこの歓迎に感謝します〟エズ／ラーのことばで、陶酔はさらに続いた。

ラーはまだつぶやき続けていたが、エズが黙ってしまったので、ゲンゴは崩壊した。ホストたちは大騒ぎだった。ある者はギフトウイングをばたつかせてみずからをそのなかに包みこみ、ある者はそれをほかの者とからみあわせた。

コーラ／シャフンディが〝話せ〟と叫び、エズ／ラーがふたたび口をひらいた。彼らは愛想よく、うつろに、礼儀正しく、いろいろなあいさつをくりかえした。

アリエカ人たちは、眠っているか消化しているかのように、集中していた。広場を見渡すと、エンバシータウンの何百人もの住民たちと、音もなく浮かんでいるいくつものカメラが見えた。

「バカが、このバカどもが」だれかが大使館の階段で言った。そのことばはツタのように無視された。だれもがホストたちを見つめていた。ホストたちは、なんだかわからないがそのとき陥っていた状態から復帰しようとしていた。

〝よし〟ホストのひとりが言った。コーラ／シャフンディではなかった。〝よし〟そいつがむきを変えた。コーラ／シャフンディもあとに続いた。すべてのアリエカ人がむきを変えて、来た道をもどりはじめた。

「待って! 待って!」マグ／ダーだった。「ファロよ!」「わたしたちはどうしても……」彼女たちの片割れがエズとラーにむかって身ぶりをした――もうしゃべるなと。マグ／ダーは打ち合わせをしてから、ゲンゴで叫んだ。〝わたしたちは話をしなければなりません〟

同情か、礼儀か、好奇心かなにかにより、シャフンディ（コーラ）と、ほかのリーダー――かどうかはわからなかったが――たちが、サンゴ状の目をのばした群衆のなかで、体をひねって背後をふりかえった。だれかが言うのが聞こえた。「それをおろすんだ、治安官。まったく……」

〝話し合うことがたくさんあります〟マグ／ダーが言った。〝どうか聞いてください。なかへはいりませんか？〟

治安官や補佐スタッフたちが群衆のあいだへはいりこんできた。「行って」ひとりがわたしのまえに立った。その女はずんぐりした銃を手にしていた。ほかの人たちに対するのと同じように、早口でとうとうとまくしたてた。「通りをあけてください。われわれは事態の収拾をはかっています。お願いします」

ほかのみんなといっしょに、わたしはのろのろと命令に従った。アリエカ人たちは奇妙な一貫性をもって到来した。いま、その大半はてんでんばらばらに引き返そうとしていた――土の上に自分のにおいと独特のしるしを残しながら。治安官の制服を着たひとりの若者が、さっさと消えてくれ、とささやきかけてきたので、わたしはすこしペースをあげた。大使たちは、ためらっていた何人かのホストを、大使館のなかへ案内しようとしていた。うまくいっているようには見えなかった。

第三部

予　　感

過去 7

嘘祭のあと、サイルが姿を消した。わたしが電話をかけても、まったく応答しないか、たとえ応答しても手短にかならずもどると約束するだけだった。どこにいるかについてはなにも話そうとしなかったが、どうやら、思いも寄らない人びとと話をしているようだった。嘘祭の翌日にヴァルディクとシャニータといっしょにいたとき、ヴァルディクのところに電話がかかってきた。応答した彼は、口をつぐみ、大きくひらいた目でわたしをちらりと見た。わたしはふいに、かけてきた相手はサイルだと確信した。

二日後、夫がわたしたちの家へ帰ってきて、長いあいだくすぶっていた喧嘩がついにはじまった。たいていの喧嘩と同じように、具体的な原因はつまらないことだったし、おおむね要点からはずれていた。サイルは無愛想で、不機嫌で、わたしの時間のすごしかたについて皮肉を言い、その手厳しいことばには、少なくともその意地の悪さと同じくらいの不安が混じっていたが、わたしはそんなことに注意を払う気分ではなかった。サイルの最近の格言好きな態度や機嫌の悪さにうんざりしていたのだ。

「嘘祭へ参加するための手配をだれがしたと思ってるの、サイル?」わたしは叫んだ。サイルが返事もしなければこちらを見もしなかったので、わたしは腰に手を当てたり態度でしめしたりせずに、腕を組んでぐっと背をそらし、はじめて会ったときのように彼を見おろした。「そんなふうにすねてばかりじゃなくて、お礼を言うのがふつうだと思うけど。なんでそんな態度をとっていいと思えるわけ？　いったいどこへ行ってたの？」

サイルの説明で、大使たちといっしょにいたことがわかった。鋭く切り返そうとしたわたしは、ふと口をつぐんだ。〝なにをやってるの？〟そんなふうに考えたことをおぼえている。〝かんしゃくばかり起こしていたら、高いレベルの話し合いなんかできるはずがないでしょ？〟

「聞いてくれ」サイルが言った。彼はなにかを決意し、どうにかして言い争いをやめようとしていた。「聞いてくれ、頼むから聞いてくれ」彼は一枚の紙片をひらひらとふった。「あいつがなにをしようとしているか知ってるんだ。サール・テシュ＝エシャーが。あいつは練習して、伝えているんだ、グループの仲間たちに。ここにあいつの言ったことが書いてある」どうやってその筆記録を手に入れたかは言わなかった。「きみたちは、直喩たちは……。たしかに、ホストたちはぼくたちとはちがう。ぼくたちのなかには、その……形容詞句とか過去分詞とかそういったものと勇んで会おうとする者はそれほどいない。でも、彼らのなかに直喩とぜひ会いたいと思う者がいるのは驚くことじゃない。きみは彼らの思考を助ける。ゲンゴに敬意をいだいている連中ならすごくよろこぶだろう。

でも、だれが嘘をつきたがる？　そんなのはチンピラだけだ。アヴィス、聞いてくれ。ファンがいて、嘘つきがいる。そして、サール・テシュ＝エシャーとその仲間たちだけがその両方なんだ」サイルは紙片を押さえてしわをのばした。「ぼくの話を聞く準備はできたかい？　きみはぼくが自分の健康のために戸棚のなかでじっとすわっていたと思うのか？　ここにあいつの言ったことが書いてあるんだ」

「〝人間たちがやってくるまで、われわれはある種の物事についてあまりしゃべらなかった。人間たちがやってくるまで、われわれはあまりしゃべらなかった。人間たちがやってくるまで、われわれはしゃべらなかった〟」サイルはちらりとわたしを見た。「〝われわれはみずからの翼で歩かなかった。われわれは歩かなかった。われわれは大地をのみこまなかった。われわれはのみこまなかった〟」彼は早口でそわそわと読み続けた。

「〝魚たちといっしょに泳ぐテラ人がいる、服を着ない者がいる、あたえられたものを食べた者がいる、うしろむきに歩く者がいる。割れてセメントで修理された岩がある。わたしは自分に異議をとなえてまた同意する、割れてセメントで修理された岩のように。わたしは意見を変える。わたしは割れてセメントで修理された岩と似ている。わたしは割れてセメントで修理された岩と似ていなくもない。

わたしはいつもしていることをする、わたしは魚といっしょに泳ぐテラ人と似ている。わたしはそのテラ人と似ていなくもない。わたしはそれとよく似ている。

わたしは水ではない。わたしは水ではない。わたしは水だ〟」

以前に見たホストの発言の翻訳はそれなりに理解可能だったが、これはちがっていた。直観と相容れない親近感があった。おかしな文章なのに、たいていのゲンゴよりも、すこしだけ、ほんのちょっとだけ、アングロ＝ウービック語と似ていた、というか似ていなくもなかった。そこにはいつもの明確さや微妙な厳格さがなかった。

「ほとんどの競技者はむりやり嘘をつこうとするわけだが、こいつはちがう」サイルが言った。「もっと系統だったやりかたをしている。嘘をつくために練習しているんだ。こういう奇妙な構文を利用して、なにか正しいことを言ってから、自分をさえぎって、嘘をつく」

「いままでこんなのはほとんど演じなかったのに」

「練習していたんだ。ホストたちがきみを必要としていることは周知の事実だろう？　きみやほかの仲間たちを。割れた岩もそうだし、彼らが袋のなかに縫いつけたあの二匹のかわいそうなネコもそうだ。彼らはある物事をしゃべるために直喩を必要とする、そうだろう？　それを考えるために。彼らは世界のなかにそれを存在させる必要があるんだ、比較ができるようにするために」

「それはそうだけど……」わたしは紙片に目をむけた。それを読んでみた。テシュ・エシャー（サール）は自分に嘘のつきかたを教えていた。

「〝わたしは割れてセメントで修理された岩と似ている〟」サイルは言った。「そのあとで〝なくもない〟に変えている。完全にはできないが、〝わたしは岩に似ている〟から〝わたしは岩だ〟へ進もうとしているんだ。わかるか？　同じように喩えてはいるが、まったくちがう。もはや比較じゃない」

サイルはハードコピーやバーチャルで古い書物を見せてくれた——リーゼンバーグ、レイコフ、ウ＝センヒー、リクール。わたしは彼の奇妙な陶酔っぷりに慣れてしまっていた。遠い昔にはそれに魅せられたこともあったのだが、いまでは、それも彼自身も不快なだけだった。

「直喩が真実なのは」サイルは言った。「きみがそう言うからだ。説得なんだよ——これはあれに似ているという。もうそれだけでは充分じゃない。直喩では充分じゃないんだ」彼はわたしを見つめた。「あいつはきみを一種の嘘にしようとしている。すべてを変えるために。

直喩はある主張をくわしく説明する——それは進行中で、明確で、真実を生む。必要ないんだよ、いわゆる……〝神のことば〟は。審判は。比較できないものと結びつく必要はない。だが、〝これはあれだ〟という主張はちがう。それはあきらかに事実ではない。ぼくたちはそれをやっている。それがいわゆる〝理由付け〟なんだ、そのやりとりが、隠喩が。その嘘が。世界はひとつの嘘になる。それがサール・テシュ＝エシャーの望んでいること。嘘を導入するんだ」サイルの口ぶりはとてもおだやかだった。「あいつは悪を迎え入れようとしている」

「サイルのことが心配なの」わたしはアースルに言った。

「アヴィス」アースルはわたしのつたない説明に耳をかたむけてから言った。「悪いけど、あなたがなにを言っているのかよくわからないわ」彼女は話を聞いてくれた――最初から聞く耳をもたなかったとかそういうふうには思ってほしくない。アースルは話を聞いてくれたが、わたしにはどんなふうに伝わったのかよくわからなかった。的確な説明はむずかしかった、とてもむりだった。

「サイルのことが心配なの」わたしはカル／ヴィンに言った。かわりに聞いてもらおうとしたのだ。「ちょっと宗教がかってるみたいで」

「ファロテクトン？」カル／ヴィンの片割れが言った。

「ちがう。教会じゃない。でも……」わたしはサイルの新興神学の断片をすこしずつ集めていた。わたしはそんなふうに呼んでいたが、本人は神とはなんの関係もないと言ってきかなかった。「サイルはアリエカ人を守りたがっている。ゲンゴが変わるのをふせぐことで」わたしはカル／ヴィンに、サイルはテシュ・エシャー（サール）が仲間を誘いこもうとしていると思いこんでいるのだと話した。「彼は大きな危機が迫っていると信じているの」

〝わたしはいまでもこの人を愛していて、いま起きていることが心配でたまらない〟わたしはそう言っているも同然だった。〝助けてくれる？　わたしには理解できないの、サイルがなぜあんなことをしているのか、なにが彼を不安にさせているのか、どうしてわたしを怒らせてまでやろうとしているのか〟そんなようなことを。

「サイルと話をさせてくれ」カル／ヴィンはわたしに言った。黙っていたほうの片割れが、眉をあげて分身を見つめ、にっこり笑ってわたしに目をもどした。

過去 8

カル／ヴィンは、約束どおり、サイルのために時間をとってくれた。わたしの夫の調べ物は情熱的で、反社会的で、そこらじゅうにある自分用のメモはほとんどが理解不能だったし、ファイルは共用のデータスペースに散乱していた。正直言って、わたしはすこし怖かった。いまのサイルの姿にどう反応していいのかわからなかった。もともと情熱的ではあったが、本人が隠そうとしているにもかかわらず——あの最初の話し合いのあと、彼は自分のかかえる不安についてわたしに話さなくなった——わたしにはそれが激しさを増しているのが感じられた。

サイルがそれを隠そうとしたせいで、わたしは混乱した。彼は、自分の懸念こそがどこかのホストの練習に生じた変化を唯一説明できるものであり、ほかのわたしたちにそういう意識が欠けていることが悲惨な結果をまねくと思っているのだろうか。世界全体が狂気にとらわれていて、彼に感情の偽装を強いていると思っているのだろうか。わたしはサイルの論文のメモや、アポイントの記録や、教科書の注釈を手にはいるだけ集めて、マスターコードでも探すように、じっくり目をとおした。おかげで、彼の仮説について——まだ部分的で混乱してはいたが——すこしは感触がつかめるようになった。

「あなたはどう思う?」わたしはカル/ヴィンにたずねた。ふたりはわたしの柄にもない懇願に困惑しているようだった。ふたりはわたしに言った。サイルが物事を変わった視点から見ているのはまちがいないし、彼の熱意は、たしかに、かなり激しい。だが全体的に見れば、心配することはないと。なんとも役立たずの勧告だった。

驚いたことに、サイルはわたしといっしょに〈クラヴァット〉へ顔を出すようになった。わたしは、おたがいがいると、できることは増えるのではなく減ると思っていた。サイルが以前にひとりで店へ来たのを知っていることは伝えなかった。彼が自分を話してくれるようホストたちを説得するためにさらなる努力をした形跡はなかった。そのかわり、彼は何人かの直喩にさりげなく影響力をおよぼしはじめた。議論に仲間入りして、自分の考えを、とりわけ、どの直喩がゲンゴの頂点や限界をしめしているかという仮説についてほのめかした。対話は真実を生み出す。いささか驚いたことに、直喩ではないよそ者であるサイルを、だれも拒否しようとはしなかった。むしろ歓迎した。耳を貸しているのはヴァルディクだけではなかった。ヴァルディクは知的な男ではなかったので、わたしは彼のことが心配だった。

おおげさに言うのはやめよう。わたしはサイルがおかしくなっているとは思わなかった――ただ、以前よりも集中力が増して、まわりが見えなくなっているような気はした。もういっしょに暮らせるとは思っていなかったけれど、彼がだいじょうぶだということを知りたかった。

このころは、ほかの面では、わたしにとって悪い時期ではなかった。わたしたちは救援と救援のはざまにいた。その真っ盛りになると、エンバシータウンはもっともあざやかに本来の姿を取りもどす――なにかを待つわけでもなく、過去に起きたなにかを祝うわけでもなく。わたしたちはそういう時期を無風帯と呼んだ。もちろん、ふつうなら停滞という意味になるのはわかっていたが、ほかのいくつかの奇矯なことばと同様、わたしたちにとっては、それとは正反対の文字どおりの意味をもっていた。この静かで、単調な日々、イマーの辺境で孤立して、外部との接触もなく、マイアブが最後に到来してからもつぎに到来するまでも長い時間があるとき、わたしたちは内側へむかった。

長い月の最後の予備日がくるたびに、祝祭や華々しい見世物があって、エンバシータウンのねじくれた路地はリボンと音楽であふれかえった。こどもたちは3Dの衣装をまとって踊り、それぞれの光の外套が重なり合って水晶のようにきらめいた。パーティもひらかれた。格式張ったものもあったが、多くは気楽なもので、衣装を着けるものもあれば、ごく少数だがなにも着ないものもあった。

この無風帯カルチャーはわたしたちの経済の一部だった。マイアブの到来後は、贅沢品や新規テクノロジーの到来で市場と生産が活気づく――もうじき到来するという時期になると、自分たちの日常がすぐに変わって、新しい季節の品々が贅沢な流行を迎えるという興奮から、消費と革新の勢いが増す。そのはざまである無風帯では、世の中は静かになり、絶望はないものの窮屈さはあって、こうした祝宴もとぎれがちになり、ささやかな放蕩に耽ることが目的となる。

ある晩、わたしはカル／ヴィンといっしょにベッドにいた。彼らのひとりは眠りにおちていた。もうひとりはわたしのわき腹をなでながら、小声で話をしていた。ひとりの分身とだけすごすのは珍しいことだった。わたしは彼の名前をききたくてたまらなかった。いまはどちらだったのかわかっているつもりだ。わたしは彼の首のうしろ、頭蓋の張りだしの下にあるくぼみに美しく埋め込まれたリンクに指をすべらせた。そして、双子の片割れ、大使の眠っている半分へ目をむけた。

「サイルのことを心配するべきなのかな？」わたしは言った。眠っている男が身じろぎをし、わたしたちはちょっと黙り込んだ。

「そうは思わない」起きている男がささやいた。「サイルはなにかを知っているんだろう」

わたしは納得できなかった。「サイルがまちがっているのを心配しているわけじゃないの。心配なのはサイルが……その……」

「しかし、サイルはまちがっていないよ。少なくとも——彼はなにかを指摘している」

わたしは上体を起こした。「それって——？」わたしが立ちあがって歩きだすと、眠っていた分身が目をさまし、わたしをおだやかに見つめた。カルとヴィンは小声でことばをかわしたが、ただの打ち合わせのようには聞こえなかった。「なにを話しているの？」

「サイルの言うことには説得力のある要素がいくつかある」口をひらいたのは目をさましたばかりの分身だった。

「それを話してくれるとは思えないけど——」

「話してないよ。わたしはきみにはなにも話していない」彼は無表情に言った。相方が彼を見てから、不安そうにわたしへ目をもどした。「きみはわれわれにサイルを見張ってほしいと頼み、われわれはいまも、これまでも、そうしてきた。彼の語っている内容についてくわしく調べてもいる。変わり者ではあるが、サイルはバカではないし、このホスト……」彼は相方に目をやり、ふたりでいっしょに「テシュ・エシャー（サール）」と言った。カル／ヴィンの半身は話を続けた。「……が、なにか変わった戦略を推し進めているのはまちがいない」

わたしは裸でベッドの端に立ち、ふたりを見つめた――ひとりはあおむけになってわたしを見あげ、もうひとりは両膝を引き寄せていた。

降参しよう。わたしはこのあたりのできごとを筋道立てて話そうとしてきた。要するになにが起きたのかよくわかっていないのだ。ちゃんと注意を払っていなかったせいかもしれないし、それが物語ではなかったせいかもしれないが、理由はどうあれ、わたしが話したかったものにはなってくれないようだ。

エンバシータウンの通りで、人びとが集まっていた。ヴァルディクがその中心にいるようだった。いまやあの仮説を説明するのはヴァルディクになっていた。わたしの夫は慎重な男だった――なにかに取り憑かれているときでさえ。

「いまはヴァルディク・ドラマンが中心になっているって？」カル／ヴィンが言った。「あのヴァルディクが？ ほんとうに？」

「たしかに考えにくいけど……」わたしは言った。

「まあ、彼はおとなだし、自分で決めたことだろうからな」

「そんなに単純な話じゃない」わたしはヴァルディクが正しくもありまちがってもいることを知っていた。

エンバシータウンの住民の大半はこうした議論を知らなかったし関心もなかった。知っていても、ほとんどは重要なことではないと考えただろう。一部の扇動的な直喩がなにを主張しようと、ホストは嘘をつけないと安心しきっていたし、その点についてはたしかに安心感があった。嘘祭のことを知っている人びとにとっては、ごく少数のホストがゲンゴの境界を押し広げようとしているという話は、あまりにも漠然としすぎていて、道徳的な面は言うまでもなく、どんな面でも問題にならなかった。残るのは、ありえないほどものを信じやすいごく一部の住民だけ。しかし、その人数は増え続けていた。

ヴァルディクは〈クラヴァット〉で、直喩の本質とゲンゴの役割について演説をぶった。その主張は混乱していたが、情熱的で人の心を動かした。

「ほかのどこにもこんなのはないんだ」ヴァルディクは言った。「宇宙のどんな言語を探したって。語られることが真実だけだなんていうのは。それを失うというのがどういうことか想像できるか？」

「あなたがヴァルディクにしていることはフェアじゃない」わたしはサイルに言った。かつてはふたりの家だった場所へ、彼が珍しくたずねてきたときのことだった。

「あいつはガキじゃないんだ、アヴィス」サイルは言った。彼は自分の服とノートを集めていた。そのあいだわたしに目をむけようとしなかった。「なにをやりたいかは自分で決めているよ」

廃墟のそばを歩いていたら、一枚のビラを手渡された。安っぽいナノテク紙で、ひらくと3D画像が表示された。わたしはぎょっとした——手のなかに、リンゴ大のヴァルディクの顔があった。

ドラマン——嘘に立ち向かう

あとは日時と場所で、会場は〈クラヴァット〉ではなく小さなホールになっていた。それで気がついたのだが、似たような集会の案内が、ウォールスクリーンにゲリラ的に流されていた——不正表示の目障りな3

Dによって。そこで出かけてみた。サイルを見つけられるかと思ったが、だめだった。わたしは部屋のうしろのほうに陣取った。

ヴァルディクはプロジェクタを身につけていて、彼の3D映像が会場のいたるところで、ランダムかつ空電まじりで表示されていた。部屋のまえのほうに、シャニータとダリウスとハッサーとほかの直喩や比喩たちの姿が見えた。ヴァルディクは演説していた。あいかわらず二流の語り手だった。わたしには、そんな凡庸な語りでどうして支持者を集められるのかわからなかった。無風帯のなせるわざだろうか。話の内容は狂信的で愚かしいものだった——「声はふたつだが真実はひとつだ、なぜなら、二重になった、分岐した真実とは、相反するものではなく、ひとつの真実のふたつの形態なのだから」などなど。

会場は四分の一も埋まっていなかった。そこにいるのは、寛大な友人たちと、物見高い人びとと、ほかのカルト集団からの難民たちだった。まさに絶望と退屈の集会だ。家に帰ると、サイルが電話で話をしていた。わたしの姿を見るやいなや、彼は歓迎しているとは思いにくい笑みを浮かべ、声を聞かれたり口の動きを見られたりしないように背をむけた。わたしは、もしもヴァルディクがこの自称オフィスから引き離され、必要と思われる道具類を没収されたら、彼の熱狂は冷めるだろうかと考えた。

「われわれにどうしろというんだ？」カル／ヴィンは言った。「そういう集会は違法ではない」

「なんだってできるはずよ」

「まあ……」「ドラマンに行政拘禁の命令を出すことはできるだろうが……」「……きみはほんとうにそうしたいのか？」

「そうよ！」わたしは言ったが、もちろんそんなことはなく、もちろんカル／ヴィンもそんなことをするつもりはなかった。

「さあ」彼らは言った。「心配しないで」「サイルのことはわれわれが見張るから」「われわれが彼の安全を守るから」カル／ヴィンは約束をたがえなかったが、そのやりかたも、なにから守るかについても、わたしの想像とはちがっていた。

過去　9

だれかがエンバシータウンの放浪オートムたちにウイルスウェアを蔓延させて、ヴァルディクの熱狂的な信者に仕立てあげた。オートムたちはこうして新しい教会の伝道師となった。彼らの雄弁さはそれぞれのプロセッサの能力に左右された——大半はただ恍惚と語るていどだったが、ごく一部はいきなり神学者の域に達していた。のんびり歩きまわっていることに変わりはなかったが、このころにはわたしたちに近づいてきて、堕落しかけている言語、ゲンゴを守るよう、熱心に訴えかけてきた——われわれ哀れな罪人たち（レトリックは低俗だった）は、嘘の深層構造をもって話すことを永遠に運命づけられているが、少なくとも真実を語る二枚舌の者たちには恩恵がさずけられる、とかそんなようなことを。

修正プログラムが投入されて、その務めを果たしたが、感染は容易にはおさまらなかった。何週間ものあいだ、この放浪伝道師たちは布教を続けたが、その＊ウェアが崩壊するにつれてカテキズムは変化し、主流からはずれた、変種の宗派が生み出された。「われらは天使たちの執事なり」わたしにそう話しかけてきたのは、嘆願者のようによろよろ歩く一体のマシンだった。「われらはしゃべる天使たちの執事なり、神の言語の執事なり」こうして生まれる教理が新興のドラマン原理主義からあまりにも遠く逸脱すると、ウイルスは活動を停止した。

わたしはアースルに、心配はないのか、ヴァーチャル細菌でむずむずしないのかときいてみた。彼女はほかのオートムたちのことを精神面で劣った存在として切り捨て、たしかにそれは感じるけど、彼女自身に危険はないとこたえた。当然のごとく、ヴァルディクとその過激な直喩たちが疑われたが、だれもプログラムの作製者を突き止めることはできなかったし、うっとうしかったとはいえ、そもそもオートムはそういう連中だった。わたしはサイルにプログラム作製の技術がないのを知っていた。さもなければ彼のしわざだと思っただろう。

このとき〈クラヴァット〉へもどったのは、社会診断のためだった。かつての常連たちの多くがもうそこでは飲まなくなっていた――ヴァルディクの預言的な発言に嫌気がさして、拒絶組の直喩だけのサロンを設置したのだ。かわりに別の人びとが集まっていた。店へ出かければ、ヴァルディクの話を、わたしから見れば破滅の縁にある大義のポルノグラフィでしかないものを聞き、なんらかの介入が必要だと判断する根拠をつかめるかもしれないと思ったのだ。ヴァルディクは大使たち（彼のモデルでは、仲裁役の秘儀司祭）を賛美し、直喩であることに、真実であることに、生身のゲンゴであることに感謝の意をあらわした。

　わたしが最後にヴァルディクの集会に出かけたときには、テシュ・エシャー（サール）が、スパニッシュダンサーやそのほかの仲間といっしょに店をおとずれていた。あのホストのほうも支持者を増やしていたということは、テクニックを磨いて、どんどん優秀な嘘つきになっていたにちがいなかった。ホストたちはおたがいを見つめていた。ヴァルディクは顔をしかめていた。ホストたちが彼の敵意を感じているのかどうかはわからなかった。ハッサーもそこにいた――突然の直喩たちの分裂のあとも両陣営と有効な関係をたもっていたごく少数のひとりだった。彼はわたしに気づくと、その顔になんとも言えない表情を浮かべた。それはわたし自身の表情を思わせた。居心地が悪い、と言えばいちばん近いだろうか。

「心配じゃないの？」わたしはアースルにきいた。

「言ったでしょ」アースルはこたえた。「あたしは免疫があるから」

「そうじゃなくて……あなたはどう思うの？　この件について考えたことがある？　つまり、なにか感じることがないのかな、一部のホストたちが学習して……その、話すときに真実を回避できるようになることについて？」返事がなかったので、続けた。「嘘をつけるようになることについて」

　そこはエンバシータウンの商店街にある酒場のなかだった。アースルは少々有名なので、すこしばかり金のある若者たちがちらちら視線を送っていた。わたしたちは音楽とグラスの鳴る音のなかで静かに話していた。アースルは返事をしなかった。「なにかが変わろうとしている。いいことかもしれないし、そうじゃないかもしれない」わたしは言った。

　アースルは投影された顔でわたしを見たが、デザインのせいか、あるいは彼女の＊ウェアで両義的な刺激応答が同時発生したせいか、その表情は計り知れなかった。彼女はなにも言わなかった。その謎めいた沈黙がだんだんおちつかなくなって、わたしがとうとう話題を変えると、アースルはいつもどおりに返事をしてくれた――ふたりの友情からくるおおげさな親密さをもって。

わたしにとって、自分が直喩だということはそれほど大きな意味をもったことはなかった。ヴァルディクがどんな説教をしようが気にならなかった。問題はサイルなんだ――と、わたしは自分に言い聞かせた。いや、ちがう、彼のことは心配していたがそれだけではなかった。ほかになにが気がかりなのかは、結局わからずじまいだった。

「で、どんな手を打ってるの？」わたしはカル／ヴィンにたずねた。いまでは、大使たちさえ心配しているようだった。新しい教義の真剣な心酔者はせいぜい数十名規模のはずだったが、その熱気にエンバシータウンの住民はおちつきを失っていた。ホストたちもなにか気配を感じているようだった――居住区の清風の息吹のなかで見かけるアリエカ人の数が、いつもより多くなっていた。

「われわれはホストたちと打ち合わせをしている」カル／ヴィンが言った。「ひらこうと思っているのだ……」「……フェスティバルを」「ここ、エンバシータウンで」「ここは彼らの場所でもあると強調し、話をするために」

「なるほど」わたしはゆっくりと言った。アリエカ人のイベントがエンバシータウンでひらかれたという話は聞いたことがなかった。「でも、それはつまり……ヴァルディクの件はどうなってるの？」

カル／ヴィンのひとりがわたしを見つめ、もうひとりが目をそらした。わたしは腹を立てて協力者を探そうとした。サイルはどこかに身を隠していて、もうわたしからの連絡に応答しなくなっていたのに、だれもそのことを気にしていないようだった。わたしはさまざまな派閥とさまざまな秘密のはざまにいた。自分に先見の明があるのか、それとも偏執的になっているだけなのかわからなかった。

「いまは無風帯なのよ、アヴィス」あとになって、アースルがわたしに言った。「これがふつうなの。あなたの口ぶりだとまるで終末を迎えているみたい。あたしが思うに……」ことばが途切れた。「あなたはサイルのことで動揺している。あなたはサイルを気にかけているのに、彼はあなたから離れてしまった」アースルは狙ったようにきっちりと舌をもつれさせた。

アリエカ人の代表者たちが、この合同フェスティバルの打ち合わせのために飛行船でやってきた。わたしは大使館でよく浮浪(はぐれ)ていたので、彼らみんなと知り合いになった。ある背が高くがっしりしたアリエカ人は、ファンウイングの模様が木の葉の天蓋におさまった小鳥に似ていたので、わたしはそいつをナシの木(ペアツリー)と呼んだ。

「これこそわれわれに必要なものだ」カル／ヴィンが言った。「みんなピリピリしすぎているからな」「パレードに、露店やテラ人むけのゲームに……」「……ホストたちのための嘘祭」

「ヴァルディクの件はどうなってるの？」わたしはもういちど言った。「それにサイルのことは？」

「ヴァルディクは問題ではない」「サイルはもう二週間も姿を見ていない」

「じゃあ、いったいどこに……？」

「心配するな」「だいじょうぶだ」「正直な話、今回のイベントがこうした問題の多くに片をつけてくれるだろう」

わたしはそんなのはバカげていると思った。だれも同意してくれなかった。生まれてこのかたあんなに孤独を感じたことはなかった。

フェスティバルはエンバシータウンの南端近くの広場でひらかれることになった。そしてライセンス・パーティと名付けられた──嘘（ライ）と感覚（センス）の語呂合わせだそうだ。〝感覚〟がなにを意味するのかはわからなかった。あちこちの看板が、そのふざけた名前と、必要な説明を掲示しはじめた。

ヴァルディクはエンバシータウンの東側に住んでいた。玄関のまえにはバルコニーがあり、レジャー用運河や、花と小鳥と改造鳥と土着の動物たちでいっぱいの庭を見渡すことができた。

「アヴィス」ヴァルディクはドアをあけて、ゆっくりと言った。驚いていたとしても、それをおもてには出さなかった。

「ヴァルディク」わたしは言った。「手を貸してくれない？　サイルを見つけたいの」

ヴァルディクは目に見えてほっとした。「だいじょうぶなのか……？」

「ええ。いいえ。ただ……何日も彼の姿を見てなくて……」ためらいは演技ではなかったけれど、そこへ行ったいちばんの目的はサイルではなく、ヴァルディクとその神学を値踏みすることだった。部屋に招き入れられたわたしは、彼の新しい信仰を象徴する飾りを目にした。紙片がそこらじゅうに貼られていて、どれも常軌を逸したあやしい教義や、その宗派の見当ちがいの厳格さをしめすものだった。

「おれも見てない」ヴァルディクは言った。「すまない。わからないんだ。サイルはまだカル／ヴィンたちといっしょだと思う」

「彼らも何週間もサイルの姿を見ていないの」

「いや、数日まえにはいっしょにいた」それを聞いてわたしは黙り込んだ。「サイルが〈クラヴァット〉にいて、彼らがそこへ会いに来たんだ」

「いつ？　だれが？」

「カル／ヴィンとスタッフさ」

「カル／ヴィンが？　たしかなの？」

「ああ」ヴァルディクは預言者のような口ぶりではなかった。わたしはやむなく帰ることにした——とてもではないが、彼の信仰に意識を集中することはできなかった。


そのつぎにようやくカル／ヴィンと会う約束を取りつけたとき、わたしは良い雰囲気をつくるよう気をくばった。わたしたちはいっしょに食事をした。彼らはもっぱらライセンス・パーティについて話をした。まる一日と、ひと晩と、つぎの日の半分。カル／ヴィンが沐浴を終えて均等化してあらわれた。体に生じた欠陥は消されるかコピーされるかしていた。わたしはなにも言わなかった。

わたしはふたりが眠りにつくのを見守り、綿のシーツと彼らの手の無意識の動きで肌にそれぞれ別のしわがつくのをながめた。どちらかが目をさますときには、そばで待っていよう。そっと話しかけるのだ——カルないしヴィンが言ったことをきちんと読み取るために。自分が思いつくとは考えてもいなかったことをしようとしているのは、妙な感じだった。

左側の彼だ——わたしはやっと確信した——わかりやすい気づかいをもってわたしの名前をささやき、心からのあたたかい笑みを見せてくれるのは。こんな夜の酩酊状態で見きわめるのはきわめてむずかしかった。だが左側の彼、カルかヴィンかわからないが、わたしのことをより気に入っているのはそちらのほうだ、まちがいない。わたしはその男の唇に指を当て、音をたてないように起こした。男が目をあけた。
「カル」わたしはささやいた。「それともヴィン。教えて。こっちの彼は教えてくれないから」わたしは眠っている片割れを身ぶりでしめした。「あなたがサイルと会ったのは知ってる。実は知ってるの。あの人はどこにいるの？　なにが起きているの？」

　わたしはミスをした。唇に当てた指をどけたとたんに気づいた。

「きさま」男の声は静かだったが、激しい怒りは聞きとれた。わたしが秘密を暴こうとして、こんな冒瀆的なやりかたをとったことに対する怒り。わたしの顔は場ちがいな親密さをたたえたまま凍りついた。「よくもきさま……」

　わたしは毒づいた。男が上体を起こした。その分身が身じろぎした。

「腐った根性をしてるな、アヴィス」わたしが起こした男が言った。「よくもこんなことを。たとえわれわれがサイルと会ったとしても、おまえには関係のないことだ……」

「わたしの夫なのよ！」

「おまえの関知することではない。われわれは事態の収拾をはかっている。おまえに懇願されたとおり。それなのに、おまえはここへ来てわれわれを……こんな……いったい……？」

　わたしたちのかたわらで、新たに目ざめた分身が体を起こしていた。わたしは彼に目をむけて恥じ入った。どうして見まちがったりしたのだろう？　そこにあったのは、わたしが彼のきょうだいのなかに見つけたと思いこんだものだった。

「彼をわたしだと思ったのか……？」男は言った。痛みと、さまざまな感情が入り交じっていた。

「どうしてできた？」彼は言った。その分身があとを続けた。「……こんなことが？」

　怒っているほうが立ちあがり、シーツが床に落ちて山になった。「出ていけ」彼は言った。「ここを立ち去れ。この件を追及せずにいてやることを、たいへんな……クソな幸運だと思え」

「きみがこんなことをしたなんて信じられない」もうひとりが静かに言った。

「もうおしまいだ」立っているほうの、カルかヴィンが言うと、わたしが起こすべきだった分身は、それを見あげ、わたしを見て、首をふり、顔をそむけた。計画を自分でぶち壊したわたしは部屋を出た。

夜を抜けて、家へとむかいながら、わたしは自分を呪い続けた。途中ですれちがったアリエカ人の観光者たちは、ゲンゴでなにやらつぶやきながら、街灯に照らされたわたしたちの街をまるでキュレーターのように見つめていた。

過去 10

エンバシータウンでひらかれたさまざまなフェアやイベントで、わたしはよくイマーの話をしてくれと頼まれた。アウトですごしたころの3D映像や画像を見せるもので、本来はこどもむけだったが、観客のなかにはおとなも大勢いた。イマーは過去も現在も背教者や難民でいっぱいだった。彼らは安全なところでだけ浮上し、うまく逃げ切れることだけをした。わたしはいろいろな話を披露した。たくさんのものをたくさんの場所へ運んだこと——宝飾品、イマーのみじめな家畜、宙賊の運営するゴミ惑星国家へ届ける有機廃物。とっておきの話は、既知のイマーの末端——ここ、アリエカのすぐそば——にあるファロの移り変わる表示だ。それをさまざまなフィルタをとおして見せてあげて、いちばん最後に、形象化ウェアでそれを灯台の姿に仕立てあげた。闇に浮かぶビーコン。

「わかる？　そういうふうに見えるの。それがまさしくここ。わたしたちの先はまったく地図ができていない。わたしたちが暮らしているのは光の果てなの」その驚きとスリルにはびっくりするほどの中毒性があった。今回のライセンス・パーティでは、わたしは招待されていなかった。

「カル／ヴィンとのあいだになにがあったの？」アースルがたずねた。わたしは彼女にも、だれにも話さなかった。

都市とエンバシータウンの局地的気候は、あえて解読する気にならない複雑なアルゴリズムによって操作されていた。惑星がその傾きのとりことなって、多かれ少なかれ予測可能な季節をもつことに、わたしは昔からなんとなく心惹かれていた。もちろん、エンバシータウンでも、個々の気候には注目していたが、それを期待して待つことはなかった。

気候は温暖さを増していた。あきらかに夏がおとずれようとしていた。

わたしはひとりでライセンス・パーティへ出かけた。アースルがいっしょに出かけることを期待していると気づいたときには、ことわるしかなかった。彼女が沈黙したところを見ると、傷つけたか、そういうふうに見せかけるためのチューリングウェアのサブルーチンを起動させてしまったようだった。とはいえ、だれかといっしょに出かけることはできなかった。別にアースルをいじめたわけではなく——なにせ、これは彼女の最近の唯一の沈黙というわけではなかった——なにか起きたときにひとりでいる必要があったのだ。わたしは、これが最後の章であるかのように、なにかが起きることを確信していた。

ゲームルームや、食品の売店や、マッサージハウスや、セックスのための場所。さらには、ホスト用にデザインされたゾーンもあった。ホストたちは、自分たちのネットワーク――わたしたちが自動化に協力した街の触れ役に似たテクノロジー――で情報を得て、大勢で押しかけてきた。エンバシータウンでそんなにたくさんのホストを見たのははじめてだった。

通りには占い師や大道芸人が出ていた。通行人の3Dカリカチュアがぱっとあらわれたり消えたりしていた。入場時には検問があった――テラ産テクノロジーの金属・エネルギー流探知機と、人が通過するときにくんくんにおいを嗅いで武器の気配を感知するバイオリグの入場アーチだ。群衆のなかには治安官たちもまぎれこんでいた。

夜になると、人間とケディス人は酒と麻薬でどんどん酔っぱらってきた。こどもたちは大騒ぎで駆けまわっていた。オートムたちがぶらぶらとやってきた。シュラース人の若者たちのグループや、ひとりきりでサイコロをふっているパネゲッチ人も見かけた。ホストたちは、わたしたちの硬貨を使ったゲームを見物していた。まるで観光客のように夢中になって、わたしたちの歌手が披露する歌に耳をかたむけ、ハーモニクスに身をふるわせていた。サイルの姿は見つけられなかった。

アリエカ人が、夏至冬至や正午といった均整美や中心点を重んじるわたしたちの姿勢に共感したとは思わない。だが、ライセンス・パーティはわたしたちのものであると同時にホストたちのものでもあり、嘘祭は真夜中にはじまった。

大テントは大聖堂ほどのサイズだった――ところどころにバイオリグの皮膚がまだ育ちきっていない部分があり、装飾用の薄布やプラスチックがそこをおおい隠していた。アリーナのまわりにはテラ人のための劇場タイプの座席がならび、異星人やホストたちのための立ち見席もあった。知り合いが来ていた。彼らは大声で呼びかけてきた。ハッサーもわたしを見て手をあげた。彼は怖じ気づいているように見えた。足早にとおりすぎたので話はできなかった。中央の演者用スペースのそばには大使たちが大勢集まっていた。カル／ヴィンのほか、シャー／ロット、ホア／キン、マグ／ダー、ジャス／ミンといった顔ぶれがスタッフと話をしていた。アリエカ人たちがそばにいて、ひとりかふたりはわたしも見覚えがあった。ペアツリーや、そのほかのリーダーと呼んでよさそうな面々だ。そのむこうでは演者たちが待機していた――ホストであるアリエカ人たち。

テシュ・エシャー（サール）が、スパニッシュダンサーをはじめとする取り巻きといっしょにいた。見分けるのはむずかしくなかった。

　テラ人たちが興奮したささやきをかわすなか、明かりが落ちていくつかの色つきの照明がともった。力強い、生き生きとした二重声で、観客の中央へ踏み出してきたシャー／ロット大使が、ゲンゴをしゃべった。通訳がわたしたち地元民にむかって芝居がかった声で叫んだ。「〝ここに雨がふっている〟大使はそう言っている！　〝わたしたちの上に酒の雨がふっている！〟」

　そんな力ない虚偽でエンバシータウンの住民たちを興奮させようとしているようだったが、わたしたちはホストではないのだから、バカげた話だった。ところが、空を見あげて雨がふっていないのを見たアリエカ人たちのうれしそうなざわめきを圧して、テラ人から叫び声があがった。わたしの隣人たちが、大使からの新しい嘘を聞いてよろこびの声をあげていた。

　わたしがまえのほうにたどり着いたとき、シャー／ロットの出番が終わった。ほかの大使たちの演技があとに続いた。彼らは聴衆のためにアーチを架けようとしているのだと、わたしは気づいた。わたしたちのために。ここで披露される嘘は、コミカルな幕間（まくあい）芸であり、緊張を徐々に高め、人びとの心を動かすためのものなのだ。

目くるめくひとときがすぎて、大使たちの演技は終わった。ホストたちが所定の位置についた。アリエカ人たちは短い嘘をひとつかふたつだけしゃべった。ほとんどは、たとえば最後の節をささやきにするといった、発話のトリックだった。成功者が出るたびに、テラ人は喝采をしアリエカ人は承認の意をしめした。多くの競技者は途中でつかえ、なにか正しいことを言ってしまった。ホストの観客の反応は、あざけりのようでもあり哀れみのようでもあった。

〝わたしは立つ、わたしは立たない！
わたしのまえにあるこれは赤くない〟

ついにテシュ・エシャー（サール）が進み出て、予定されていた対決がはじまった。むかいにいるのは大使のルー／シーで、拳闘家のように動きまわり、準備運動でもするように両腕をふりまわしていた。わたしが驚いたのは、エンバシータウンの代表がカル／ヴィンになると思っていたからだった。大使とホストが闘う。これはかなりの冒瀆だと、わたしは思った。だれにこんなことが許可できるのだろう？　歓声があがったが、となりにいた男は、わたしの意見を中継するかのように、ぼそりとつぶやいた。「これはまちがっている」

〝人間たちがやってくるまで、われわれはある種の物事についてあまりしゃべらなかった〟とテシュ・エシャー（サール）が言った。

司会者が引分けの規則について大声で説明していた。

〝人間たちがやってくるまで、われわれはある種の物事についてあまりしゃべらなかった〟とテシュ・エシャー（サール）がもういちど言って、その翼をひろげた。実際にはどんな異質な感情をいだいているにせよ、それは虚勢を張っているような態度だった。大使であるふたりの女と、複雑な姿をした巨獣であるアリエカ人がにらみあった。大使がそれぞれの口をひらいた。彼らがしゃべるより先に、テシュ・エシャー（サール）が言った――〝人間たちがやってくるまで、われわれはあまりしゃべらなかった〟

大騒ぎになった。〝人間たちがやってくるまで〟ホストはさらに続け、わたしはそのあとにどんな嘘が語られるかを知った。〝われわれはしゃべらなかった〟

はっきりした声だった。一瞬おいて、アリエカ人たちが陶然としてまくしたてはじめた。テラ人たちさえ、なにか尋常でないものを耳にしたことに気づいた。そこらじゅうにざわめきがあった。だれかが持論を叫んだ。群衆のなかで押し合いが起きていた。

「正しくない！」だれかが叫んでいた。「正しくないぞ！」

一部の男女が急に動いて、だれかのために道をあけようとした。彼らは怒鳴り声をあげながらふたつに分かれた。近づいてくる男の姿が見えた。それはヴァルディクだった。

「正しくない！」ヴァルディクが言った。彼が走って、叫んで、棍棒を地面めがけてふりおろしたとたん、わたしはふるえるような爆音を感じた。彼の武器にはエネルギーが満ちていた。警備はなにをしていたのだろう。ヴァルディクはテシュ・エシャー（サール）に相対した。それは正しくないと叫んだ。そして武器をかまえた。サンゴ状の目がぴんと張りつめた。人びとがわたしたちめがけて走ってきた。ヴァルディクが叫んだ――「いまいましいヘビめ！」テシュ・エシャー（サール）は彼を見つめて、サンゴ状の目を角のように大きくひろげた。武器の発砲音がして、ヴァルディクが倒れ、手にした棍棒が床を焼き焦がした。治安官たちが彼をつかまえた。そして殴り倒した。

「彼はホストを襲ったの？」観客があえぐように言っていた。

ヴァルディクはまだ叫んでいた――「悪魔だ！　や

つはおれたちを破滅させる！　やつに嘘をつかせちゃだめだ！」

　アリエカ人たちはだれも音ひとつ立てなかった。治安官たちにようやく引きずり起こされたヴァルディクは、血まみれでぼろぼろになり、ほぼ意識を失っていた。治安官たちに引きずられ、彼は両足で床をこすりながら外へ連れ出されていった。襲撃から数十秒がすぎていた。会場全体で、わたしだけがカル／ヴィンとその沈黙した同僚たちを見つめていたと思う。叩きのめされた暗殺未遂犯が連れ出されるのを見ていなかったのは、わたしも含めてほんの少数だった。

　サイルの姿が見えた。彼は大使やスタッフたちのなかに混じっていた。そこだった。見るべきところはそこだった。彼らが目をむけていたのはヴァルディクではなく、テシュ・エシャー（サール）と、そのむこうにいるペアツリーとアリエカ人のグループだった。わたしは、会場内でそのときなにが起きていたかを見たごく少数の人びとのひとりだった。

　ペアツリーが動いた。そのうしろからハッサーが踏み出してきた。彼は足早に足を運んだ。テシュ・エシャー（サール）さえ、まだヴァルディクを見つめていた。治安官たちはだれひとりハッサーが近づいてくるのを見ていなかった。さもなければ阻止していただろう。彼らは大忙しで、史上最古の陽動作戦にひっかかってしまった。わたしは行動に移った。

テシュ・エシャー（サール）のサンゴ状の目がなにかをとらえ、全体がぐるりとうしろをむいた。スパニッシュダンサーが、なにか呼びかけて、ギフトウイングを異質な苦しみにふるわせた。ハッサーがバイオリグのなにかの狙いをつけた。セラミックの甲皮、ピストルの握りは彼の手を握り返していた。ハッサーが発砲した。だれも止める者はいなかった。

　発砲と同時に、銃動物が喉をひらいて吠えた。ハッサーは嘘の舞台の上でテシュ・エシャー（サール）を撃ち抜き、泥色をしたホストの血をまき散らした。血はしぶきとなって飛んだ。ハッサーは発砲をやめなかった。攻撃によりテシュ・エシャー（サール）のギフトウイングが胴体からちぎれた。死にかけた脚がかさかさと動く様子が、ひどく昆虫じみていてぞっとした。そこらじゅうから血が噴きだしていた。

　つぎの瞬間、ハッサー自身が治安官の銃弾によってわたしの視界からふっと消え失せた。ふたたび悲鳴があがったころには、わたしは彼のそばにいた。わたしはふるえていた。清風から離れてしまったかのように息が苦しかった。ハッサーの目はなにも見ていなかった。テシュ・エシャー（サール）の死体から甲皮がカタカタと鳴る音が聞こえてきた。

　スパニッシュダンサーがその翼でなにかの形を描いた。翼の色は赤らんでいた。わたしはそれまでアリエカ人の嘆く姿を見たことはなかった。ペアツリーに目をやると、そいつもわたしを見おろしてきた。わたしは会場内の騒ぎや泣き声を無視して、ペアツリーとカル／ヴィンとサイルを見つめた。息を吐くたびにうめき声がもれた。彼らはハッサーの死体を無表情に見ていた。わたしの姿も目にはいったはずだった。

　こうして、アリエカ人で最高の嘘の名手は殺された。

　それからの数日はだれでも予想がつくとおりの状況だった。混乱、恐怖、興奮。数十万時間もの長きにわたり、エンバシータウンの住民によってホストが傷つけられたことはいちどもなかった。突然、わたしたちは自分たちが忍耐のもとに存在するのだと感じた。スタッフは夜間外出禁止令を押しつけ、治安隊と補佐スタッフに法外な権力をあたえた。アウトにいたころ、わたしはさまざまな形態の独裁体制のもとにある都市やコロニーですごしたことがあったので、いま自分たちが置かれている状況はちょっと変わった戒厳令のようなものだと知っていた。だが、エンバシータウンでは前例のないことだった。

悲しみはあまりにも大きかった。わたしはひとりきりのときだけ泣いた。愚かな秘密の狂信者、ハッサーが気の毒でならなかった。いまでも思うのだが、同じように気の毒だったヴァルディクは、自分が陽動要員だということを知らなかったにちがいない。彼はサイルへの忠誠心が強すぎたために、あの夜のあと、自分の計画にはほかに協力者はいなかったと主張して処刑された。テシュ・エシャー（サール）も気の毒だった。アリエカ人の命が失われたことに対してどんな気持ちになるのがふさわしいのかわからなかったので、悲しみに沈むだけでよしとした。

まる一日、わたしは電話のスイッチを切って、だれがたずねてきても応対しなかった。二日目は、電話は切ったままだったが、ノックには応じた。やってきたのは見たこともないオートムで、外観は人間タイプだった。わたしは目をぱちくりさせ、だれがよこしたのだろうと考えながら、そいつの顔を見た。スクリーンは、彼女がかつてみずからを表示させたどんなものよりも無骨だったが、それはアースルだった。

「アヴィス」彼女は言った。「はいっていい？」

「アースル、なぜ自分をそんな……？」わたしは首をふり、彼女がはいれるように身を引いた。

「ふつうのやつにはこういうのがないから」アースルはオートムの両腕をとんでもなく重いロープのようにふった。

「なぜそんなものがいるの？」わたしは言った。すると、ああファロテクトンよ、彼女はわたしをぐいとつかんだ――まるでわたし自身がだれかを失ったかのように。アースルはなにも質問しなかった。わたしは長いあいだじっと彼女を抱きしめ返していた。

わたしはまたもや〈クラヴァット〉へもどった。こわばった顔で、浮浪屋(はぐれ)の足運びで。直喩はだれも来ていなかったし、おそらく二度とだれももどらなかったのだと思う。わたしはうわべをつくろうのをやめた。だが、オーナーの男——あえて名前を聞こうとしたことはなく、いまはもう思いだせない、わたしたちが命名した土地のスラングによるあだ名だけで呼ばれていた——が、わたしがなにかの助けにでもなるかのように、興奮してせかせかと近づいてきた。彼はわたしに、アリエカ人はいまもやってくると言った——スパニッシュダンサー、わたしたちのあいだではバプテストと呼ばれていたやつ、そのほかの〝教授たち〟。彼らは直喩たちがよくすわっていた場所をじっと見つめているとのことだった。

「サール・テシュ＝エシャーはしょっちゅうここへ来ていたから」わたしは言った。「彼らは友人がよくいた場所をおとずれているのかも」

オーナーは、ホストたちがテシュ・エシャー(サール)の死に対して報復するのではないかと怖がっていた。ほとんどの人びとがそうだった。わたしはちがった。わたしは、ペアツリーがハッサーのためにわきへよけて、舞台へ出ていく彼になにか言ったのを見ていた。カル／ヴィンやそのほかの連中がそれを待ちかまえていたのを見ていた。テシュ・エシャー(サール)は殺されたが、それはまた、仲間たちによる、おおっぴらな処刑でもあった。異端者として、テシュ・エシャー(サール)は、人間によって死刑判決をくだされたのだ。

エンバシータウンは知らなかったし、知ることもないはずだった。あの状況は、ほとんどの人びとには血みどろの殺しに見えるよう準備され、そのとおり実行された——そして、慎重な司法上の行為という側面は隠蔽された。

アリエカ人の伝統主義者たちは、テシュ・エシャー(サール)を容認することはできない、その実験を許すわけにはいかないと判断した。嘘は演技だし、直喩はレトリックだ――しかし、それらが一体となって、まったく別の比喩となるための第一歩が踏み出されると、それは扇動になる。わたしは異星人の動機がわかると思ったことはないし、ホストの考えは自分の理解を超えていると実感して育ってきた。アリエカ人の権力者たちにその容赦ない決断をくださせたものは、大使館のドアの奥で進められている計算に匹敵したのかもしれないし、しなかったのかもしれない。こうした改革に対するアリエカ人の抵抗は、倫理的、あるいは美的、あるいは偶発的なものだったのかもしれない。宗教的なもの、あるいはゲームだったのかもしれない。あるいはひとつの手段、なんらかのクールな、シニカルな計算、派閥間の権力闘争だったのかもしれない。

そういえば、テシュ・エシャー(サール)に関するサイルの考えの一部は筋がとおっていると話してくれたとき、カルまたはヴィンは不安をあらわにしていた。大使たちは、アリエカ人の裁定者たちと同様、そこに迫りくる危機を見てとっていたのだ。カル／ヴィンがわたしの夫みたいに悪いことが起こると考えていたとは思わなかったが、深い傾倒と意見の相違があれば、そこには変化の可能性があり、それで充分だったのかもしれない。阻止しなければならない大惨事が迫っていて、アリエカ人とテラ人がいっしょになってそれを阻止した。ひとつの問題を解決したのだ。

だれに話せただろう？　わたしがなにかを証明できたとして、それでどうなる？　そこにわずかでも犯罪行為があったと、だれもが考えてくれるわけではない。わたしが自分で告発したらどうなる？　どれだけの大使が真相を知っているのか、たとえ知っていてもそれを悪事とみなすかどうか、彼らが不平を言ったわたしになにをするか、わたしにはなにひとつわからなかった。なにがあったのか突き止めようとしているのがわたしひとりということはありえない。手がかりは充分にあった。だが、スタッフは恐怖と衝撃をおぼえたと主張し、エンバシータウンの住民に対して、すでにホストたちには謝罪をしたし、ハッサーとヴァルディクには法の裁きを受けさせたと強調した。そしてドラマンを頭とするカルト集団の残党に対して厳しい警察力を行使した。

サイルはついに大使館へはいり、スタッフの一員となった。ある日、彼の持ち物がそっくりわたしの家から消えた。サイルの欠点のなかに臆病は含まれていなかった。彼はわたしを避けていたのだと思う。わたしには怒りをむけたくなかったのかもしれない。

わたしは断罪行為を目の当たりにしたショックから立ち直れなかった。しかし、数カ月がすぎて——しかもこの一カ月は長い——無風帯から抜け出してみると、ヴァルディクとハッサーが亡くなったのは遠い昔になっていた。あいかわらずカル／ヴィンやサイルとは口をきいていなかったが、あの事件にどのスタッフと大使が関与したかはわからないとはいえ、全員を永遠に拒絶し続けるわけにもいかなかった。エンバシータウンでそんなふうに生きていくことはできない。それは妥協ではなく生きのびるためだと思えた。

カル／ヴィンとわたしさえ、いつのまにか、同じ部屋にいられるくらいにはなっていた。わたしはやっと認められるようになった——いつかは、短く冷静なことばをかわすことさえできるかもしれないと。

わたしはサイルの内にひそむ要素を、最初からそこにあったわずかな濁りを思いだした。それこそ、わたしがずっと興味をそそられていたものであり、いまやサイルのすべてをかたちづくるように見えるものだった。事件に関与したほかのスタッフがテシュ・エシャー（サール）にどんな不安をいだいていたのかは知らないが、それは政治的なものだと思われた。ただし、サイルについてだけはよくわからなかった——彼はいまやスタッフの一員となったし、その傘下に加わってからはもうずいぶんたつというのに。彼はだまされやすい直喩の狂信者たちをみごとにあやつったというのに。サイルは忠実な官僚として行動していたが、わたしは彼がほんとうに予言者ではないのかと思いめぐらした。

おぞましいできごとが続いた最初の危機から数多くの月がすぎて、エンバシータウンがちがう種類の時期へとギアを入れ替え、つぎの船の到着が迫って、わたしが〝過去〟と呼んだ時期が終わるころ、ホストたちはサイルを直喩にしたようだった。わたしはそのことをアースルから教わった。

アースルは、そのためにサイルがなにをしなければならなかったのかまでは突き止められなかった。彼はゲンゴの一部だったが、だれにも気づかれないように、盗み聞きのようにしてあれこれ試したのに、わたしは彼が使われるのを聞くことができなかった。それとは対照的に、あの事件によって変化した直喩のハッサーとヴァルディクには励まされた。〝開かれてまた閉じられていまは死んだ少年のような〟と〝毎週魚たちといっしょに泳ぎいまは死んだ男のような〟——アリエカ人たちは、これらの新しい論述に新しい使い道を見つけたのだった。

アースルはけっこうまえからわたしの良き友人だったが、わたしが知っていることをなにもかも話すような危険はおかせなかった。いまは待機だ、とわたしは自分に言い聞かせた。わたしはイマーサー。救援が来たら、アウトへ出かけて、ここを離れるのだ。そんなときにマイアブが到着して、つぎにどんなものがやってくるかの詳細と、ありえない大使についての知らせを伝えた。

とどまってなにが起こるか見届けるか？　これから語るのはすべて〝後日〟のできごとで、残っている物語はそれだけだ。わたしはエンバシータウンに変革がおとずれることを熱望しているのか？

のちには、あきらかになった危機の規模により、こうした回想は罪深い思い出となったが、はじめて物事が計画どおりには進まないと気づいたとき、はじめて到着舞踏会でエズ／ラーと出会って、彼らがエンバシータウンに予想外の混乱をもたらすと感じたとき、わたしはうれしかった。

第四部

中 毒 者

9

人びとはある種のユートピア的な疑念をかかえて通りをさまよい、すべてが変わったことは自覚していても、いま住んでいるのがどんな場所なのかはよくわからずにいた。おとなたちは話をし、こどもたちはゲームをして遊んでいた。「慎重になろうと気をつけているんだ」ひとりの男が言うのを聞いて、わたしはそいつの顔のまえで笑いだしそうになった。気をつけている？　わたしは言ってやりたかった。どんなふうに気をつけてるの？　なにをするつもり？　どうやって慎重になるの？

わたしたちはずっと孤立地区で暮らしてきた——わたしたちではない、もっとずっと強くて奇妙な存在が支配する都市のなかで。わたしたちは神々のなかで暮らしながら——ちっぽけな神ではあるが、どれだけのものを意のままにできるかを比べてみれば、わたしたちにとっては神だ——その事実を無視してきた。こうして彼らに変化がおとずれても、わたしたちにはそれを理解するすべはなく、できるのは待つことだけ。エンバシータウンの住民たちの愚かな討論は、小鳥たちの鳴き声のように意味のないものだった。

ニュースキャスターが、3D2Dを問わず、スクリーンからわたしにむかって語りかけていた——「状況は常に厳重に監視されています」わたしたちは、なにかがはじまるまえに、いまを理解するための言語を見つけようとしていた。わたしは小さなケディス人の居住区を歩いた。支配的な地位にある三人組たちは殺人事件のことを聞いていて、テラ人の心理をよく知っているがゆえにその恐怖心にも影響を受けてしまうため、同じようにひどく気をもんでいた。

アースルを説得して、動揺と混乱に包まれたエンバシータウンの中心部である、丘の上の地区へいっしょに来てもらうことはできなかった。そこに集まった人びとは、なんの参考にもならない噂を追いかけ、無力な傍観者として、以前と同じように漠然と動いているがいまはその漠然のぐあいがちがっている都市を見つめていた。ちがいはだれにでも見てとれた。わたしはアースルのアパートへむかった。彼女は沈んでいたが、それはみんな同じだった。

アースルは、多くの人びとが摂っているスパイスをひとつ入れたコーヒーを出してくれた。彼女はキャタピラで前後へ体を動かしていた。メカニズムはなめらかだったが、そうやってくりかえしていると、彼女の機械部分がたてる小さな雑音がいやでも聞こえるようになって、耳障りになってきた。

「なにかわかった？」わたしは言った。

「いまなにが起きているかということ？　わからない。なんにも」

「じゃあ、あっちのほうでは……？」

「わからないと言ったでしょ」アースルは顔を明滅させた。「ネット上のいたるところでありとあらゆるたわごとが流れてるけど、もしもいまなにが起きているかを理解しているとか、これからなにが起きるかを知っている人がいるとしたら、あたしが盗み聞きできるようなところでは話をしていないはず」

「エズ／ラーは？」

「あいつらがなにか？　あたしがあなたに重要なことを伝えずに放置していたとでも？　かんべんして」わたしはアースルの口調にとまどった。「エズ／ラーの居所についてはあなた以上になにも知らないわ。あたしだって、あのパーティ以来いちども会ってないんだから」わたしはもっと最近にラーと会ったことを彼女に話していなかった。「まあ、噂は山ほどあるけどね——アウトにいるとか、支配者になろうとしているとか、侵略の準備をしているとか、死んだとか。まともに取り合うような話はないわ。あなたの大使館とのルートでなにもひっかかってこないのなら、あたしのちんけな探索ウェアになにができる？」わたしたちは見つめ合った。

「わかった」わたしはゆっくりと言った。「いっしょに来て……」

「あたしはどこへも行かないわよ、アヴィス」アースルの口ぶりは反論を許さなかった。このときばかりは、わたしもそれほどがっかりはしなかった。

わたしは硬貨の壁へ出かけた。こどものときに行ったきりの場所へもどるのはむずかしい——特に、それがドアのときは。ノックするときには心臓の鼓動のほうが大きくなる。それでもわたしはノックし、ブレンが返事をした。

わたしはうつむき、ドアがあいたときにちょっと間をとった。それから顔をあげた。ブレンはずっと年老いて見えたが、それは髪が白くなっていたせいだった。だが、それだけだった——老衰とはほど遠かった。彼はわたしに気づいた。わたしは目を合わせるまえにそのことがわかった。

「アヴィス」彼は言った。「ベナー。チョウ」

「ブレン」わたしたちは顔を見合わせた。やがてブレンが、ため息とも笑い声ともつかない音をたて、わたしが悲しげな笑みを浮かべると、わきへ寄って部屋へはいるよううながした。隅々までよくおぼえていたその部屋は、すこしも変わっていなかった。

ブレンが飲み物を持ってきてくれたので、わたしははじめてそこへ来たときに飲ませてもらったコーディアルのことでジョークを言った。ブレンは、わたしたちが硬貨をまわすときに唱えていた台詞をおぼえていて、それをまちがえながらも暗唱してみせた。彼がいろいろと言ったことを要約すると——あんたはアウトへ出かけたのか、あんたはイマーサーなのか！　そのあとにお祝いのことばが続いた。わたしは彼に感謝したい気分だった。わたしたちはむかいあってすわっていた。ブレンはあいかわらず痩せていて、わたしの記憶にあるのと同じようなしゃれた服を着ていた。

「さて」ブレンが言った。「あんたがここへ来たのは世界が終わりかけているからだね」彼の背後にある音の消されたスクリーンに、エンバシータウンの混乱ぶりが流れていた。

「そうなの？」わたしは言った。

「まあ、わしはそう考えている。あんたは？」

「どう考えればいいかわからなくて。それでここへ来たの」

「わしは世界の終わりだと思う」ブレンは椅子に背をもたせかけた。くつろいでいるようだった。彼は飲み物を口にしてわたしを見た。「嘘じゃない。あんたの知っている世界はすべて終わった。わかっているんだろう？　うん、わかっているようだな」わたしはブレンの愛情を感じた。「ほんとうに強い娘さんだな。わしは声をあげて笑いたかったよ。あんたがあの気の毒な友人の世話をしていたときでさえ。ホストの空気を吸ってしまった彼だ」

「ヨーンね」

「それはさておき」ブレンはにっこりした。「これが世界の終わりだとして、あんたはなぜここへ？　わしが助けになると思ったのか？」

「いろいろ教えてもらえると思って」

「いやいや、あの城にいる連中はわしがものを知るのを好まない。最近はできるだけわしを関与させないようにしている。裏の事情をまったく知らないというわけではない——老人にゴシップを流してくれる者はいる——が、あんたは少なくともわしと同じだけのことを知っているはずだ」

「オレイティーってだれ？」わたしは言った。ブレンがさっと目をあげた。

「オレイティー？　ああ。ふむ。なるほど」彼はシャツをなでつけた。「考えてはいたんだ。そういうことかもしれないと。だが……」首を横にふる。「まさかと思った。とても信じられないだろう？」

「オレイティーは人ではない」ブレンは続けた。「あるものの呼び名だ。麻薬中毒者のことだ」

「起こりうることはすべて、過去のどこかですでに起きている」ブレンはそう言うと、わたしにむかって身を乗り出した。「大使になりそこねた者はどこにいると思うかね、アヴィス？」あまりにもショッキングな質問だったので、わたしは思わず息をのんだ。

「わしがここで率直に説明したら、あんたは大使館で育てられている一卵性双生児がひとり残らず大使のつとめにふさわしいとは思わないだろう。もちろんそんなことはないのだ。一部の分身たちはおたがいに――充分に似ていないせいで、癖や考えまでそっくりになることができないのだ、どれだけ訓練しようとも。なにをしようとも。

あんただって、そのことをよく考えてみれば、教えてもらわなくてもわかっていたはずだ。これは厳密には秘密ではない。ただ考えがおよばないだけだ。あんたは分身たちが引退したり、死んだりすることは知っている」ブレンは両手をわずかにあげて、自分自身をしめした。「あんたは大使館の養育室にはいったことがないだろう？　そもそもあそこから永遠に出られない者もいるのだ。あるひとつの仕事をするために育てられたのに、それができなかったら、外へ出してどんなメリットがある？　もめごとの種になるだけだ」

小さな部屋のなかで朽ちはてていく双子たち。ぐったりして、ひとりひとり分かれた、不良品の双子たち。ひとりは完全で、もうひとりはまるで溶けた鏡像のよう。あるいは、どちらも不良品なのか。あるいは、どちらも肉体的には問題ないが、精神面が骨の髄まで腐っているのか。あるいは、単に生まれついての役目を果たせないのか。

「では、外へ出たあとになってから」ブレンは話を続けた。「自分の仕事や分身がまったく好きになれないとか、そういうことになったら？　さて、さて」彼はおだやかな声で、わたしになにかを伝えようとしていた。「彼が死んだとき、わしの……あれは事故だった。わしらは年老いてなどいなかった。みんなわしらのことを知っていた……わしのことを。わしは消え去るにはあまりにも若すぎた。むろん、彼らはわしを養護施設へ誘った。だが強制はできなかった。隣人たちがわしを気に入らなかったらどうだというのだ？　彼らがわしを障害者とみなしたからどうだというのだ？　分裂者がその傷を見せるのを好む者はいない。わしらは切り株だ」ブレンはにっこり笑った。「それがわしらなのだ。

ゲンゴをどうしても話せない見習いたちもいる。理由はわからない。いくら練習しても、調子を合わせてしゃべることができないのだ。これは単純だ――彼らは外へ出せない。だが、もっとむずかしい事例もある。見た目はほかのペアと変わりがない。ていどの差はあれ、以前からあったことだ。わしが訓練を受けていたときに、仲間がいた。ウィル／スンだ。彼らのゲンゴの背後にどんな連結した精神があったにせよ、ホストたちに理解させるには、すこしだけずれていたようだった。ほんのすこしだけ。わしにはなにもわからなかったが、ホストたちが聞くと……なあ。

あれは試験を受けていたときのことだ。ほかの大使たちやスタッフが試験官で、最後の実技ではホストと話をしなければならなかった。そいつはじっと待っていた。そいつがなにをしているつもりだったのか、どうやって協力を頼んだのかはわからない。こんにちは

――と、順番が来たウィル／スンが言った。

すぐに、なにかがおかしいとわかった。アリエカ人たちの動きのせいだ。わしらにむかってしゃべるとき、彼らはわしらの心を味わうのだが、わしらはエイリアンだ。だから頭がくらくらするような体験になる。しかし、大使のそれぞれの片割れが……きちんとかみ合っていなかったら？　ふたつのばらばらな声ではない――ゲンゴをしゃべって相手に理解させられるくらい近い声。それなのにまちがっていたら？　壊れていたら？」わたしは返事をしなかった。

「あんたも知っているだろう。ホストたちにとってゲンゴがどういうものなのか。彼らがことばをとおしてなにを聞いているのか。だから、彼らは自分が理解できることばを聞けば、それがことばだとわかるが、もしもそれが壊れていたら？　大使たちは共感的結合で話をする。それがわしらの仕事だ。もしもその結合が〝あるけれどない〟としたら？」ブレンは口をつぐんだ。「本来はありえないことだ。それが構造のなかにある。実は、これには中毒性があってね。ホストたちはそれに耽溺する。幻覚みたいなものなんだ、〝あるけれどない〟というのは。矛盾があることで彼らはハイになる。

全員ではないのかもしれない。ウィル／スンが話をしたすべてのホストたちが異常に気づいたわけではなく、ごく一部が……」彼は肩をすくめた。「酔っぱらった。彼らのことばで言えば。ウィル／スンがなにを言ったかは問題ではなかった。〝いい日ですね〟〝紅茶をまわしてください〟なんでもいい。ホストたちがそれを聞くと、一部の者は心奪われ、そのまた一部は何度も何度も聞きたくなる。

大使たちは演説家（オレイター）で、彼らの演説（オレイション）が影響をおよぼす相手が演説愛好者（オレイティー）。オレイティーたちは中毒者だ。大使のゲンゴに酔っているのだ」

外では人びとが通りを駆け抜けて、おびえたバカ騒ぎをくりひろげていた。花火の音がしていた。ブレンがわたしのグラスをふたたび飲み物で満たした。

「彼らはどうなったの？」わたしはたずねた。

「ウィル／スンかね？　彼らは隔離され、死んだ」ブレンは飲み物をあおった。

「だれもがわたしに敬意をはらっているが、それでわたしをきらう気持ちを消すことはできない」ブレンは続けた。「むりもない。彼らはわたしの傷を見たくないのだ」彼は自分の名前を空中に書いた。フルネームを、五つの文字で——ブレン／~~ダン~~。かつての彼はブレン／ダン、より正確にはブレン|ダンだった。それから分身が亡くなって、彼はブレン／~~ダン~~、またはブレン|~~ダン~~になった。彼は自分の名前を正確に口にすることができなかった。

　ブレン／~~ダン~~は考え込みながら長いことわたしを見つめていた。それから机に近づいた。「見せたいものがある」

　彼はわたしに薄い箱をほうった。なかにはリンクがふたつはいっていた。ブレンと彼の分身である~~ダン~~のものだ。わたしは精巧な回路を、ワイヤーと端子を、ていねいに彫りこまれたイニシャルや銀箔をじっくりと観察した。留め金は切り開かれていた。ブレンの首に目をむけると、リンクが埋め込まれていたところに小さな跡がついていた。

「なにを考えているのかね？」ブレンが言った。「それをとっておいたのは、手近に置いておきたかったからだとでも？　それをしまっておいたのは、忘れようとしているからだと？　アヴィス。わしがダンのを捨てて自分のだけ残していたら、あんたはわしが死んだ分身にこだわっているとか、彼の死を恨んでいるとか思うんだろう。もしも両方とも捨てていたら、わしが現実から目をそむけていると思うんだろう。ダンのを残して自分のを捨てていたら、わしが彼の死を受け入れていないと思うんだろう。わしにはあんたがあれこれ考えるのを止めることはできない。それはあんたの責任じゃない。しかたのないことなんだ、だれにとっても。わしがなにをしようと、それはなにかしら物語を生むことになる」

（このつぎのつぎにふたりでいっしょにいたとき——それ以降はブレンがわたしのところへ来るようになったのだ——彼はわたしにこう言った。「あのリンクを見るとあいつが憎くなる」わたしは返事をしなかった。なにが言えた？　わたしたちは、わたしの部屋にあるソファですわっていた。ブレンのすばらしい部屋の足もとにもおよばない部屋だった。「いつからはじまったのかはおぼえていない」ブレンは言った。「長いあいだ、それはあいつが死んだときだと思っていた。あのかわいそうなバカ野郎が死んだから。いまは、もっとまえにはじまったのかもしれないと思っている。むりもないことだった」声が急に悲しげになった。「あいつもわしを憎んでいたはずだ。どちらの責任でもなかったんだ」）

「大使たちはどうなるか察していたはずだ」ブレンは続けた。「いつだって変わり者なんだよ……結合ができずに……アリエカ人のオレイティーを生み出してしまう危険があるのは。そういう連中が監禁されたんだ。べつの種類の問題児たちは無断離脱（AWOL）したり現地化したりした」

「大使たちが知っていたと思ってるの？　それと、だれがなにになったって？」

「大使たちはエズ／ラーが麻薬になるのを期待していたにちがいない。そうすれば何人かのホストに影響をおよぼして使い物にならなくすることができる。ブレーメンにとっては痛手だ。エズ／ラーがやってくるのを聞いたときから、みんなひどく気にかけていたからな——だれがどんな指示を出しているのか、どんな行動計画が要求されているのか」

「そうね。でも、ブレーメンだって知っていたはずでしょ、こういうことがまえにもあったのなら。なぜエズ／ラーを送りこんできたの……？」

「ブレーメンがオレイティーのことを知っていたはずだと？　なぜわしらがブレーメンにそんなことを話すのかね？　彼らがなにをもくろんでいるのかは知らんが、エズ／ラーにしゃべらせたのは大使館の鋭い切り返しだった、と思う。ただ、彼らもこれは予想していなかった。こんなことまでは。ゲンゴにこういう効果があるのはわかっていても、あそこまでとんでもない、あそこまで麻薬的になって、エズ／ラーにホストたちがひとり残らず影響を受けるなんて。いまや全員がそのことばをひろめている。全員が新任の大使の中毒になったんだ」

世界にあふれる神々は困窮者となり、エズとラーがいっしょに話して、ゲンゴを発酵させ、矛盾とほのめかしといましめを解かれた意味から成る必要不可欠な醸造物へと変えてくれることを切望した。わたしたちは麻薬中毒の都市に包囲されていた。あのとき見た行進は、渇望の行進だった。

「これからどうなるの？」わたしは言った。部屋はひどく静まりかえっていた。都市には数十万のアリエカ人がいる。数百万かもしれない。わからなかった。わたしたちはほとんどなにも知らなかった。ホストたちの頭はゲンゴだけでできていた。エズ／ラーはそれに語りかけて変化をもたらした。いまやすべてのホストたちが、どこにいようと、脳内に渇望を組み込まれて、最近訓練を受けたばかりの役人のおしゃべりを聞くためならなんでもしようとしている。

「親愛なるファロテクトンよ、わたしたちの道を照らしてください」わたしは言った。

「これは」ブレンが言った。「世界の終わりだ」

10

アリエカ人がわたしたちに、これからどうなるかを教えてくれた。わたしはすこし先を行っていたとはいえ、それほどたたないうちに、エンバシータウンのほかの住民たちも、ホストが麻薬中毒だということを理解したが、どうしてそうなったかはわかっていなかったかもしれない。大使館に権力闘争があり、一部の人びとが習慣で、深い根拠もなく、情報を隠蔽しようとしたのではないだろうか。それは成功しなかった。

エンバシータウンの通りはカーニバルと黙示録がごっちゃになったようなありさまだった——終末の気配、ヒステリー、幸福感またはそのうわついた類似物。都市の空気を呼吸できるかもしれないバイオリグをつけて、街はずれをめざして決然と歩く人びとを、治安官たちがつかまえていた。

「どこへもたどり着けやしないんだ！」治安官たちは言った。「そんなものははずせ。もう何人も死んでるんだ……」都市探検家をめざす人びとが境界を突破しているようだった。エンバシータウンの住民はホストたちになにかをもとめていた。無意味だ——アリエカ人は彼らのことを人ではなく、大使たちの所有する肉とみなしているのだから。

はったりをかまして、なんとか大使館へもどることができた。大使たちがあたふたと走りまわる様子を見て、一瞬、彼らを守ってあげたくなった。彼らはわたしになにもきかなかった。ジャス／ミンさえ、わたしをきらっていることを忘れているようだった。驚いたことに、エド／ガーの片割れがわたしにキスした。彼の分身は見当たらなかった。エドかガーの目には、リンクのフィールドが長くのびていることによる不安があった。

「どこに……？」わたしは言った。

「すぐだ、すぐ」分身とこれほど離れていると集中するのがむずかしいはずだ。わたしたちは、彼の分身が廊下の角を曲がってそばへ来るまであまり話をしなかった。

「都市へ出かけていたの？」わたしは言った。（「もちろん」「だれも話をしてくれない」「なにが起きているか知っているの？」（「いや」「いや」）「エンバシータウンはどこ？　ワイアットはどこ？」（知らない」「どうでもいい」）

「エズ／ラーの居所を知らないの？　あのふたりがこんな大騒ぎを引き起こしたのに？　じゃあ、彼らがクソな陰謀をたくらむのを放置しているわけ？」

「陰謀？」エドとガーは声をたてて笑った。「あのふたりはおたがいと話もしていないよ」


アリエカ人の船獣が、彼らの都市を飛び越えてわたしたちのほうへむかってきた。例のどんよりした不安の輪郭は、建物から建物へとひろがり続けていた。飛行船がパッドに着地すると、わたしたちは急いで正式な歓迎のようなものをでっちあげた。〃わたしたち〃は言いすぎかもしれないが、そのときは、わたしはスタッフや大使たちのまわりで集団の一員となっていたし、だれもそのことに腹を立ててはいなかったと思う。

思いつくかぎりの大使が全員顔をそろえていた。アリエカ人は一陣の清風の息吹――わたしたちの風――とともにホールへはいり、金縁のカーテンを体のまわりでケープのようにはためかせた。彼らは改造木の床を、指の爪で叩くような音をたてて歩いた。前回の巡礼のときと比べたらずっと少人数だったが、こちらはより正式なグループだった。ホア／キンとメイ／ベルがまえに進み出て、ほかの人びとがしずしずとそのあとに続いた。両陣営が見つめ合った。サンゴ状の目がいっせいにのびた。

アリエカ人のことばはとても早口だったので、ついていけたのはほんとうに聞き取りに堪能な一部の者だけだった。わたしは人びとの反応を見ようとして顔をめぐらし、夫の姿を見つけて愕然とした。彼は戸口に立っていて、そのとなりには新任の大使がいた。

わたしが最初だったが、部屋にいたほかの人たちも、ひとりまたひとりとそれに気づいて、はっと息をのんだ。長身のラーはひどく疲れた様子で、立っている姿には期待と憤りが入り混じっているように見えた。その背後で、エズが床を見おろしていた。チャボみたいな威勢のよさは消えていた。彼は強化ボットをすべて切っていた。

サイルがこちらを見た。彼はわたしと目を合わせてから、もういちど部屋を見まわした。そこに立っていると、エズ／ラーを支えているようでもあり、守っているようでもあり、威嚇しているようでもあった。

訪問者のなかには見知った者もいた。ひとりのファンウィングに、木のなかに小鳥がいる模様がちらりと見えた。ペアツリーだ。わたしはそいつをじっと見つめた。ホストたちがエズ／ラーの名を告げた。

エズ／ラーはなんとか威厳をかき集めて、注目を受け止めた。アリエカ人たちは、だれもかれも話しぶりが混乱していて、口論まで起きていたが、しばらくたつとなんとなく筋がとおってきた。だれかが彼らのことばを通訳しはじめた。

〝これからこのようになる〟

無条件の未来時制、ゲンゴでは珍しい。これは願望ではなかった——ホストたちは、これからこのようになると予見しただけだった。反論は許されなかった——いずれ、なにもかもあきらかになる。彼らはくわしい話はしなかった。実際には、依頼も、要求すらもしなかった。ただ必要なことを伝えた。いろいろなやりかたで、くりかえし、必要としていると言っただけだった。

〝われわれはエズ／ラーがしゃべるのを聞く。これからこのようになる。われわれは彼らがしゃべるのを聞く。まずはじめにわれわれはエズ／ラーがしゃべるのを聞く〟

数名のスタッフがなにやらつぶやきながら計算をしていた——もっとも優秀な者は、こんなときでも戦略を練ることができたのだ。わたしは感心した。彼らは考えていた。なにをするべきか、どんなつながりを残せるか、どうやってほかの人たちを救うか、どうすればわたしたちが生きのびられるか、エンバシータウンにどのような未来をもたらせるか。その姿は、わたしに予想もしなかった希望をあたえてくれた。

ホストたちには単純かつ唯一の優先順位があるようだった。わたしはバカではなかった。彼らのあいだにだって確執や、派閥や、抗争があるはずだということは、その血みどろの結果を目にするまえからわかっていた。つじつまの合わない話だが、そのことを思いだした瞬間、はっきりしていたのは、たったひとつの動かしがたい行動計画だった。〝まずはじめにわれわれはエズ／ラーがしゃべるのを聞く〟

エズがまえに進み出て、それから、しぶしぶと、ラーも進み出た。まったく似ていないふたりの男が、まったくことなった気持ちで顔を見合わせた。彼らはささやいた。いっしょにゲンゴをしゃべり、ホストたちに歓喜をもたらした。

11

この時期はまごうかたなきカオスに見えたが、優秀なスタッフのなみはずれた努力により、暮らしといえるものが出現した。日課さえも。短期間でひとつの都市をそっくり変えてしまえるのには驚くばかりだ。

交易、あらゆる種類のこまごましたやりとり——知識、サービス、物資、約束などなど。わたしたちの文化。わたしたちの生きかた。それらすべてを修復しなければならなかった。

危険な刺激が、道徳からの逸脱が、ちょっとした残酷な行為や集団的耽溺にあらわれて、ある者はそれに身をゆだね、別の者は物事をなんとか進めようと苦闘した。はじめの数週間に、もしも大使館をおとずれたら、警備はいたかもしれないし、いなかったかもしれない。会議室やギャラリーは掃除をしていなかったかもしれないし、パーティの残骸があったかもしれない。わたしは違反行為にはあまり楽しみを見いだせなかった。ぶちまけられた赤ワインは、ただの見せびらかしで吐き出されたわけではなく、放蕩の演出として腐るまで放置されていたわけでもなく、パーティをした連中がアリエカ人の要求について見るか聞くかしていたのが原因だった。これからどうやって生きていくのか、要求にこたえられなかったらなにが起きるのかを想像できなかったからだ。知らなければ、つぎの一週間を生きる気力もわいただろうし、あれほどおびえることもなかったはずだ。

アースルは電話に応答せず、わたしはとても打ちのめされたので、しつこく電話したりたずねていったりはしなかったが、親友ならそうするべきだったかもしれない。エズ／ラーはいろいろパーティに出ているとほかの人たちから聞き、その後自分の目で見た。しばらくすると、千年紀の不摂生に参加するのはエズだけになり、ラーは別のことをしていた。

生まれる関係もあれば壊れる関係もあった。結婚も多かった。わたし自身もせわしない密通をくりかえした。ほんとうに、はじめのころの日々については話すのがつらい。エンバシータウンが中毒状態のホストたちのせいで壊滅するのを阻止したヒーローは事務官たちで、彼らはほかの人びとが乱れずにいられなかったときに組織を構築してくれた。もうすこしたつと、わたしも自分をとりもどし、エンバシータウンにとって重要な存在となるのだが、あのときはそうではなかった。

あのころのエンバシータウンは、かつてないほど狭く感じられた。二日と間を置くことなく、熱烈だったり散漫だったりその両方だったりするなにかの集まりで、何千時間ものあいだ避けてきた人びとと出くわした。以前からの知り合いだった直喩のバーナムは、大使館のゲート付近でなにか案内があるというバカげた噂を聞いて集まった人びとの反対側から、わたしの視線をとらえた。彼はわたしと同じように慎重に目をそらした。ハッサーとヴァルディクの死後、この新しい激変がはじまるずっとまえから、わたしはバーナムやシャニータといった〈クラヴァット〉のちりぢりになった常連たちと出会うたびにそうしていたのだ。

わたしがエンバシータウンをさまよい歩いていたあいだ、役人たちは眠気覚ましの薬をのみながら、人びとを生きのびさせるための計画を立てていた。わたしはいちどならず古い友人と出くわした――ガーダとか、警備員のシモンとか。シモンには警備するものがなかった。彼はおびえていた――バイオリグの義肢は病んでいるように見えた。

地位の低すぎるスタッフはなにをすればいいのかわからず、逆に高すぎるスタッフはすべてを失ったことで廃人状態だった。それは大使たちも同じで、彼らは人びとにむかって、これは大臣たちのミスであり、自分たちなら絶対にこんなことにはならなかった、実際に権力を握っていてみなの期待を裏切ったのはスタッフだったのだと言っていた。そんなおとぎ話には、もはやだれも耳を貸さなかった。

長年にわたって同じ仕事をしてきて、ずっと無視されていた人びとが、エンバシータウンのためにみずからを変え、エンバシータウンを変えた。かつての専門知識を重んじる官僚的封建制度は、容赦ない実力主義の制度へと変わった。ごく一部の大使たちもみずからの力を証明した。わたしには予想もつかなかった顔ぶれだった。事実だがなんとも陳腐な展開だった。

新しいリーダーたちによる最初期の功績のひとつは、ワイアットの反乱を制圧したことだった。このささやかな戦争ではシモンが鍵を握った。あとになってその話をしてくれたとき、彼はすっかり元気をとりもどしていた。「ワイアットの手下どもがいきなり動きだしたのを見たか？　やつらは例の武器庫をあけていたんだ。なにかの理由でブレーメンのクソな非常用規定が発動したんだろう。数日前のあの大混乱はそういうことだったんだ」

わたしは本国の代表たちによる反乱に気づいていなかった。それでなくても混乱はひどかったのだ。

「おれたちは気配を嗅ぎつけて——どうやったかは気にするな——それに対する準備をしていた。だが、リスクは負うしかなかった」シモンは、計画や作戦行動などの概要を手で空中に描きながら言った。「先手を打つこともできたと思うだろう？　だが、やつらの手中にあったブレーメンのテクノロジー——おれたちはそれがものすごく役に立つと踏んでいた。だからじっと待機して、やつらが武器庫をあけたあとで行動に移ったんだ。おれたちは仲間を何人かやつらの内部へ潜入させていた——こっちだってこういう事態にそなえていなかったわけじゃない。ごくわずかな死傷者を出しただけでサイロを奪取して、武器を手に入れることができた。正直なところ、期待したほど役には立たなかったけど。それでもな。たいした抵抗はなかった。問題はワイアットだけだった。おれたちはやつを監禁した。外部と連絡がとれないように。ブレーメンの諜報員たちはまだうろついているはずだから、ワイアットがそいつらにコードとか指示とかを伝えられないようにしておく必要があるんだ」わたしはそのドラマに気づかなかったことをシモンに話さなかった。たとえ知らなくても、話を聞いただけで、わたしの心は奮い立った。

ラー――わたしたちに激変をもたらした大使の内気な片割れ――は、ひとりになって、本人のちょっとしたプロジェクトを進めることを許された。エズは評判の悪い虚脱状態に陥ることを許された。だが、どちらも指示に従っていたし、見張りもついていた。ふたりにはやるべきことがあった。彼らのおかげでわたしたちは生きていられた。

「洗脳された者たちの都市」エド／ガーがわたしに言った。「われわれよりも強く、武装している。手厚くもてなさなければ」

この最初の時期は、ホストたちの考えや計画はまったく伝わってこなかった。彼らのあらゆる異質さを特殊な弁明――これはアリエカ人のやることだから、わたしたちには理解できない――で言いつくろうことに慣れていたわたしは、彼らがなにか非人間的な計略を練っているわけではなく、なにも考えずにただ酔っぱらいたがっているのだとわかって愕然とした。はじめのうち、アリエカ人たちは大使館の外にずっと集まっていた。数時間ごとに、彼らの興奮が高まって要求が激しくなると、エズ／ラーが呼ばれ、入口に姿をあらわして、非の打ち所のないゲンゴでなにか――なんでもいい——しゃべり、それが増幅されて、群衆に恍惚とした安堵感をもたらしていた。

二度目にエズ／ラーが〝きみたちと会えてうれしいし、いっしょに学べることを楽しみにしている〟と発言したとき、オレイティーたちは最初のときほど激しいよろこびを見せなかった。三度目になるとあきらかに不満げだったので、エズ／ラーはやむなく建物の色か時刻か天気についてなにか新しい無意味なことを言った。そのあと、彼らはふたたび恍惚となった。「とんでもないなあ」わたしはだれかに言った。「ホストたちが耐性を獲得している。エズ／ラーには常に独創性がもとめられるね」

ニュース番組は、数キロ時間にわたってこまごました事件ばかり扱ってきたあとで、自分たち自身の破滅についてレポートする必要に迫られていた。あるチャンネルは、清風をまとったチームが蜂カメラとともに都市へはいっていく様子を流した。彼らは招待されたわけでもなく立ち入りを禁じられたわけでもなかった。それは驚くべきレポートだった。

わたしたちはアリエカの通りを見なれていなかったが、崩壊のあいだに新しい自由が生まれていた。レポーターたちはそろそろと都市へはいり、ガスを満たしたホストの部屋をつないでいる編んだロープや、あわてて身を引いたり魔女の小屋みたいに細長い外肢で立ちあがったりする建物のそばを通過した。アリエカ人が画面上を横切った。彼らはレポーターを見て、ときには足どりのおぼつかない馬のように駆け寄ってきた。そして二重声で質問をしてきたが、返事をする大使はいなかった。レポーターたちはゲンゴを知っていたので、視聴者のために通訳した。

「エズ／ラーはどこにいる？」ホストたちはそう言っていた。

都市にはいっているのはレポーターたちだけではなかった。蜂カメラは大使館のスーツを着た男女が神経過敏な家のなかで動きまわっているのをちらりととらえた。彼らはケーブルとスピーカーを設置していた――テラ産テクノロジーはその風景のなかでは目障りだった。拡声器と通信ボックスから成るネットワークを延長していたのだ。わたしたちの命や、電力の保守管理や、水や、インフラや、バイオリグと引き換えに、エズ／ラーの声を都市の奥まで届ける準備をしていたのだろう。

「われわれにはエズ／ラーが必要だ」エド／ガーが言った。「彼らが発言しなければならない。そういう取引だった」

「彼らと取引したの？ それともホストと？」わたしはたずねた。

「そうだ。しかし、エズ／ラーにはもっと働いてもらわなければ。それはすなわちエズが必要だということだ」

エズは酒浸りになっていた。彼は何度か、アリエカ人にむかってゲンゴをしゃべる予定があったときに姿を消し、残されたラーはなにも言えずに待つしかなかった。わたしはエズが自殺したところで気にはならなかったが、その場合にわたしたちまで道連れになるのはうれしくなかった。

「あのふたりはある意味ではふつうの大使と同じなんでしょ？」わたしは言った。「録音したらどう？ エズ／ラーのスピーチを集めておいて、あいつには好きなようにさせるの。勝手に酒で死ねばいい」彼らもそれは考えていたが、エズは応じなかった。ラーに懇願されたり、スタッフや警備員たちに脅されたりしても、彼は大使の相棒とともに、毎回一時間かそこらずつ話をするだけだった。半端な断片はなんとかデータ化できたのだが、エズはふたりのゲンゴをそっくり録音されないよう気をくばっていた。

「エズは自分がいらない存在になるとわかっているんだ」エド／ガーは言った。「このやりかたなら、われわれはずっと彼を必要とすることになる」おちぶれて恐怖にさいなまれていても、エズは冷静に戦略を考えていた。わたしは感心した。

蜂カメラにより、わたしはエズ／ラーの声が中毒になった都市に流れるのをはじめて見た。

建物たちは何日も不機嫌だった。後脚で立ちあがって蒸気を吐き、体内で飼っているバイオリグの寄生生物――それはアリエカの調度品だった――をひりだした。大使館から、都市のはじまるあたりの、身体の部品が山積みになったような有機的な風景をながめると、構造そのものが動いているのがはっきりと見えた。違和感が蔓延していた。

都市が痙攣した。感染がひろがっていた。ホストたちはエズ／ラーのありえない声を聞き、各自のゼルからエネルギーを得て排泄物を出し、そのやりとりで渇望の化学作用が受け渡され、小さな動物が建物に接続して明かりや日常生活のためにエネルギーを供給するときに、ふたたび受け渡された。中毒は家のなかにはいりこみ、心をもたない哀れな家たちは、果てしない禁断症状に身をふるわせた。住民たちは、エズ／ラーのことばを聞けるように無骨な耳をくっつけて、壁の症状を抑えてやった。

エズ／ラーはしゃべった。ゲンゴでどんなことでもしゃべった。ふたりの増幅された声は路地の隅々まで伝わっていった。都市のあらゆる場所で、アリエカ人がよろめいて立ち止まった。建物もいっしょによろめいた。

わたしは気分が悪かった。唇がゆがんだ。エンバシータウンの外にあるものすべてが安堵に身をふるわせた。声は配管やワイヤーやロープを抜けて、送電網の隅々まで伝わり、突然の不正な至福に足踏みをする発電所までたどり着いた。数時間でまた禁断症状がはじまった。エンバシータウンのはずれまで行くと、路面にそれを感じることができた――家々が動いている震動だ。わたしたちは窓をとおしてそのバイオリズムを追跡し、ことばの麻薬がどれほど切実に必要とされているかを推し量ることができた。

かつては、数カ月ごとの収穫期や離乳期に、こちらから清風をまとった大使や交易係を送りこむと、バイオリグの群れを世話するアリエカ人たちが、さまざまなウェア――半分は設計、半分は成り行きで生まれたマシン――について、それぞれの機能や使い方を説明してくれた。いまでは、アリエカ人は都市の外にある土地には見むきもしなかった。バイオリグはあいかわらず届けられていたし、各地の食料グラウンドまで数キロメートルにわたってのびている巨大な喉の痙攣を見れば、栄養物も同じように届けられているのがわかった。さらには、逆蠕動により、中毒が受け渡されていることも。

「この世界は死にかけてる」わたしは言った。「なぜホストたちはこんなふうに放置していられるの?」

みずからを治療しようという試みも、懸命なあがきも、いっさい見られなかった。アリエカ人のヒーローが登場することもなかった。エズ/ラーの声が届いてからの数時間、アリエカ人たちの頭が人間なみにすっきりしているときなら、大使たちも彼らと話をすることができたが、じきに禁断症状が復活するので、ごく短時間の予定しか立てられなかった。

「あなたは彼らがどうするべきだと思いますか?」マグ/ダーは、変化を受け入れようとしている少数の大使たちのひとりだった。わたしはその仲間に加わっていた。新しいチームの一員になろうとしていた。マグ/ダーやシモン、科学者のサウセルなどは知っていた。けれども、大半ははじめて会う人びとだった。「平衡などありえません」「これは偶然です。宇宙の大失敗です」マグ/ダーは均一化処置を受けていなかった。

ひとりだけ目の下の静脈が何本か切れていたし、もうひとりの口もとには新しいしわがあった。「これはふたつの進化のはざまのちょっとした異常にすぎません」「彼らがどうやって適応するというのです？」「こんなものに意味はありません」「彼らは変化を試みるまえにみずからの死を聞くことになります」

ホストたちは昔からずっと理解不能だった。その意味では、なにも変わってはいなかった。

大使館の上のほうのフロアは道徳的廃墟と化していた。そのすこし下では、マグとダーがおとずれたアリエカ人たちをうまく言いくるめて、なんとか意識を集中させ、物資や専門知識についてこちらの要求を理解させていた。その見返りに、マグ／ダーはどんな提案をしたのか？

〃あれに色のことを語らせてくれ〃ひとりのホストが言うのが聞こえたような気がした。

〃わかりました〃マグ／ダーがこたえた。〃そちらが明日までに工具動物を届けてくれたら、わたしたちはあれに壁のすべての色について語らせましょう〃

「わたしたちは彼らのために色の描写を続けます」マグがわたしに言った。

「気に入ってもらえるはずです」ダーが言った。「でもいずれは……」「……その心地よい刺激も薄れることになるでしょう」

このやりとりを聞いたあと、わたしはエズ／ラーのささやかなスピーチが都市にとってどういうものであるかを新たに理解した。だれかがおおまかに翻訳していた。あるものは論理への同意だった。別のはランダムな文章だったり、好みや状態についての発言だったりした。〃わたしは疲れた〃、まるでこどもの文法のような主語‐動詞‐目的語。わたしがそれまで気まぐれな主題だと思っていたものは、アリエカ人の個々の聞き手への贈り物だったのかもしれない――あれやこれやの厚意に対する見返りとして。経済と政治。

大使館の通路で、ありえない非分身のラーが、マグ／ダーとわたしに合流した。マグとダーが彼にキスした。ラーがいるということは、なにかの仲裁を切望する人びとがわたしたちにアプローチしてきているということだ。ラーはそういう人びとにせいいっぱい親切に対応していた。わたしはエンバシータウンで生まれたあまりにも大勢の救世主を見ていた。「いつまで耐えなければいけないのですか？」取り乱したひとりの女が彼にたずねた。

「救援が来るまで」ラーはこたえた。何十万時間ものあいだ、ホストたちがエズ／ラーの発する音を渇望し続けるかぎり、そのすきまでかつかつの暮らしを続けるということだ。

「そのあとは？」女は言った。「そのあとは？　あたしたちはここを離れるんですか？」

だれも返事をしなかった。わたしはマグ／ダーの顔を見た。アウトで彼らにどんな人生が待っているのだろうかと考えた。

大災害に襲われた世界に救援が到着したことは以前にもあった。事前に警告が届くことはない。速さでイマー船をしのぐものはないからだ。ドアがひらくそのときまで、乗組員はそこになにがあるかを知ることはできない。貿易船がイマーから出現してみたら、それまで立派にやっていたコロニーが遺体安置場に変わっていたという有名な事例はいくつもあった。あるいは疫病、あるいは集団狂気。アリエカへやってくる船長が、果敢にもファロのできるだけ近くで軌道上に出現するときは、いったいどんなことになるのだろう。わたしたちの運が良ければ、その船は必死に避難をもとめる住民を見つけることになる。

マグ／ダーがアウトに？　カル／ヴィンが？　あるいはマグとダーとカルとヴィンだとしても？　いったいなにをするのだ？　しかも、彼らは大使たちのなかではもっとも冷静なほうだった。そのころには、ほかの大使たちのほとんどが、ていどの差はあれ、ぼろぼろになっていた。

「彼らは都市へ出かけることになります」ふたりきりのときにマグ／ダーが言った。彼女が話しているのは大使たちのことだった。「いくらか自分を取りもどせる人たちは」「都市へ出かけて、ホストたちを見つけます」「いっしょに働いたことのある相手を」「それがだめなら、ただ……建物のあいだに立ちます」「そして話しはじめるのです」ふたりは首をふった。「二人か三人か四人の大使で組になって、とにかく……」「……とにかく……なんとかして……」「……アリエカ人に話を聞いてもらうのです」ふたりはわたしを見つめた。「いちど、わたしたち自身でやったことがあります。もっと初期の段階で」

だが、アリエカ人たちは耳を貸さなかった。ちゃんと理解し、返事をすることもあった。それでも、もとどおりエズ／ラーのことばを待ち続けるのが常だった。

蜂カメラがそこらじゅうにいたので、大使たちの挫折を隠すことはできなかった。映像で見たホア／キンは、大声で呼びかけ、ゲンゴをしゃべっていたが、絶望のあまりおたがいのリズムが乱れてしまい、どれだけ必死にアリエカ人たちに話しかけても、そのことばを理解させることができなかった。

「マー／シャーの話を聞きましたか？」マグ／ダーが言った。ふたりの声からは、ショッキングなことを言おうとしている気配は聞きとれなかったと思う。「あのふたりは自殺しました」

わたしは作業の手を止めた。テーブルに寄りかかり、ゆっくりとマグ／ダーに目をむけた。ことばが出てこなかった。わたしは口に手を当てた。マグ／ダーはわたしを見つめていた。「まだ続くでしょうね」ふたりが静かに言った。わたしは思った——船がやってくれば、ここを離れられる。

「ワイアットはどこ？」わたしはラーにたずねた。

「拘置室だよ。エズのところから通路をすこし行った先の」

「いまも？　なにか……事情聴取でもしてるの？」ラーは肩をすくめた。「サイルはどこ？」この破滅の時がはじまってからというもの、夫については、姿も見ていなかったし、連絡もなかったし、消息を聞くこともなかった。

「知らないな」ラーは言った。「きみも承知のとおり、わたしはサイルとまともに知り合ってないんだ。いつもスタッフがまわりに大勢いたからね……以前、話をしたときには。姿を見てそうとわかるかどうかさえあやしいものだ。居所どころか、何者なのかすらわかっていない」

下のフロアへおりていく途中、書類だらけの部屋でなにか役に立つものはないかと探している人たちを見かけた。あちこちでゴミさらいが続いていた。さらに何階かくだると、だれかに名前を呼ばれた。わたしは足を止めた。カル、あるいはヴィンが、階段室の入口に立っていた。彼は行く手をふさいでわたしを見つめた。

「きみがこのあたりにいたと聞いてね」彼はひとりだった。わたしは眉をひそめた。やはりひとりだ。彼はわたしの手をとった。最後に話してから数ヵ月たっていた。わたしは彼のまわりを目で探し続け、眉をひそめ続けた。「彼がどこにいるかは知らない。近くにいるのはたしかだ。じきにここへ来る。きみがこのあたりにいたと聞いてね」これはわたしがベッドで起こそうとしたほうだ。その目のうちにある絶望に、わたしは寒けをおぼえた。目を伏せて視線を避けると、かろうじて信じられるものが見えた。

「リンクを止めたのね」わたしは言った。ライトが消えていた。わたしはそれをまじまじと見つめた。

「きみを探していたのは……」彼はことばを失い、その声にわたしは胸を打たれた。わたしは彼の腕にふれた。急に彼がそれを必要としているように見えて、哀れみを抑えられなかった。

「あなたいったいどうしたの？」わたしにとってもひどい状況だったが、大使たちはいきなりすべてを失ったのだ。

　背後の通路に、彼の分身が姿をあらわした。「そいつと話をしているのか？」分身はそう言ってきょうだいの体をつかもうとしたが、彼はわたしから目を離さず、分身の手をふりはらった。「行くぞ」

　ふたりは均一化処置を受けていなかった。マグ／ダーと同じように、ちがいを見てとることができた。ふたりは小声で言い争い、あとから来たほうは去っていった。

「カル」最初の男、わたしを探していたほうの片割れが、わたしを見つめて言った。「カル」彼は通路の遠い端にいるきょうだいを指さした。それから、親指で自分の胸をついた。「ヴィン」

　彼の切望の表情が、わたしに、わたしだけにむけられたものではないということはわかっていた。わたしはそれを受け止めた。ヴィンはあとずさりしてきょうだいと合流し、数秒わたしを見つめてから、きびすを返した。

12

わたしはマグ／ダーやスタッフといっしょに都市へ出かけた――麻痺状態にあるエンバシータウンをなんとか生きのびさせようとしているグループの一員として。身にまとった清風に呼吸できる空気を吐き出してもらいながら、わたしはようやく歩いてその土地へ足を踏み入れた。コーヴィッドを使う危険はおかせなかった――安全に着陸するために設置されているシステムは、もはや機能しないことが多かった。

とても待てなかったのだ――エンバシータウンのバイオリグの医療機器、食料技術、給水システムの生きている根やパイプには、アリエカ人による手入れが必要だった。いま考えると、わたしたちのなかにも、チェックを続けて、どういう状態にあるかテストしておかなければならない者がいたように思う。神話にある極地探検家、あるいはホモ・ディアスポラの先駆者たちのように、わたしたちは隊列を組んでとぼとぼ歩き、交易品を運んだ。

わたしたちの到着により、都市はその構造をふるわせ、体内に細菌がはいったような反応を見せた。アリエカ人たちがわたしたちを見た。彼らはぼそぼそとつぶやき、マグ／ダーが話しかけても、わたしたちがそこにいることにほとんど気づいていないような態度をとることが多かった。スタッフが設置を手伝ったスピーカーのところにさしかかると、そのまわりに、なにも音が出ていなかったのに、アリエカ人たちが集まっていた。だれよりも中毒がひどい連中だ――わたしたちはその度合いを見分けるすべを学びつつあった。彼らはそこでまた音が出てくるのを待ちながら、おたがいやスピーカーにむかってささやきかけ、前回聞いたエズ／ラーのことばをくりかえしていた。

　いまでは、ラーは脅したりすかしたりしてエズにスピーチをさせていた。唯一の譲歩――エズは、ヒマシ油や砂糖によって気まぐれなこどものように扱われていた――は、交易上必要な範囲内で、エズがなにをしゃべるか決めるということだった。というわけで、わたしたちの耳にはいる、ゲンゴへ翻訳された彼らのスピーチは、エズの過去にまつわるとりとめのない考察となっていた。わたしたちが都市にはいっているときにエズ／ラーのスピーチがあったら、それを聞かずにすませることはできなかった。エズが聴衆に聞かせたがっていた、こうした陳腐な台詞について、それをいっしょにしゃべっているラーがどう考えていたかはだれにもわからなかった。

　〝……わたしはいつもまわりの人たちとはちがうと感じていた〟と、アリエカ人の聞き手がくりかえす。わたしたちは、無数の声で語られるエズの自我のパッチワークのなかを歩いていく。〝彼女はわたしを理解してくれなかった……だから今度はわたしの番だった……〟　〝……すべてが永遠に変わってしまった……〟アリエカ人がこういうことを話すのを聞くのはほとんど耐えがたいことだった。多くの日々がたつうちに、エズが一本のアーチを架けていたことに、わたしは気づいた。それらは逸話の寄せ集めではなかった――ひとつの自伝だった。〝それから〟――アリエカ人の声が聞こえる――〝ほんとうの苦難がはじまった。そのつぎに起きたことは、次回のお楽しみとしよう〟エズは続きが気になるところで毎回の語りを終えた。そのおかげで聞き手の熱意が続いているのだとでもいうかのように。アリエカ人の熱心さはすこしも変わらなかっただろう――たとえ、エズが輸入税や、建設仕様書の細則や、見た夢や、買い物リストについてくわしく述べたとしても。

わたしたちは、バイオリグを加工するための保育所や、メモリでいっぱいの焼却炉や、住居だか巨大な暖炉の巣だかよくわからないものまでたどり着き、マグ／ダーあるいは別の大使の努力によって、探していたホストが見つかると、そのあとに慎重な討議がおこなわれた。異星人の中毒者との交渉は、ひどくしんどい仕事だった。それでも、たいていは一定の成果をあげられた。そのあと、ホストといっしょに、あるいは、整備作業に必要な工具寄生生物でいっぱいのケージとともに、あるいは、わたしたちも使い方と描き方を学びつつあった設計図や地図をかかえて、もと来た道を引き返す。遠征はいつもまる一日がかりだった。都市のわたしたちに対する反応はあざやかで、壁は汗をかいていたし、窓がわりの空洞はひらいていた。どの家にも生えていた耳は、期待にぴくぴくと動いていた。

それもまた、エズ／ラーの放送があるときに外へ出たくない理由のひとつだった。建築物とその住民の耽溺ぶりや、必死になって聞き耳を立てる壁をおぞましいと感じていたのは、わたしだけではなかった。

薄っぺらであぶなっかしいとはいえ、秩序はたしかに存在していた——崩壊の可能性はあったが、そうはなっていなかった。船はやってくる。それまでのあいだは綱渡りの生活だ。わたしたちが去るとき、あとに残るのは禁断症状に苦しむアリエカ人たちが這いまわる世界。それについても、そのあとになにが起こるかについても、わたしには考えられなかった。罪の意識を感じるなどという贅沢ができるまで、まだ長い時間がかかるのだ。

遠征のあいだ、同じアリエカ人に何度か出会うことがあった。彼らの呼び名は、はさみ（シザース）、赤布（レッドラグ）、頭蓋（スカリー）。エズ／ラーの放送が鳴り響いているときには、彼らもほかのアリエカ人と同じように完全に心を閉ざしてしまう。だが、それ以外のときには、わたしたちのためにできるだけのことをしてくれた——ホストたちのなかに中核となるグループが生まれていて、それが、わたしたちと対をなす存在になりそうだった。アリエカ人の側から、なんとかして世界を動かし続けようとしていたのだ。中毒に苦しんでいただけに、よりしんどいことだったろう。

エンバシータウンでは、崩壊への猛進に逆らう流れが生まれていた。学校や保育所が再開した。わたしたちの経済がこれからなにを基盤にするのかはまだだれにもわからなかったけれど、輪番親たちの多くはまかされたこどもたちの世話を続けたし、病院をはじめとする公共施設の業務も続いていた。必要に迫られてではあったが、わたしたちの街は、かつてはその生産と配布の動因となっていた利益や会計といった方面でやきもきすることがなくなった。

それが健全だったという印象はあたえたくない。エンバシータウンは瀕死の状態だった。わたしたちが都市への遠征からもどったとき、通りは安全ではなくなっていた。治安官たちが護衛についた。世界の終わりまでパーティを続けようとする人びとを処罰することはできなかった。それに、わたしたちもときにはその宴会に参加していた（どこかでサイルと出会うかと思ったが、そんなことはなかった）。とはいえ、夜間の外出禁止令は容赦ないものだった。治安官たちは死者を放置することさえあり、ニュース番組では検閲によって死体にモザイクがかけられた。エンバシータウンでは、喧嘩や、暴行や、殺人が横行した。自殺者も出ていた。

自殺にはいろいろな方法があり、エンバシータウンでも、一部の人びとは劇的かつ哀愁に満ちたやりかたを選んだ。何人かは、オーツ通りと呼ばれる道をたどり、呼吸のためのマスクをつけて、ただエンバシータウンから歩いて出ていき、視界から消えて、都市へとはいった。噂では、さらに遠くまで行った者もいたという。当然の結末をめざして。だが、新しい時代の到来で死ぬほど苦しめられた人びとにとって、もっとも一般的な選択は首吊りだった。どんな規定に従ったのかは知らないが、ニュース番組の編集者たちは、そういう血の出ない死体ならデジタル処理なしで見せてもかまわないと判断した。わたしたちはぶらさがった死者の映像を見るのにだんだん慣れていった。

ニュースでは大使たちの自殺は報道されなかった。

マグ／ダーがヘンとリーの死体を撮影した映像をわたしに見せた。毒による痙攣で、ふたりはベッドの上でもつれるように横たわっていた。

「シェル／ビーはどこ？」わたしは言った。シェル／ビーとヘン／リーはいっしょに暮らしていた。

「消えました」マグ／ダーが言った。

「あのふたりはいずれ」マグが言った。ダーが続けた——「遺体で見つかるでしょう」「ヘン／リーで終わりにはなりません」「こういう事件をいつまでも隠しておくことはできません」「むしろ、集団の大きさを考えれば……」「……自殺率は平均よりも高い」「わたしたちはほかの人たちと比べてよく自殺しているのです」

「そうね」わたしは事務的に言った。「驚くことではないと思う」

「ええ、そうでしょう？」マグ／ダーが言った。「そのとおりですよ」「驚くようなことですか？」

わたしたちはエンバシータウンをうろつくマシンたちの一部をつかまえ、必要な＊ウェアをアップロードしてすこしでも賢くしようとした。それでも、彼らにできるのは基本的な仕事だけだった。

アースルはまだわたしからの電話に、というか、だれからの電話にも応答していないようだった。最後に会ってからどれだけの日数がたったかに気づいて、わたしは恥ずかしくなり、急に怖くなった。そこでアースルのアパートへ出かけた。ひとりきりで。新しいスタッフで彼女のことを知っている人はほかにもいたけれど、急に頭に浮かんだ最悪の想像が正しいとしたら、自分ひとりでそれをたしかめ、彼女を見つけるべきだった。

ところが、ノックしたらほとんど間をおかずにドアがあいた。「アースル？」わたしは言った。「アースル？」

アースルは、いつもの皮肉っぽい笑みを浮かべてわたしを出迎え、自分の名前など問題ではないという様子だった。わたしには理解できなかった。彼女はわたしに元気でやっていたかとたずね、自分の仕事のことをなにか話した。わたしはしばらく彼女にべらべらしゃべらせ、飲み物を用意してもらった。いままでどこにいて、なにをしていて、なぜメッセージに応答しなかったのかときいてみたが、無視された。

「どうなってるの？」わたしは詰問した。彼女がこの大惨事についてどう考えているのか知る必要があった。アースルの仮想の顔がぴたりと凍りつき、ちらちらと明滅して、またもとにもどり、彼女は意味のない作業やとりとめのないおしゃべりを再開した。わたしの質問についてはなにも言わなかった。

「いっしょに来て」わたしはアースルに、マグ／ダーやわたしの仲間になってくれと頼んだ。いっしょに都市へ遠征してくれと頼んだ。ところが、彼女が部屋を離れることになるような提案をするたびに、例の表示の乱れがくりかえされた。一瞬止まってから、わたしのことばにはまったく反応せずに、なにか時期はずれなことや無関係なことをしゃべりはじめるのだ。

「どこか故障しているか、本人が意図的にやっているかのどちらかね」あとになって、わたしが大使館でその話をしたとき、大忙しの＊ウェア生成者がそう言った。そんなことが？　と、わたしは言いかけたが、彼女はわかりやすく説明してくれた――こどもが耳に指をつっこんで〝あなたの声が聞こえない〟と言うやつのオートム版かもしれないと。

アースルの部屋を出たとき、ドアのまえに、一通の手紙がひらかれたまま放置されていた。わたしがアースルをずっと見つめたまま、目のまえでゆっくりと身をかがめてそれをひろいあげても、彼女はなんの反応も見せなかった。

〝親愛なるアースル。あなたのことが心配です。もちろん、このような状況にわたしたちはみんなおびえていますが、わたしが気にかかっているのは……〟など。わたしが読んでいるあいだ、アースルはじっと待っていた。わたしはどんな表情をするべきだったのだろう？　息を止めていたのはまちがいない。アースルの仮想の顔は、わたしが読み終えるまで、焦点が合ったりぼやけたりをくりかえしていた。

手紙の末尾に記されていたのは知らない名前だった。かがんで手紙を床へもどしたとき、わたしはそれがこまかく揺れているのを見て、自分の指がふるえている ことに気づいた。アースルには何人くらいの親友がいるのだろう？　彼女にとってのわたしは、スタッフとのつながりがある、上層部専用の友人なのかもしれない。それら友人たちにはおのおの得意分野があるのだろう。それら友人たちみんなが彼女のことを気づかっているのだろう。

アースルのことを考えたら、カル／ヴィンや、彼らが続けているよくわからない活動や、あいかわらず音沙汰のないサイルのことを思いだした。ブレンに何度も電話してみたが、腹立たしいことに、そして心配なことに、応答はなかった。そこで家まで出かけてみたが、戸口にはだれもあらわれなかった。

わたしは、自分がエズの担当になるまで、ラーがどんなものを相手にしているのか理解していなかったと思う。もちろん、単に銃をエズの頭に突きつけることはできたが、こちらがあまり強く脅すと、エズもこちらを脅し返してきたし、その行動はまったく予想がつかなかったので、彼が腹いせにしゃべるのを拒否して、わたしたち全員を破滅させる可能性について、真剣に考えなければならなかった。そこでわたしたちは、看守として、道連れとして、護衛として、どんなところでもエズに付き添った。このやりかたなら、エズが話をする時間が来たとき、彼はわたしたちにきつく当たることができたし、わたしたちは彼にわがまま放題させておくことができた——不機嫌な顔で、彼がしぶしぶ従うまで。

警備は最低でも二人組でおこなうのが常だった。わたしはシモンに同行を頼んだ。顔を合わせたとき、彼はあいさつのしるしに左手でわたしの右手をつかんだ。わたしはまじまじと見てしまった。シモンが長年つけていた右腕、色も質感もあいまいだがテラ人の体構造を正確に模倣していたアリエカのバイオリグの義肢が、なくなっていた。上着の袖はきちんとピンで留めてあった。

「あの腕は中毒になった」シモンは言った。「充電していたときに、きっと……」ホストたちとその都市と同じように、彼はゼルを使っていた。「痙攣みたいな感じだった。耳を生やそうとしたんだ。だから切り落とした。床に落ちても、まだ聞こうとしていた」

エズは大使館にあるエズ／ラーの居室にいた。酔っぱらって調子のいいことを口走り、ラーのことを臆病な裏切り者と非難したり、マグ／ダーを下品な名前で呼んだりした。不快ではあったが、わたしはもっと不快な暴言をたくさん耳にしていた。驚かされたのはラーのほうだ。態度が以前とはちがっていた。よく寡黙すぎるとからかわれていた男が、口汚くののしり返していた。

「もどったらちゃんとしゃべらせるから」ラーがわたしたちに言った。エズが彼にむかって卑猥な身ぶりをした。

「せめてパーティくらいは出られるだろ？　それとも、おまえたちはわたしをそんなものからさえ遠ざけようというのか？」エズはぶつくさ言いながら、わたしたちを引き連れて大使館の下層フロアにある会場へむかった。わたしたちはそばで見張りに立ち、エズが手にとる飲み物をチェックしたが、飲みすぎで彼のゲンゴが乱れたのを見たことはいちどもなかった。エズは文句ばかり言っていた。リンクの輝きが激しくゆらぎ、そのペアを見つけようとして失敗しながら、エズが避けている結びつきを懸命に強めようとしていた。

まるで煉獄を歩くような、なんとも憂鬱なパーティと言えた。世界の終わりにいる人びとが、なにもかも忘れようと、むりやり頭をからっぽにして、自動演奏されるリズムと煙を切り裂く照明に身をゆだねる。出席していた者には楽しかったのかもしれない。エズはすぐに興味を失ってしまった。わたしは兵士のように無表情だった。

エズはわたしたちを連れて、大使館の中層フロアにある、かつてはオフィス用備品の倉庫で、いまはバーがわりに使われている部屋へむかった。エズはさらに飲み続け、わたしが止めるとよろこんだ——わたしをこきおろすきっかけができるからだ。この奇妙な吹きだまりっぽい部屋にいたのは、もとスタッフとひとりかふたりの大使だけだった。エズがグラスをかさねるごとにわたしたちの世界を危険にさらしているというのに、彼らはなにも心配していないようだった。

「さすがはあなたの友人ね」わたしはつぶやき、首をふった。エズはそんな悪態にもすこしも動じることなく、わたしの目を見返した。

エンバシータウンの住民たちが、安全な場所をもとめて、大使館の下層フロアを占拠していた。そのあたりの階層はもはや裏通りだった。男たちや女たち、養育係や輪番親たちが、戸棚の配置を変え、会議室からあふれだして、建物の構造を裏返しにしていた。わたしたちは廊下につくられた夜の街を歩いた。壊れていない照明は再プログラムによって太陽の周期に合わされ、チョークで住居番号の書かれたドアのそばでは、人びとが寄りかかって話をしたり、こどもたちがベッドにはいる時間をすぎてもゲームをして遊んだりしていた。エンバシータウンが大使館にはいりこんできていた。

飲んだくれて感傷的になったエズが、ラーの悪口を言いはじめた。「あの痩せっぽちのクソ野郎」エズはぼそぼそとつぶやきながら、わたしたちを引き連れて、自前の無資格の治安官たちが警備にあたる半自治区のなかを抜けていった。「わたしにくっついてきただけなのに、いまじゃあんな俺様野郎に」エンバシータウンでエズの口語表現やアクセントを共有しているのはラーだけだった。「あいつがなにをしてるかわからないのか？　あいつにとっちゃ、善人づらをするなんて楽なことだ……あいつなら……」安物のランプが頭上でまたたいた。新しい星として。「やるべきじゃないんだ……」エズは続けた。「もう疲れた、こんなことはやめたい……ラーにはわたしをほうっておいてほしい……」

わたしは言った。「エズ、あなたがなにを言ってるのかわからない」

「頼むからそんなふうに呼ぶのはやめてくれ！　そんなバカげた、バカげた……ああ……」

わたしはエズのかつての名前を知っていた。彼はジョエル・ルコウスキーという男だった。わたしはゴミのちらかる廊下に立つ彼を見つめた。ルコウスキーともジョエルとも呼ぶ気はなかったので、もういちどエズと呼ぶと、彼はがっくりしてそれを受け入れた。

シモンとわたしは、エズがきっかけをつくった喧嘩から彼を救出した。ようやくエズとラーが夜明けの合唱を、一日の最初の演説をする時間がきたとき、エズは付き添いのわたしたちに悪態をつきながら、変貌したビルのなかを抜け、いままでとはちがう生活が生まれつつある新しい領土を、できたばかりのスラム街を抜けて、上へと引き返した。居室にもどって、わたしがドアをあけようとしたら、エズは手でわたしにふれてそれを制し、ちょっと待ってくれと言った。その晩に彼からあざけり以外のことばをかけられたのは、それがはじめてだった。エズは目を閉じた。ほうっとため息をつくと、また酔っぱらった気むずかしい顔にもどった。

「じゃあ行くとするか、ゴミども」エズは大声で言って、ドアを押しひらいた。ラーとマグ／ダーが待っていた。彼らはからめていた身をほどき、エズがそこへあざけりのことばをかけた。

わたしたちはエズ／ラーの喧嘩を見守った。エズがマグ／ダーについてひどく卑猥なことを口走ると、ラーも怒鳴りかえした。

「いったい何様のつもりだ？」エズは声をあげて笑った。「これをなんだと思ってるんだ？　〝彼女は関係ないだろ！〟だと？　本気で言ってるのか？」この予想外の口まねには、わたしでさえ笑いをかみころさなければならなかった。ラーはすこし恥じ入ったような顔になった。

「ほら」すこしたって、音響技師とバイオリグ技師たちが放送の準備をしていたときに、エズが言った。ラーは手渡された紙片を読んだ。

「昨日の話をくりかえすんじゃないのか？」ラーが言った。急に、びっくりするほど淡々とした声に変わっていた。

「ちがう」エズが言った。「先へ進めたいんだ。昨日はいいところで終わったと思うから、先へ話を進めよう」〝ホストたちは気にしないよ！〟わたしは叫びたかった。〝あんたがクソなカーペットについて説明したって、効果は同じなんだから〟

ラーがリズムとタイミングについていくつか質問をして、余白にメモを書きつけた。エズはコピーを持たなかった――言いたいことはぜんぶ暗記してあったのだ。エズ／ラーがしゃべりはじめたとき、わたしは彼らではなく都市へ目をむけていた。それは最初のことばが届いた瞬間にびくっと身をふるわせ、エズ／ラーはエズの青春時代について語り続けた。

13

皮肉な言い方になるが、わたしたちはたいした存在ではなかった。何者でもない人びとと、浮浪屋（はぐれ）たちと、反体制のスタッフと、ひと握りの貴重な大使たちのささやかな集まり。それでも、人数は増え続けていたし、わたしたちの指示はまったく無視されていたわけではなかった。エンバシータウンの住民は、わたしたちの提案や、依頼や、命令に従いはじめていた。

わたしたち――とりわけマグ／ダー――は、数少ないアリエカ人の接触相手の件に没頭した。あんまり没頭したので、当時のわたしは、エズの毒舌やアースルの手紙について――最終的にどうなるにせよ――なにも感じる余裕がなかった。マグ／ダーは、もっとも自制心が強くて頭のしっかりしている一部のアリエカ人を説得して大使館へ呼ぶところまでいっていた――エズ／ラーへの熱心な巡礼だけではなく、新しい取引を目的として。彼女は報酬として、未公開のエズ／ラーの声の録音を提供した。それはわたしたちが盗聴によって入手した希少なものだった。

「一部の者はこれが困った問題であると自覚していま す」マグが言った。「アリエカ人たちです。見ればわかります」

「一部の者は」ダーが言った。「……ある種の議論が起きています、ある種の……」「一部の者は治療してほしいと思っているのです」

やっかいな菌類のように、さまざまな噂がひろがった。わたしたちの蜂カメラはまだ都市のなかを飛びまわっていた。その一部は、家々が分泌し、いまや体節のある捕食獣のようになった抗体にとらえられた。だが、調査によってカメラにはなんの危険もないと納得すると、彼らはそれを放置した。カメラからの映像により、ホストの都市についてかつてないほど多くの情報が集まった――手遅れではあったが。そして、かいま見たあらゆる小さな動きが、そこで見たすべてのものが、わたしたちにはその正体や居所が突き止められなかったあれこれが、失われた秘密や、内通者や、自分を追放したスタッフや、古くからの恨みにまつわる物語に力をあたえた。

農地では、不規則な収穫によってバイオリグの大きな群れが生まれた。食料とテクノロジーが、そうした農地から生物の道によって届けられた。中毒は化学作用だ――それが都市から家畜の囲いや地方のアリエカ人へとゆるやかに流れた。彼らは責任を放棄して都市へ移動をはじめた――聞いたこともない音を急に聞く必要に迫られて。見捨てられた領地はぐあいが悪くなって、ぜいぜいとあえぎ、腹をすかせた。群れをなす装備機器、医療テクノロジーに建築用工具、梁のついたサイなみの大きさがあるタンパク質およびポリマー基材の紡績機は、野生化した。

それらの世話主たちが都市にたどり着いたとき、彼らを出迎える者はいなかった。地方のアリエカ人たちは、もっともひどい中毒になった同胞たちが、スピーカーのそばで横たわり、つぎのことばを待ちながら飢え死にしているのを見た。彼らの死体はむぞうさに放置されていた。周囲の建物がまだ健康なら、イヌくらいの大きさの動物突起が死体を解体する。そうでなければ、内部からゆるやかに腐敗して徐々に道路のしみとなっていく。

争いは日常だった。禁断症状とアリエカ人の欲求は侵略を意味した。中毒者はエズ／ラーのゲンゴをもとめて急に攻撃をはじめるのだ。症状の軽い、ふつうは地方からやってきたアリエカ人なら、ファンウイングに正式な好戦状態をしめす縁飾りをつけるかもしれないが、もっと症状の重い者だと、昔ながらの誇示行動をするような余裕はないので、びっくりしている敵に、ただ蹄とギフトウイングで襲いかかることになる。いちど、そういう戦いの真っ最中にエズ／ラーの放送がはじまった映像を見たことがある。戦っていたアリエカ人たちは、すぐさまおたがいにむかって倒れこみ、愛しあっているかのように体をからみあわせた——どちらも血を流したままで。

「また状況が悪化しています」ダーが言った。「感染が惑星全体にひろがりそうです」

「わしらが対処しなければならん問題はそれだけじゃない」そう言ったのはブレンだった。

彼は戸口に立っていた。額縁のなかで、うさんくさいほど完璧なポーズで。「やあ、アヴィス・ベナー・チョウ」

わたしは立ちあがった。そして首をふった。「このくそったれな放蕩家」

「放蕩家？」

「いったいなにをしてたの？」

「放蕩家らしい浪費？　あるいは悔悟？」やや用心深く、ブレンは笑みを浮かべた。わたしはそんな気になれなかったが、しばらくして、まあいいかと、にっこり笑った。

「どうやってここへはいったんだ？」だれかが言った。当惑したざわめきのなか、状況にうながされて「あんただれだ？」という声が続いた。ラーがブレンと握手し、歓迎のことばをかけようとした。ブレンは手をふってそれを制した。

「わしらが対処しなければならんのはアリエカ人の難民たちのことだけではない」ブレンは言った。「彼らが状況を複雑にしているのはたしかだが」彼は権威をもって淡々と続けた。「問題はほかにもある」

もちろん、ブレンは分身を失っていたのでゲンゴはしゃべれなかったが、アリエカ人たち――誤解をまねきそうだが、センチメンタルに旧友たちと呼んでもいい――が家までやってきて、彼にいろいろ教えてくれたのだった。

「ホストたちはだれもこの状況を変えたがっていないとでも思ってるのか？」ブレンが言った。

「いえ、わたしたちにもわかっています」マグがこたえたが、ブレンは話を続けた。

「おびえているホストがひとりもいないと思ってるのか？　彼らは淀みをとおしてものを考えているが、それでも考えている者はいる。彼らがエズ／ラーをなんと呼んでいると思う？　神の麻薬だ」

沈黙のあと、わたしは慎重に口をひらいた。「それはケニングね」

「ちがう」ブレンは部屋を見まわし、複合比喩を意味するその古い用語を知っている者がいるかどうかたしかめた。「骨の家とはちがうのだよ、アヴィス」彼は自分の胸をどんと叩いた。彼の骨の家を。「こちらはもっと率直だ。単に真実なのだ」

「うーん」だれかがあやふやに言った。「あなたにとっては宗教だと……」

「いや、そうではない」ブレンは言った。「神は神だし麻薬は麻薬だが、ここには、ここにある都市には、中毒した者だけではなく……一種の信仰心をもつ者がいる」

「ホストたちには神はいない」わたしは言った。「どうやって……？」

ブレンがわたしをさえぎった。「彼らは神のことを知っていたのだ——わしらがここへ来て、彼らに神というのがどんなものでどんなことをするか説明したときからずっと。わしらが来るまで、彼らは虚空船やズボンのことも話すことはできなかったが、いまではその方法を知っているではないか。そして、ホストたちのなかには、これを止めるためならなんでもしようという者がいる。まだ多くはないし、彼らがみずからを解放しようと思えるくらいまでみずからを解放できるまでは、さほど増えないかもしれん。だが、もしもそうなったら、彼らはなんとしてもこれを終わらせるだろう。決意を秘めた少数のアリエカ人がどれだけの手立てを試みるか考えてみたまえ……中毒になった同胞を……自由の身とするために」

その夜、わたしはあらためてブレンと会った。わたしの部屋で、内々に。友人のアースルはどこにいるときかれたので、知らないとこたえた。その晩にわたしが口にしたのはそれでほぼすべてだった。ブレンのほうも話すことは多くなかったが、それでも家へ来てくれた。彼の話がすむまで、わたしたちはいっしょにすわっていた。

わたしは都市を離れた。三度。

地方からやってきたアリエカ人を見たことで、いろいろと思いついたことがあった。まだ農場を離れてはいないものの、エズ／ラーのことばを恋しく思いはじめている者が残っていた。わたしたちは彼らのところへ出かけた。

乗り物には空洞があり、飛行中もそこへ頭を入れて下を見ることができた。腹部のブリッジには空気がにじみ出ていて、充分に与圧されていたので、毒のある空気が進入してくることはなかった。わたしは息を吸ってから、頭を突きだして地上を見おろした。

一キロメートル下に、ホストの都市の各領地が見えていた。高原、耕作地、ただの巨大な岩、その割れ目にぎっしりと生える黒い雑草。牧草地にはわだちが何本ものび、住居が点在していた。成長した建造物もあった——ガス嚢で空中に浮いた部屋が、上空を通過するわたしたちを簡素な目で見あげていた。

エンバシータウンを離れ、さらに都市を離れるというのは、イマーへ出ていくのと同じくらいドラマチックに感じられた。本来は美しい土地だったのかもしれない。こんな破滅のときでさえ、農家は、その巨体をゆらゆらさせながら、まだいるならその持ち主のあとを追って、そうでなければひとりで、ゆっくりと歩きまわっていた。共生生物がそれらの毛皮を掃除していた。農家はぬれた羊膜にはいった部品や生物マシンを出産することになる。

地衣類の農園には都市からのびている腸の配管が縦横にのびていて、その一部は、いまもねばり強いホストの管理者によって世話をされていた。ずっと離れたところにひろがる草原地帯では、なかば野生化した工場の群れが走りまわっていて、長い一年に二度、アリエカ人の科学者兼カウボーイたちがそれらを囲いに追い込んでいた。わたしたちはこうしたカウボーイのバイオリグ技師を何人か見つけたいと思っていた。彼らが世話をする生き物の子を買い取るためだ。

参加者はわたし、もとは露天商でいまは新しい委員会に加わっているヘンリク、役に立つだけの科学の知識をもっているサラ、大使のベン／サム。大使は身なりもぼろぼろで、とまどい、いらついていた。それでも、一部の仲間たちとはちがい、彼らには、ふたりがまったく同じようにぼろぼろに見えるようにするだけの礼儀が残っていた。

着陸すると、丘の斜面に生える草から救いをもとめる声があがった。わたしたちの乗り物が草をはみはじめたからだ。清風のマスクをかぶったまま、機材の準備をして、キャンプを張り、エンバシータウンに連絡を入れて行動予定を決めた。そしてもういちど命令と希望事項のリストに目をとおした。「この一族はあまり多くの原子炉の子を取引に出さないみたい」わたしは回線をとおして本部へ伝えた。「ケル／シーと話してみて。あのふたりは湿地で耕作している連中のところにいるでしょ？　原子炉はそっちで手にはいるはず、焼却炉といっしょに」などなど。わたしたちはグループごとに分担して、都市の外で物資調達の任務についていた。

持参した伸縮カートは臆病で、その先端部をイモムシのようにこまかく波打たせながら前方へのばしていた。わたしたちはそれらにデータチップを満載したが、中身はすべて音声ファイルだった。盗聴で入手したものもあったし、今回の作戦が考案されて協議にかけられたときに、いやがるエズの同意を得て作成したものもあった。

わたしはというと、ほぼまちがいなく、この語り口から想像されるほど冷静ではなかった。自分が生まれ育ち、もどってきて、家となった国の姿はずっと見てきたけれど、あれは、エンバシータウンの外にひろがるあの風景は、それまでは見ることが不可能なものだった。それが目のまえにあり、わたしの行動が、その命運を握っていたのだ。わたしが目にしているひとつの季節とひとつの風景は、ほかに類のないものだった。わたしはアウトへ出ていたけれど、教訓めいた言い方をするなら、自分の惑星こそかつて目にしたもっとも異質な場所だった。

　異種交配のアネモネや蛾みたいなものは、わたしたちがそばをとおると凍りつき、とおりすぎたあとで知覚外肢をゆらした。カートは集落へむかってわだちをのばし、紙くずみたいな動物たちが暑い空を飛んでいた。こぶのついた人間ほどの太さがある支流の配管のどん詰まりにある農場は、ほとんどの建造物と同じようにおちつきがなかった。身もだえする塔が幼い機械を卵で産み落とした。シュレッダーにかけられたような鳥たちがそいつから寄生虫をつまんでいた。持ち主はわたしたちの姿を見てぎくりとし、早足でそばへやってきた。農家がモーと鳴いた。

　都市から遠く離れると、中毒は弱まるか別のかたちになるかするようだった。ベン／サムはちゃんとこちらの要望を伝えて相手のそれを理解することができた。アリエカ人たちは、こちらに彼らが聞くことができるものがあるのを知っていて、それをやかましく要求した。エズ／ラーがしゃべるときに都市から動脈を逆流してくる質の悪い残り物や、彼らが数キロメートル離れたいちばん近いスピーカーでかすかに聞いていたものや、以前の交易人が持ってきたものでは満足できなかったのだ。

　昔の書物に書かれている麻薬の売人のように、わたしたちは〝ヴワラ〟というウェアを見せた。わたしがデータチップを再生すると、そこから、ゲンゴでエズ／ラーの声が流れ出した――〝父が死んだときは、悲しかったが自由も感じた〟ホストたちが身をのけぞらせてなにか言った。「これは持っているそうだ」ベン／サムが通訳した。何度も再生したので、もう効果はなくなっていた――ホストたちはようやく話の中身に耳をかたむけたが、エズの父親のことは気にもとめなかった。

　わたしたちは別の断片を紹介した。エズの昔話、外で提供した。〝技術面の支援ができる機会が増えてたいへんうれしく思っています〟それから、〝木から落ちたときに脚を折った〟の最初のいくつかの音素で彼らの気を惹いた。

「精製工場で出る許容できないレベルの廃物についてしゃべったやつはないかと言っている」ベンかサムが言った。「近所で噂を聞いたらしい」

慎重に節約をして、こちらが必要とするバイオリグを購入できるだけの断片と、いくつかの専門的意見と、いくつかの説明を引き渡した。そんなことをすれば感染もひろがることになる。それはわかっていた。わたしたちがエズ／ラーのスピーチという純粋な製品を持ち出せば、こうした、まだ中途半端にしか影響を受けていない地方のホストたちは屈服した。

その後、同じような遠征を二度おこなった。それからすこしたって、別の浮遊式飛行獣が消息を絶った。

蜂カメラたちがようやくそれを発見したとき、送られてきたビデオと3D映像には、飛行獣が死んで、燃えつきた肉とぬるりとした内臓が田舎の風景のなかに散乱している様子がとらえられていた。そのなかにばらばらになって沈んでいたのは、仲間たち全員の死体だった。大使も、航空士も、技術者も、スタッフも。

リー／ナ大使とは顔見知りだったし、乗組員のひとりはよく知っていた。わたしは両手で自分の口をふさいで映像を見つめた。だれもが影響を受けていた。死体は回収し、新しい式典でできる範囲で敬意を表した。乗組員は朽ちはてた残骸の調査をおこなった。

「船は病気ではなかった、それはなかったと思う」調査官が委員会で報告した。「なにが起きたのかわからない」

エンバシータウンで、わたしたちは軍族主義を阻止するために最善を尽くしたが、あんな小人数の似非オーガナイザーにできるのは、そういう種類の統治へと堕していくのを遅らせるのがせいぜいだった。さらに何組かのおびえた大使たちが、マグ／ダーに励まされて、わたしたちの仲間に加わっていた。ほかの大使たちはもちろん役立たずだった。さらにふた組が自殺した。リンクを止めてしまう者もいた。

エズは……わたしが二度目に監視役についたときには、おちつきをとりもどすどころか、さらに衰弱したように見えた。それでも、最終的にラーのところへ送り届けると、ふたりは以前にも増して激しく口論をした。「おまえをひどい目にあわしてやる」エズは叫び続けた。「いろいろと言えることがあるんだ」

都市へ出かけると、家やホストの死体のそばをとおらなければならなかった。死なないように品種改良されたバイオリグが死んで崩壊したことで、予想もしなかったガスが空気をよごしていた。スピーカーのまわりではさらにアリエカ人どうしの争いが起きていると聞いた。絶望した者による暴力で命を落とした者もいた。必要な新しい生計の手段を確保できなかった者は、ただ死んだ。あちこちで、もっと組織的な残虐行為が発生し、幹部たちは新しい種類の支配力を行使するようになった。生きている者は、わたしたちがあたえたデータチップをわしづかみにした——これは新任のねばり強い地元のオーガナイザーたちへの報酬で、彼らの荒削りな協力により、わたしたちは薄っぺらな体制をなんとか維持していた。

ある晩、エンバシータウンへもどったとき、わたしは仲間たちからすこし遅れて、ブーツについた腐った橋のかけらを落としていた。アリエカ人の都市をふりかえると、人間の女がふたり、わたしを見ていた。

女たちがそこにいたのはほんの一秒ほどだった。路地の入口で、数メートル離れてならんで立ち、わたしをいかめしく見つめてから、姿を消した。ふたりの姿はうまく説明できなかったし、もういちど会ってもわからなかったと思うけれど、どちらも同じ顔をしていたことだけはわかった。

もっとあとになって、事態がまたもや悪化し、この新しい日常がたわごとでしかなくなったとき、わたしは、船がやってきてここから連れ去ってくれるまでなんとかみんなで生きのびられると、自分が期待していたことに気づいた。

放送予定のはいっていたある晩、開始時刻になってもエズとラーの姿が見当たらなかった。ふたりとも電話に応答しなかった。エズはともかく、ラーには珍しいことだった。

エズはお気に入りの場所のどこにもいなかった。大使館の危険な通路も探してみた——だれも彼を見かけていなかった。よくラーといっしょにいるマグやダーにも電話してみたが、こちらも応答はなかった。

四人が見つかったのは、大使館の高層階にあるマグ／ダーの新しい部屋のなかだった。こちらは治安官とわたしのような新任のスタッフが数人だった。通路の最後の直線へ曲がると、居室のドアのまえにうずくまる人影が見えた。わたしたちは銃をかまえたが、その女は動かなかった。

ダーだった。そばへ近づいたとき、わたしはてっきり死んでいると思った。ところがそのとき、ダーが絶望をあらわにしてわたしを見あげた。

部屋にはいると凄惨な光景が待っていた。まるでジオラマのような静止画。マグはベッドの上で、外にいたダーとまったく同じポーズをとっていた。彼女はわたしたちを見あげてから、ベッドの上で死んでいる男へ目をもどした。ラーが血まみれになって横たわっていた。一本の取っ手が、レバーのように胸から突き出していた。

エズは離れたところですわりこみ、頭と顔をこすって血をなすりつけながら、泣きじゃくっていた。「…

…そんなつもりじゃなかった、ちがうんだ、ああ、なんてことを、あれは、だから、わたしは、わたしはすごく……」そんなつぶやきが続いた。エズがわたしたちを見たとき、そこにはまちがいなく、さまざまな感情に混じって、ひとりの男の死に対するよりもはるかに大きな慚愧の念が見てとれた――自分がわたしたち全員になにをしたかわかっていたのだ。わたしの手はずっとぴくぴく動いていた――あたかも、わたしがラーの命を奪ってしまったかのように。

あとになってわかったことだが、はじまりは、おもてむきはマグ／ダーについての口論だった。どうでもいい、決まりきった手続きを踏むことで、もっと別の奥深い恐怖と憤りを伝えようとしたのだ。口に出されたはっきりしたことばは実は問題ではなかった。怒鳴りあった内容とは無関係に、ふたりはへまをして致命的な結果をまねいてしまったのだ。

わたしたちは殺人にあまり慣れていなかった。ラーの目を閉じたのはわたしではなかったが、マグの手をつかんで外へ連れ出したのはわたしだった。ただ嘆いていられる時間は多くなかった――この状況がさまざまな悪影響をもたらすのは明白だった。わたしはすでに、エズ／ラーが事前にデータチップに記録していたわずかなストックのことを考えていた。

部屋へもどってみると、ほかの人たちがエズを連れ去って、ダーをその分身に引き合わせていた。わたしは現場が荒らされないようにした。しばらくのあいだ、ラーの死体とふたりきりになった。

「どうしようもなかったの？」わたしは言った。はっきり声に出していたと思う。気持ちをしっかりたもとうとがんばって、なんとかそれに成功した。「あなたが折れるわけにはいかなかったの？」わたしはラーの顔に手を置いた。彼を見つめて首をふり、エンバシータウンも自分もほかのすべてのエンバシータウンの住民も死ぬことになるのだと悟った。

第五部

手　　紙

14

わたしたちはラーの死を数日のあいだ隠した。秘密にするのはつらかった。エンバシータウンに知られたらパニックになる。三日後のパニックはいますぐのパニックよりずっとひどいことになると自分を納得させることはできなかった——それでもわたしたちは隠した、反射的に。

エズ／ラーの声の録音はほんのすこししかなかった。エズは用心深かったのだ。いちど、思いきってアリエカ人が以前に聞いたスピーチをくりかえしてみたのだが、そのとき見た映像は衝撃的で、怒り狂った聴衆のあいだで起きた争いは、見ているほうがおそろしくなるほどだった。二度とそんなことは試さなかった。放送できるのはおそらく二十日分。わたしたちは、都市へ流すときにできるだけスピーチを切り詰めるようにした。

見たところ、ホストたちのあいだに新しい階層構造が生まれつつあるようだった。それがどのようなものかは理解できなかった。

殺人事件のあと、マグ／ダーは数日ぶりにまた均一化処置を受けた。会議のおこなわれている委員会室にはいってきたとき、ふたりはスマートで、にこりともせず、完全にうりふたつだった。それが良い反応なのか悪い反応なのかはわからなかった。いずれにせよ、それは長くは続かなかった。

マグ／ダーは悔やみのことばを受け入れた。権威はまったく失われておらず、あいかわらずわたしたちの事実上のリーダーで、よく話を聞き、議論をし、自分たちの考えやなかば命令に近いものを提示した。わたしはマグ／ダーの指示に従い、いくらかの好奇心とともに、エズの見張り役となった。

エズは話をしたいようだった。自己弁護と、自己嫌悪と、怒りと、後悔を、とりとめなく語り続けた。わたしは彼が拘置されている部屋ですわって耳をかたむけた。はじめのうちは、事件の詳細について聞きだそうとした。「どういうことだったの？」いちど、わたしはマグ／ダーにたずねてみた。彼女たちは疲れた顔をしていた。ひとりが首をふって、もうひとりが言った――「それは問題ではないのです」この結果はもうずっとまえから見えていたことだったのだ。

仲間たちの多くはエズの処刑を主張した。わたしやそのほかの人びとはそれに反対した。マグ／ダーはわたしたちの側につき、それで議論にケリがついた。過度の慈悲は、最終的には、復讐よりも自分たちの役に立つだろうという計算だった。そのときでさえ、わたしたちはだれひとりとして、自分たちに未来があると本気で信じてはいなかった。マグ／ダーは未来のために計画を練っていた。

わたしはエズを気の毒に思ったが、当然ながら、さげすんでもいた。あれだけのショッキングな行為のあとならだれだって変わるはずだ、彼はもっとましになるか完全なモンスターになるかするはずだと感じたのだ。人を殺しておきながら以前と同じ哀れな男のままだというのはショックだった。エズは敵意に満ちた愚か者だった。わたしのどんな質問にもこどもじみたぶっきらぼうな反応しか見せなかった。ただ自分の人生について語り続けたかったのだ――ラーとふたりで、ゲンゴで、ホストたちを相手にそうしていたように。ふたりで最後に話したところから、あらためて話を続けたのだ。

エズはあまり本音を吐かなかった。彼は自分の当初の任務がなんだったのか話そうとしなかったが、わたしは、彼とラーの本来の役割はエンバシータウンを弱体化させることだったと確信していた。彼がいまだに秘密主義をつらぬく動機ははっきりしなかった——動機というのはどれもそういうものだ。

ラーが死んだという事実が——もう死んだのだから、厳密に言えばキ——になる——どこから漏れたのかはわからないが、彼の死と、それにともなうエズ／ラーの死の噂は、ひろがった。警備員、さまよう蜂カメラ、大使、これは伝えるべきことだからというだけの理由で一時的なパートナーに噂を話す分身。情報がエンバシータウンのなかで湧きあがっているようだった。ラーの死の四日後、わたしは教会の鐘の音で目をさました。各宗派がそれぞれの信者たちに呼びかけていた。じきに、わたしたちスタッフにできることはなにもないという事実だけでは、なにか手を打つべきだと主張する群衆の行進を止めることはできなくなるだろう。

エンバシータウンは崩壊し、それはエズ／ラーのことばを切望するアリエカ人たちがやってくるより早くなるかもしれない。自分ひとりでいたとき、理由はさまざまだったが、なによりもまず突然の切迫感——彼だったら、すべてをあの風変わりな視点からとらえて理解できるかもしれない、わたしを助けてくれるか助けたいと思うかもしれない——に駆られて、わたしはふたたびサイルの捜索を開始した。

カル／ヴィンがサイルの協力に対してああいう行動をとったあと、わたしはほかのどの大使が暗殺者(テシュ・エシャー)の暗殺に加担していたのかを突き止めるのは避けようとしていた。そのことを考える気になれなかったのだ。臆病だったのか現実的だったのかはわからない。あのころは知らないほうが気楽だった——新しい同僚たちがあの暗殺に関与していたと考えたりしなくても、エンバシータウンで生きるだけで充分きつかったのだ。

ようやくカル／ヴィンと顔を合わせたのは、とある大使たちの集まりの席で、マグ／ダーの委員会に加わっている大使たちと、自堕落すぎたり怖がりすぎたりでそれに加わっていない大使たちの両方が顔をそろえていた。わたしはまっすぐカル／ヴィンのところへ行った。「彼はどこ？」わたしはヴィンにたずねた。「サイルは」このときは、彼をその分身と見まちがえたりはしなかった。ふたりとも返事はしてくれなかった。

ブレンが電話をかけてきた。「人びとが襲われている。カリブ通りだ」

コーヴィッドが、治安官たちとマグ／ダーとわたしをエンバシータウンのはずれにある紛争地帯まで運んだ。すでに現地に着いていたブレンが、手にしたトーチをふってわたしたちを着陸させた——もう夜だったのだ。狭い通りを進むと、ある街区の外でアリエカ人たちが騒ぎたてていた、テラ人の小グループが街区のなかにいた。この地域からの集団脱出に加わらなかった人びとだ。「バカなやつらだ」だれかが言った。

アリエカ人はものを投げていた——ゴミ、岩、ガラス。彼らは順繰りにドアをつかんで、そのメカニズムにいらだちをおぼえていた。そしてゲンゴで叫んでいた。〝エズ／ラーの声を。あれはどこだ？〟「この区画がいちばん弱い」ブレンが言った。「彼らは深く耽溺しすぎて、もうわしらがあたえるものでは満足できなくなっている」録音した神の麻薬の再生時間は日に日に短くなっていた。「アリエカ人はここにテラ人がいることを知っていて、データチップかなにかでエズ／ラーの声があると思いこんでいるにちがいない。そんなふうには見えないがな。これは理屈の問題ではない。彼らは必死なんだ」

蜂カメラが集まってきた。わたしたちはそれらの映像を見つめた。どんな気分だろう、終末を目撃するというのは？　わたしの場合は絶望ではなく、信じられない気持ちとショックが果てしなく続いた。赤い土の上、アリエカ人たちの蹄のそばに、テラ人の死体があった。ぐしゃぐしゃにつぶれていた。その光景に悲鳴をあげたのはわたしだけではなかった。

蜂カメラたちはさらに近くを飛びすぎた。一匹は怒りに満ちたギフトウイングで空中から叩き落とされた。治安官たちが武器にふれたが、それでどうする？　アリエカ人たちを攻撃するのか？　報復するわけにはいかなかった。なにが起こるかわからなかった。

治安官たちは建物の裏手へまわり、こっそりなかへはいって、おびえた住民たちを外へ出した。わたしたちはそれを分割画面で見守った――人びとを連れた治安官たちと、やかましく騒ぎながら家を攻撃するホストたち。さらに動きがあった。新手のアリエカ人たちが近づきつつあった。

「ほれ」ブレンが言った。自分が見ているものに驚いていないようだった。

新手は四人か五人いた。家の襲撃に加わるのかと思ったのだが、驚いたことに、彼らはギフトウイングをはためかせながらアリエカ人の群衆のなかへまっすぐ分け入った。後脚で立ちあがり、同胞たちをめがけて蹄をふりおろして、その甲皮を打ち砕いた。戦いは迅速かつ荒々しかった。

血しぶきが舞い、苦しげなホストたちの呼ぶ声があちこちであがった。「見て」わたしは指さした。蜂カメラたちがすいすい飛びまわり、新たな襲撃者たちの姿を一瞬だけ画面にとらえた。「見える？」彼らにはファンウイングがなかった。残っているのは付け根ので っぱりとぼろぼろの肉片だけだ。ブレンがしゅっと息を吐いた。

トラウマをかかえた人間の居住者たちがコーヴィッドまでたどり着き、新たな戦いを見守るわたしたちに合流した。襲撃者たちが敵のアリエカ人をひとり殺した。そいつが絶命するのを見て、わたしはビーハイヴのことを思いだした。横たわるホストは見なれた血の りの蹄跡で赤く染まっていた――その襲撃者はテラ人の残骸の上で足をすべらせた。

「つまり……わたしたちにアリエカ人の護衛がついたということ?」わたしはたずねた。

「いや」ブレンはこたえた。「あんたがいま見たのはそんなもんじゃない」


わたしたちは、エンバシータウンのはずれに最後まで残っていた人びとを、治安官と大急ぎで集めた市民兵が警備している一帯へ移動させた。抵抗した一部の者たちは強制的に排除した。アリエカ人は通りの端に集まって、隣人である人間たちが去っていくのを見守った。わたしたちはエズ/ラーの放送をこの撤退と合わせた――二重声が呼びかけると、アリエカ人たちはふらつき、スピーカーのところへどっと押し寄せてわたしたちを置き去りにした。

荒廃していく都市とエンバシータウンの中心部とのあいだの一帯は放棄されていた――ビルも家も住む人はなくなり、貴重品は持ち去られ、見かけ倒しのどうでもいい品物だけが残っていた。わたしは集団脱出の指揮を手伝った。あとになって、清風のへりの薄い空気のなか、わたしはなかばからっぽになった部屋を歩いてみた。

電気はまだ通じていた。あちこちでスクリーンがつけっぱなしになっていて、ニュースキャスターが、まさにそれらを置き去りにした移住について説明をしていた。インタビューを受けているマグとダーは、厳しい顔でうなずきながら、これは必要な措置であり一時的なものだと強調していた。わたしはからっぽの家のなかですわりこみ、真実を隠している友人の姿を見守った。本やこまごましたものを手にとってはまたおろした。

アースルの部屋もこの一帯にあった。わたしはドアのまえで立ちつくし、だいぶたってから電話をかけてみた。呼び鈴も鳴らしてみた。彼女に連絡をとろうとしたのはひさしぶりだった。応答はなかった。

アリエカ人たちが人けのない通りへはいりこんできていた。もっとも中毒がきつい連中の先駆けだ。やつれたバッテリー動物を連れて、以前なら害獣として殺していた動きのにぶい腐肉喰らいたちのあとを追いながら、いっしょになって家々をあさっていた。彼らはわけもわからないままコンピュータに群がった。コンピュータのランダムな奉仕機能は、もはや意味のないプログラムを実行して、部屋を掃除し、会計処理をおこない、ゲームをプレイし、消えた住人たちのためにこまごました整理を続けていた。アリエカ人は聞くことのできるゲンゴを見つけられなかった。麻薬がなくなっても、彼らの依存症がおさまることはなかった——すぐに断ち切るというわけにはいかなかった。エズ／ラーのスピーチがあまりにも深くしみこんでしまっていたのだ。そのかわり、もっとも弱い者から死者が出はじめていた。テラ人のなかでも、シド／ニー大使が自殺をはかった。

「アヴィス」ブレンが電話をかけてきた。「わしの家まで来られるかね?」

ブレンはわたしを待っていた。女がふたり、彼といっしょにいた。わたしよりも年上だが、老人というわけではない。ひとりは窓ぎわに立ち、ひとりはブレンの椅子にすわっていた。女たちは部屋にはいったわたしを見つめた。だれもしゃべらなかった。

女たちはうりふたつだった。分身どうしだった。わたしにはちがいを見つけられなかった。ただの分身ではなく、均一化処置を受けていた。そこにいるのはひとりの大使、わたしには見覚えのない大使だった。当然ながら、それはありえないことだった。

「そうだ」ブレンが言った。彼はわたしにむかって短く笑い声をたてた。「あんたと話す必要がある。あることについて黙っていてもらう必要がある。あることというのは……」

女たちの片割れがわたしに近づいてきた。そして手を差し出した。

「アヴィス・ベナー・チョウ」女は言った。

「ショックでしょうね」その分身が言った。

「まさか」わたしはやっとのことでこたえた。「ショック？　そんなもんじゃすまない」

「アヴィス」ブレンが言った。「こちらがイル」正しいスペル（YL）はあとで教わった。わたしの耳には病気（イル）と聞こえた。「そしてこちらがシブだ」

女たちの顔はおたがいとまったく同じで、どちらも抜け目がなさそうだったが、着ている服はことなっていた。イルが赤色、シブが灰色。わたしは首をふった。ふたりともわずかに清風をまとっていたが、いまは解除して、このエンバシータウンの空気のなかでくつろいでいた。

「見たことがある」わたしは思いだした。「いちどだけ、あの……」わたしは都市を指さした。

「そうかもしれない」シブが言った。

「おぼえてない」イルが言った。

「アヴィス」ブレンが言った。「イル／シブがここにいるのは……彼女たちのおかげで、わしは状況を把握できるのだ」

イル／シブ――なんと醜い名前だろう。ブレンから聞いてすぐに、彼女たちがもともとはシブ／イル大使であり、こうした名前の組み替えも反逆の一環なのだとわかった。「イル／シブは都市に住んでいる」ブレンがおだやかに言った。当然だろう。彼は以前から都市にひそむ人についてほのめかしていた。ふと気がつくと、ブレンがわたしの名を呼んでいた。

「アヴィス、アヴィス」

「なぜわたしなの、ブレン？」わたしは言った。声が低すぎて内緒話のようになったが、イルとシブには聞こえたはずだった。「なぜわたしをここへ？　マグ／

ダーやほかの人たちはどこにいるの?」

「いや」ブレンは言った。彼はシブとイルとちらりと視線をかわした。「わだかまりがあるのだよ。積年の。イル／シブとほかの大使たちとは長いあいだ対立していた。世の中には変わらないことがある。だが、あんたはちがう。だから協力してもらいたい」

わたしは視界がひらけるのを感じた。破壊者、反逆者、ゲリラの大使、不穏な分裂者。ほかにどんな連中が外にいるのだろう? だれが? サイルか? 輪番父のクリスマスか? 記憶にあるバカげた物語もいまはそれほどバカげていなかった。答を得られなかった疑問を思いだす――だれがエンバシータウンから去ったのか、だれがそこに背をむけたのか、それはなぜだったのか。

「エンバシータウンは死にかけている」イルが言った。彼女は身ぶりで窓をしめし、シブは音のしないウォールスクリーンをしめした。最悪の、もっともゲンゴに飢えたアリエカ人たちが迫っていた。おもちゃのように不自然ながちゃがちゃした動きだった。いろいろなぐあいに破綻した連中が群れをなして、オレイティーの絶望だけを胸に、あてもなく通りを占拠しようとしていたが、その過程で、わたしたちやおたがいの命を奪っていた。わたしたちはもう外縁部の通りを歩くことはできなかった――襲撃が頻発し、アリエカ人が荒れ狂っていた。

カメラは、最終齢に達したアリエカ人たちが、垂れた腹をかかえ、たまに脚をもつれさせながらエンバシータウンへはいってくる様子をとらえていた。彼らの世話をする者はいなかった。ショッキングな光景だった。噂によれば、エズ／ラーのことばでハイになっていないはざまのときに、一部のアリエカ人がこうした無抵抗の高齢者たちを食べているとのことだった。進化の意図するとおりではあるが、もはや文化は放棄されていた。

世界が崩壊しつつあっても、わたしはイル／シブに質問したくてうずうずしていた――いままでどこにいたのか、なにがあったのか、何年もまえに姿を消してからなにをしていたのか。すぐ近くで、屋内のふたりに空気を分泌するバイオリグの住居で暮らしていたのかもしれない。ふたりは助言をしていたのか？　アリエカ人のために働いていたのか？　どこにも属していないのか？　情報の売買とか、わたしがなにも知らない非公式の経済活動の仲介をしていたとか？　エンバシータウンにいるだれかの支援を受けないかぎり、そんな孤立した暮らしを維持していけるとは思えなかった。

「彼らはわたしたちを助けたわけじゃないと言ってたよね」わたしは言った。「あとから来てほかの連中に襲いかかった、あの錯乱気味のアリエカ人たちは」

ブレンが言った。「そのとおりだ」

イル／シブが言った。「さまざまな党派が出現している」「一部のアリエカ人はもう考えることさえできない」「彼らは死にかけている」「そういう連中が周縁部を切り裂いている」「なんらかの秩序を維持しようとしている者たちもいる。新しい生き方で」「中毒をコントロールして」「彼らはあらゆる手段を試みている。死にものぐるいで」「エズ／ラーから聞いたことばをくりかえし、それでおたがいに対して効果があるかどうか試している」「隣人をコントロールしようとして」「放送のかわりになるものを配給しようとして」「複数のグループで複数の聴取シフトを組み、いままでにない……」「……組織化をはかって」「そのほかに、すべてを変えてしまおうとしている反体制派もいる」

「わしらには宗派がある」ブレンが言った。「いまでは彼らにもあるのだよ。ただし、神を崇拝するわけではない。神を憎む宗派だ」

「彼らは世界が終わりかけているのを知っている」イ

ル／シブが言った。「一部の者は新しい世界をつくろうとしている」「彼らはほかのアリエカ人を見くだしている」「あなたが見たのはそれ」「彼らは中毒者たちをこう呼んだ……」ふたりはゲンゴでひとつの単語を同時にしゃべった。「かつてはそういう呼び方をしていた」シブかイルが言った。「でも、いまはもうできない」「意味は〝弱者〟」「〝病人〟」「意味は〝無気力〟」「〝安逸をむさぼる者〟」「彼らは新しい体制をはじめようとしている」

「どうやって……？」わたしは、付け根だけ残ってぼろぼろになったファンウイングを思いだした。〝いまはもうそういう呼び方はできない〟——なぜなら、もう聞くことも、しゃべることもできないから。彼らがゲンゴを失ったから。「ああ、そんな……」わたしは言った。「ああ、なんてこと。あれは自分でやったのね」

「誘惑からのがれるためだ」ブレンが言った。「いまわしい治療ではあるが、治療にはちがいない。聞くことができなければ、体が麻薬を必要とすることはなくなる。そしていま、彼らが苦しむ同胞たち以上に憎く思っているのは、その苦しみをもたらしたものだけだ」

「ことばを変えると、あたしたち人間」イル／シブが言った。

「もしも彼らがあなたを見たら……」「彼らは自分を殺すよりも早くあなたを殺す」

「数は多くない」ブレンが言った。「いまはまだ。しかし、エズ／ラーのスピーチがなくなって、麻薬がなくなったいま、アリエカ人でなにか計画があるのは彼らだけだ」

「アリエカ人ではそのとおり」シブが言った。「でも、あたしたちにもある」「あたしたちには」イルが言った。

「計画がある」

15

アウトにいたときに、エンバシータウンの大使館は大きな建物ではないと知った。多くの惑星のさまざまな国で、もっと大きな建物を目にした。重力クレーンで支えられた、もっと高いものもあれば、もっと大きくひろがっているものもあった。それでも、大使館は充分に大きかった。通路も床も全体が螺旋状になっているところがあると知ったときには、ほんのすこしだけ驚いた。そんな場所は、はいったことがないどころか、あると想像したことすらなかった。

「するべきことはわかるはず」イル／シブがわたしたちに言った。「交代が必要になる」「あのクソな診療所をあけて」

それがふたりのアイディアの根幹であり、ブレンはそれを、自分の考えであるかのようにマグ／ダーへ伝えた。なぜブレンがわたしをイル／シブに紹介したのかはよくわからなかったが、彼がわたしを信頼したのは正解だった。大使館の最頂部の近くは、一連の部屋やホールにぐるりと囲まれて、独立したゾーンになっていた。わたしは行き方を知っている人たちについていった。

委員会の大使たちやスタッフは、ブレンの提案に反発をおぼえたようだった。彼の主張は、そこで言及される診療所のことを知らない委員たちには理解しがたいものだった。わたしも理解できないふりをした。

「あそこにはわしらが利用できる者が残っているかもしれん」ブレンは言った。

「それをどうやってたしかめるのです？」ダーがたずねた。

「まあ、そこがむずかしい」ブレンは言った。「被験者が必要になるだろうな」

ほんの数街区先では、渇望に身を焦がすアリエカ人たちの無秩序状態がますます悪化して、崩壊する家の数もさらに増えていた。いまだに都市の近くにとどまっている愚かなエンバシータウンの住民たちが、街角でそうした貪欲な連中に出くわすと、彼らはすぐに駆け寄ってきて、なにかしゃべってくれ、エズ／ラーのような音を出してくれとゲンゴで懇願した。それがかなわないとなると、アリエカ人たちは、その住民をつかまえて体を切りひらいた。怒りのせいかもしれなかったし、ひらいた穴から望みの音が出てくると期待したのかもしれなかった。

わたしは自分たちの計画が信じられなかった。拉致部隊を編成して、徒歩で市内へはいっていたのだ。煙と鳥が頭上をめぐっていた。このころのエンバシータウンはミクロ政治学一色で、さまざまな男女のグループが、二本か三本の通りに囲まれたなわばりで、本来なら使う必要がなかったレンチや、ピストルや、雑に装備したピストル獣――こいつは持ち主の手にしっかりと巻きついて血を吸いとる――で武装し、自治活動にあたっていた。

「エズ／ラーはどこだ、このクソども！」彼らはわたしたちの姿を見ると叫んだ。ホストを襲ってやると叫ぶグループもあった。それを実行した場合、いちばん弱いやつをひとりかふたり倒すことはできたかもしれないが、自分の体を傷つけるような攻撃的な連中が相手では勝ち目はなかっただろう。

わたしたちが失ったエンバシータウンの外周部では、アリエカ人たちを追ってペットの雑草たちがはいりこんでいた。それらは、最近までわたしたちの建造物だったものの上で、早くもぼうぼうに伸びたりかさぶた状にひろがったりしていた。そのせいでこのあたりの空気は汚れていた。

わたしたちはずっと武器をかまえていた。アリエカ人たちは、わたしたちを見ると、近づいてきたり、走り去ったりしながら叫んだ。〝エズ／ラー、エズ／ラー、あの声は、あの声はどこだ？〟

「ほんとうに必要なとき以外は殺さないで」ダーが言った。ひとりきりのアリエカ人が、ことばをもとめてうろうろしていた。

〝いっしょに来てください〟マグ／ダーが言った。

〝エズ／ラー〟アリエカ人が言った。

〝いっしょに来てください、そうすればエズ／ラーの声を聞くことができます〟

　わたしたちはコーヴィッドを一隻呼んだ。それは旧型で、金属とシリコンとポリマーでできていた――すべてテラのテクノロジーだ。より新型の機体は使わないようにしていた。わたしたちの伝統と地元のバイオリグとが歩み寄ったものなので、中毒がひろがっているいま、感染している可能性があった。それらを飛ばした場合、排気や、ひょっとしたら飛行音により、それらの渇望がほとばしるおそれがあった。

　わたしたちについてきたアリエカ人は、――（ショーシュ／トウ・トゥアン）と呼ばれていた。そいつは混乱し、神の麻薬の声を聞きたいという渇望に圧倒されていた。体のほうも飢えていたが、自身は気づいていないようだった。わたしたちは食物をあたえた。そいつがついてきたのは、エズ／ラーのことで約束をしてやったからだった。わたしたちはそいつを連れて問題の診療所へむかった。もと一般人でその棟の存在を知らなかったのは、委員会でわたしひとりというわけではなかった。通路や階段で何度か予想外の方向へ進むと、頑丈なドアのまえにたどり着いた。警備員までいた。人手がいくらあっても足りないこの時期に。

「メッセージはうかがいました、大使」警備員がマグ／ダーに言った。「それでもやはり……わたしとしては……」彼はわたしたちを見た。いっしょにいるおびえたアリエカ人を見た。「いまは非常時なのです」マグ／ダーが言った。「考えを改めなさい……」「……かつての規則はもはや適用されないのです」「そこをとおしなさい」

ドアを抜けると、制服姿の職員がわたしたちを出迎えた。彼らの不安は明白だったが、ほかのあらゆる人びとのそれに比べればたいしたことはなかった。その秘密のホールでは日常が演じられていた。この危機的状況にあってもリズムがまったく乱れていない場所にはいったのは、ここ数週間ではじめてだった。

介護士たちが薬やカルテを手にならんだ部屋を出入りしていた。わたしは、この職員たちはこうして日常業務をずっと続けるのだろうと思った――ことばに飢えたアリエカ人たちがここへ押し入ってきて彼らを殺すまで。エンバシータウンには日常の力が維持されている施設がほかにもあるのだろう――一部の病院とか、一部の学校とか、輪番親たちが担当のこどもたちを深く愛している家とか。社会が滅びるときにはかならず、変わらないことで反撃するヒーローたちがいるにちがいない。

診療所は、なりそこないの大使たちのための診療所であり保護施設であり監獄でもあった。「ふたりの人間をひとりにしようという試みがいつでも成功するわけがないんだ」ブレンがわたしにむかってささやいた。あざけるように。

大使たちはつぎからつぎへと産まれていた――わたしたちは同じ世代の男女ばかりいる部屋をいくつもとおりすぎた。はじめの通路にいたのは、中年の、幽閉された失敗作ばかりで、年齢は半メガ時をすぎており、カメラや、こちらの姿は見えないマジックミラーをじっと見つめていた。分身どうしがべつべつの部屋にいることもあり、おそらくリンクしていないのだろうが、リンクがおおざっぱすぎてあいだに壁があっても気にならないのかもしれなかった。つぎつぎと部屋をのぞいていたら、同じ顔を二度ずつ目にするのを何度も何度もくりかえすことになった。

がらんとした窓のない簡素な部屋もあれば、布地がぜいたくに使われた、エンバシータウンと都市を見渡せる部屋もあった。一部の収容者は、電子タグ、さらにはストラップによって安全を確保され、あるいは拘束されていた。ほとんどの虚弱者は――案内してくれた医師のひとりがそう呼んでいた――なにもしゃべらなかったが、拘束されたひとりの女は、独創的な悪態のことばをわたしたちにむかって叫んだ。わたしたちが通過するのを、女が不透明なガラス越しにどうやって知ったのかはわからない。女が口を動かし、医師がボタンを押して数秒だけその声が聞こえるようにした。わたしたちはその医師がだいきらいになった。

なにもかも清潔だった。花もあった。可能なときは、ふたり部屋の外に、なかにいる人たちの名前を敬称付きで印刷したものが掲示されていた――〈ハー／オット大使〉〈ジャス／ティン大使〉〈ダグ／ニー大使〉。

ある者は、心を共有しているように見せかけるために必要な共感を獲得できず、ただ同じ顔をしているふたりの人間にしかなれなかった――訓練でも、投薬でも、リンクや強制によっても。多くはていどの差はあれ気がふれていた。たとえゲンゴの才能があっても、彼らは精神的に不安定で、怒りっぽくて、陰気なままだった。危険でもあった。分裂によって正気を失った者もいた。ブレンとはちがい、分身の死を乗り越えられなかった者もいた。彼らは壊れた半人だった。

そこには多種多様な大使のなりそこないがいた。大使たちの数よりずっと多かった。わたしはその人数に寒けをおぼえた。まったく知らなかったのだ。わたしたちは文明化されすぎていて彼らを死なせることができない――だから、このきれいな監獄で死ぬのを待ってもらっている。わたしはテラの歴史をそれなりに知っていたので、こうした人びとの一部は、政治的な理由でなりそこないと判断されているにちがいないと思った。名札にひとつひとつ目をやっていたら、たとえばダル／トンのように、知った名前があることに気づいた——わたしのような悪い市民だけが話題にする反体制派の大使たち。気配はなかった。

　いちばん奥のセクションにさしかかると、わたしの輪番親たちよりも高齢の男女が、動物のように吠えたり、担当の介護士にむかって、あるいはだれにともなく話しかけたりしていた。「なんてこと」わたしは言った。「ああファロテクトンよ」

　禁断症状に苦しむショーシュ（トゥ・トゥアン）は、無意識に排便してしまった。そいつは自分がしたことに気づいて、恥ずかしそうになにか言った——その行為は、わたしたちだけでなく、ホストたちにとってもタブーだった。

　医師たちはわざと遠まわりをして、わたしたちを目的地まで、オーディションの実施できる部屋まで連れていったのだと思う。そこで、わたしたちは部屋をつぎつぎとのぞいていった。壁がほかより明るい色に塗られたところでは、いくつものスクリーンにプレイウェアがアップロードされていて、その美的感覚がなんとも不似合いだったので、どういうことか理解するまで数秒かかった。そこに連れてこられるのは幼い大使たちで、一部は生まれてからわずか五〇キロ時しかたっていなかった。わたしはそういうドアの窓はのぞきこまなかった。修正不可能なこどもたちを見なくてよかったと思う。

　ひろい部屋のなかで、わたしたちはショーシュ（トゥ・トゥアン）に、集中してくれと頼んだ。ひとりまたひとりと、医師たちが、候補になる可能性がもっとも高そうな者を連れてきた。全員に護衛がついていた。

　永遠にゲンゴを習得できない者は、わたしたちにとっては役に立たなかったし、あまりにも精神的に不安定な者もだめだった。だが、ペアのなかには、ゲンゴをしゃべるときに、はっきりなにとは言えないが、とにかくなにかが欠けているというだけの理由で、生まれてからほぼずっと幽閉されてきた者もいた。その多くはびっくりするほどしっかりと正気をたもっていた。わたしたちがテストしたのはそういう人びとだった。

　高齢のペアがわたしたちのまえに立った。その男たちは大使らしい尊大さとは無縁だった。むしろ、わたしたちがあたえる厚遇にふさわしくないように見えた。名前はザーク／シーズ。ふたりはアリエカ人の姿に心を奪われた——もう何年もホストを見ていなかったのだ。「このふたりは以前はゲンゴを話せました」医師がわたしたちに言った。「それが突然、話せなくなったのです。理由はわかりません」

　ザーク／シーズには礼儀正しくひかえめな雰囲気があった。「ゲンゴをおぼえていますか、ザーク／シーズ大使？」ダーがたずねた。

「なんという質問だ！」「なんという質問だ！」ザーク／シーズは言った。「われわれは大使だ」「われわれは大使だ」

「わたしたちのためにゲストにあいさつしてもらえますか？」

　ふたりは窓の外へ目をやった。都市の各地区は禁断症状のためにやつれて色あせ、いたるところに腫れができていた。

「彼らにあいさつ？」ザーク／シーズが言った。「彼らにあいさつを？」

　ふたりはぼそぼそとつぶやいた。長々と準備をして、ささやきをかわし、うなずいた。わたしたちはじりじりしてきた。ふたりがしゃべりだした。わたしでさえよく知っている、模範的なことばだった。

「スヘイル・カイ・シュー／シュラ・スヘイル」ザーク／シーズは言った。〝みなさんをここへお迎えできてうれしく思います〟

　アリエカ人がサンゴ状の目をぴんと立てた。期待していたせいもあり、わたしにはそれが、アリエカ人がエズ／ラーのことばを聞いたときに見せるしぐさと似ているように思えた。トゥ・トゥアン（ショーシュ）はゆっくりと部屋のなかを見まわした。

　そいつが見ているのは新しいノイズが聞こえたからでしかなかった。わたしがグラスを落としても同じ反応を見せたかもしれない。そいつは興味を失った。ザーク／シーズがまた口をひらき、〝わたしと話をしてもらえますか〟というようなことをしゃべった。アリエカ人はふたりを無視し、ザーク／シーズはさらにしゃべったものの、その声は崩れて、力を失い、カットとターンが別の懇願の半分ずつをそれぞれしゃべっていた。心地よいものではなかった。

　そこにゲンゴがまったくなかったとは思えない。アリエカ人が聞いたことばには、なにか、残骸のようなものがあったと思う。そのまえの、アリエカ人の周囲の見まわしかたを考えてみると、ランダムなノイズに対する反応とまったく同じではなかったように思う。それでなにが変わるわけでもなかったし、充分とは言えなかったけれど、ザーク／シーズにも、人数はわからないがほかの大使たちにも、たしかにゲンゴの幻影が残っていたのだと思う。

　ザーク／シーズ大使は自分たちの部屋へ連れもどされた。どちらも従順だった。ひとりはわたしたちを申し訳なさそうに見ながら、足を引きずるようにして監獄へと歩いていった。

　ほかの大使たち。高齢者からはじまって、だんだんと年齢がさがり、それから、ぞっとしたことに、ふた組の若者たちがわたしたちを必死になってよろこばせようとした。均一化処置を受けて同じ服を着ている組もあれば、そうではない組もあった。わたしと同じくらいの年齢のペア、フェイ／リスは、冷たく反抗的な態度をとろうとしたが、ゲンゴをしゃべってくれと頼まれると必死になってこたえようとした。トゥ・トゥアン（ショーシュ）

は彼らを見つめてなにかを認識したようだったが、充分ではなかった。フェイ／リスは、部屋から連れ去られる——引きずりだされる——ときにわたしたちにむかって悪態をついた最初の大使だった。

　わたしはマグ／ダーを見つめた。わたしはふたりが好きだったし、尊敬もしていた。そのふたりがこのことをずっと知っていたのだ。

　十七組の大使たちと会った。十二組は、わたしにはゲンゴをしゃべっているように聞こえた。九組はアリエカ人になんらかの影響をあたえたように見えた。三組については、イル／シブが期待したものを、わたしたちが探していたものを、エズ／ラーのあとを継いでエンバシータウンを生きのびさせるものを見つけられたのではないかと思った。だが、みんななにかが足りなかった。

　エズ／ラーのゲンゴが麻薬だとしたら、いずれ、別の大使のそれが毒になるかもしれない。わたしたちはショーシュ／トゥ・トゥアンに最後に残ったデータチップをひとつ聞かせた。そいつはぐったりして身をふるわせ、エズ／ラーの語る、昔のぼった大きな木にまつわるとりとめのない話に聞き入った。診療所には、わたしたちの救いになるものはなかった。

「複製することはできないのです」ひとりの医師が言った。「これらには……」彼女はほかの部屋で幽閉されているなりそこないたちを身ぶりでしめした。「彼らには欠陥があります。エズ／ラーにはそういうものはありません。ランダムなふたりの人間がゲンゴを話せるはずがないのです。あんなのはけっして見つからないでしょう。そもそもエズ／ラーの発見が、単に可能性の低いできごとではなかった——ありえないことだったのです。もういちどそんなことができると思いますか？」

エズ／ラーが生きのびられなかったのは、むりもないことだった。宇宙はみずからを訂正しなければならなかったのだ。わたしたちは委員会の席についた。

「あそこは閉鎖しないと」わたしは言った。

「よしなさい、アヴィス」マグ／ダーが言った。

「あれはひどすぎる」

「よしなさいと言ったでしょう！」「閉鎖するものなどありません……」「……そもそも閉鎖する人がいなくなってしまうのです、わたしたちがなんとか手立てを考えなければ」

そして、沈黙。一分かそこらたつたびに、テーブルについているだれかがなにか言いたそうな顔をしたが、結局はだれも口をひらかなかった。だれかは泣いているみたいに鼻をぐすぐすさせていた。

マグ／ダーが小声でことばをかわした。「できるだけ多くの研究者を呼んでください」ふたりは語りはじめた。「バイオリグ技師、生物学者、医学者、言語学者……」「みなさんが思いつく人をだれでも」「このアリエカ人」「トゥ・トゥアン（ショーシュ）については」ふたりは顔を見合わせた。「必要なことをしてください」「テストして」「徹底的に調べて」

ふたりは反対意見を待った。なにもなかった。

「なにが起きているか突き止められるかどうか、徹底的に調べるのです」「体内まで。その〝骨の家〟のなかまで」マグ／ダーはブレンとわたしにちらりと目をむけた。「それがエズ／ラーを聞くときに」「なにか見つけられるかもしれません」「そうすれば合成できるかもしれません」

こうして、マグ／ダーのリーダーシップにより、わたしたちはひとりのホストを殺した。身を守るためですらなく、冷酷な打算によって。エンバシータウンはなにか新しいものに変わった。わたしはマグとダーの勇敢さに畏怖の念をいだいた。それは忌まわしい行為だった。マグ／ダーは自分たちが提案するしかないと知っていたのだ。

アリエカ人の体内を調べて中毒の秘密がわかると思っていた者はだれもいなかったと思う。それでもわたしたちは試した。だれもがもうすぐ死ぬはずだったあのとき、必要なのは新しいパラダイムであり、マグ／ダーはそれをわたしたちにあたえたのだ。ふたりはみずからそれを引き受けることで、戦争とはどういうものなのかをわたしたちに伝えた。わたしたちに汚れた希望をあたえた。それは、わたしがかつて目にしたもっとも献身的な行為だった。

16

診療所でおこなわれた中毒者の生体解剖ではなにもわからなかった。

数日後、エンバシータウンは、委員会が破滅をまぬがれるために新たなエズ／ラーを創造しようとして失敗したことを知った。噂がひろがったのは、噂がひろがるものだからだ。噂と秘密が争い、噂が勝利をおさめ、新たな秘密が生まれて、それがまた新たな噂と争い、といった調子だ。

マグとダーはわたしたちを戦争へと送り出した。手遅れではあったが、まだ絶望していない仲間たちでバリケードを設置した。エンバシータウンの外周部はすでに手のつけようがなかった。通りを何本かはいったあたりで、放棄された家から中身を引っぱりだし、建物も壊して通りへほうりだした。ブルドーザーで溝を切り、道路の破片とその下のアリエカの土を盛りあげて傾斜した防壁をつくりあげた。それをプラストーンとコンクリートでかため、狙撃手を配置して、都市のなかにあるわたしたちの街の残骸を、麻薬をもとめるアリエカ人から守ろうとした。

建物は銃をそなえた警備塔になった。もとからあったすこしばかりの武器に、ブレーメンの武器庫から持ちだしたものを加え、技術者と装備者が新しい兵器を作製した。手持ちのテクノロジーに組み込まれているバイオリグを残らずチェックして、すこしでも中毒の気配があったら破壊した。汚染されたキーキー鳴くマシンを焼却して、異端のテクノロジーに死刑を執行した。

なにもかも手遅れなのはわかっていた。エド／ガー大使は首を吊った。エド／ガーは委員会の一員だった。彼らの自殺にわたしたちはあらためてショックを受けた。大使たちが自殺の先駆けとなって、ほかのエンバシータウンの住民がそれを模倣した。

自分たちで作ったり育てたりしたナイフや棍棒や銃を手にした男女が、清風を吸いながら、新たな境界に築かれたバリケードへやってきた。彼らはわたしたちの砦を乗り越え、つい最近まではただの通りだったのに、いまや暗黒の地となった場所へとぼとぼと進んでいった。彼らはわたしたちから離れ、脇道があると武器をかまえて体をすばやくまわし、ここの治安官たちやマイアブで輸入されたチャロ・シティの警察ドラマで見た動きをまねした。ときおり、目の届くぎりぎりのあたり、病的なほど現地の色に染まった建物のわきで、アリエカ人たちが彼らを待っていた。

わたしたちはこうした一方通行の探検者たちを止めようとはしなかった。彼らも、汚れた空気のなかへ踏み込み、状況の悪化した異星人の都市へはいることで、エンバシータウンの運命からのがれられると思っていたわけではないと思う。とにかくなにかしたかったのだろう。わたしたちは彼らを死にゆく者（モリトゥーリ）と呼んだ。最初の数人のあと、すこし人が集まってきて、出ていく彼らに歓声を送るようになった。

アリエカ人たちはいまや恐怖のどん底にあった。だれもが病み、飢えていた。痩せているか、さもなければ空腹によるガスのせいで妙にふくれていた。目は見なれない色になっていた。歩くときは体をひくつかせたり、動かない外肢を引きずったりしていた。ファンウイングはふるえていた。まだわたしたちと取引をしようとする者もいた。彼らは依存症を克服しようとしていた。バリケードの基部に集まり、それを破ろうとしていないことをおおげさな身ぶりでしめして、善意を証明した。彼らはわたしたちに呼びかけた。わたしたちがマグ／ダーやラン／ドルフといった委員会の大使たちを連れてくると、彼らは交渉を試みた。

ときどき、ホストたちは、エネルギー、燃料、奇跡的に感染していないバイオリグを置いていった。わたしたちは、もはや彼らには生産することのできない食料や医薬品を提供した。わたしたちはエズ／ラーの声を聞かせると約束し、ホストたちが懇願するのはそれがすべてだった。嘘がどのように作用するかについて、わたしたちの約束の性質について、うすうす感づいていたとしても、彼らはいっさい不信の念をあらわさなかった。そして救いもないまま待ち続けた。彼らがその場を離れたのは、そこまで自制心のない同胞たちによって追い払われたときだけだった。

もっとも渇望がひどくて、計画もなにも立てられないオレイティーたちは、全力でバリケードへ突進してくると、高々と跳びあがり、ギフトウイングでしがみついて、ゲンゴで叫んだ。わたしたちはそういう連中は撃退した。必要とあらば殺した。アリエカ人が撃たれ、爆弾で吹き飛ばされ、バイオリグの腐食性の唾液で焼かれ、刃で切られるのを見た。アリエカ人をひとり殺すと、生まれてからずっと植えつけられていた敬意が消え失せる。狙撃手たちは泣いた。二度目はそんなことはなかった。

占領された通りに動物たちがはいりこんできた。改造アナグマや、キツネや、サルたちが、興味津々でわだちをたどってきた。キリツメが配水管をよじのぼり、がたついた窓をしつこく引っぱった。ときおり、気分のふさいだ見張りが一匹を打ち倒すと、ほかの連中はちりぢりに逃げたものだが、すぐに、テラの動物を殺すのは縁起が悪いこととなった。そのかわりに、バタバタ、ヨロヨロと妙な歩き方でやはり近づいてくるアリエカの動物たちを撃つのが気晴らしになった。テラ産でもアリエカ産でもない動物が標的になるのかどうかについてはだれも確信がもてなかったので、キリツメはほうっておかれた。

わたしたちは食料やエネルギーといった必需品の不足については考えないようにした。ゴミを積みあげた壁では、最後の砦と抵抗、襲いくる大群を題材にした絵物語が上演された。それは救いになった。夜になると、人びとは残されたささやかな一角に集まった。わたしはこんなものが慰めになるのかと驚いた。芸術家たちが記録保管所で、何百万時間もまえの離散(ディアスポラ)以前の時代までさかのぼる、デジタル化された考古学資料をあさった。彼らは腐食した太古の創作物をスクリーンに表示させた。

「これはジョージ王朝時代あるいはローマ時代のものだと思う」主催者のひとりがわたしに言った。「しかし、彼らは初期アングロ語をしゃべるんだ」不格好なシンボルで表現された、色のない男女が、一軒の家に立てこもり、はなはだしく病的な人物像と戦っている。色がもどり、主人公たちは生産物でいっぱいの大きな建物のなかにいて、まえよりもっと病的な敵が容赦なく彼らに襲いかかってくる。もちろん、わたしたちはそれを自分たちの物語として読んだ。

アリエカ人がわたしたちの防御を突破するのはわかっていた。彼らはこちらのゾーンに隣接する家にはいりこみ、裏や側面のドア、大きな窓、どこかの穴までたどり着いた。ある者は玄関のドアを出てこちらの通りにはいり、見つけたものを破壊した。記憶のかけらが残っている者は大使館へむかおうとした。彼らは夜やってきた。その姿は、こどもの本に出てくる、暗闇のなかの怪物のようだった。

危険はほかにもあった——人間の無法者だ。テラ人だけではなく、ケディス人やシュラース人まで混じったある犯罪者のグループについて、噂がひろまっていた。証拠はなかった。それでも、中央バリケードのそばで、あきらかに人間の手にかかったと思われるシュラース人が死体で発見されたときには、それもまた例の略奪集団のしわざにちがいないという釈明がささやかれた。シュラース人は暴力か事故でしか死なないので、この種族にとっての死は——シュラース人の死はすべて——アダムとイブの堕落と同じくらい忌まわしいことだった。

わたしたちが死体を片付けたアリエカ人は、その全員がわたしたちの手で殺されたわけでもなければ、中毒に苦しむほかのホストたちの手当たり次第の蛮行によって殺されたわけでもなかった。一部は、なにか意図をもった異質な残虐行為によって殺されているように見えた。

「まえに見ただろう」ブレンがわたしに言った。「あのファンウイングがなかった連中だ。中毒者のことは心配だが、やつらのことも考える必要がある」

「イル／シブはどこにいるの？」わたしは言った。

「あのふたりは正気だからな。都市で暮らしていく方法はいろいろある。イル、シブ……それにほかの連中も。大使が常にその地位につけるわけじゃないことは知ってるだろう」

「あの施設は閉鎖するべきよ。ひどすぎる。あんなふうに閉じこめておくべきじゃない」

「わかってる」

その夜はブレンといっしょにすごした。それが二度目だった。最初のときよりもさらに会話は少なかったけれど、ちっともかまわなかった。それ以上は望むべくもなかった。「三つの声で成り立つ言語があると思う？」わたしはふとブレンにたずねた。

「そいつは重要な問題だな」ブレンは言った。「もちろん。四つや、五つでも」

わたしは言った。「異星人がアングロ語をしゃべって人間の頭をめちゃくちゃにする場所もね」

わたしたちは裸で窓辺に立った。ブレンは腕をわたしの肩にまわし、わたしは自分の腕を彼の腰にまわして、炎や、叫び声や、なにかが砕ける音に耳をすました。

翌日の朝早く、ブレンのところに電話がかかってきた。腹立たしいことに、彼は相手がだれなのか言わなかった。わたしたちは急いで境界へむかった。アリエカ人の大群が迫っていた。バリケードにむかって波のように疾走している――それは最後に残った意識で組織された侵攻だった。〝お願いですからエズ／ラーの声を聞かせてください〟わたしたちを殺しにこようとしているアリエカ人たちが叫んだ。〝エズ／ラーのことばを聞ける可能性はあるのですか？〟

見張りたちが応援をもとめた。マグ／ダーとわたしたちの同志とスタッフが駆けつけた。急いで育てた耳のない動物銃で、機械製作した銃弾で、ふりまわした棍棒で、階段の敷物押さえを改造した矢を射るポリマー製の十字弓で、わたしたちはホストたちの群れをかろうじてくいとめた。アリエカ人は突進し、〝わたしたちの心からの願い〟と、丁重に要求を叫んだ。ゼルたちがちょこちょことバリケードをのぼり、わたしたちはそいつらも撃ち倒した。ケディス人はこちらの味方だった。電気の流れるワイヤーをあやつっているシュラース人もいた。シモンは以前に切り落とした腕でみごとな射撃の腕を見せていた。

アリエカ人たちは、最小限の組織力さえあればわたしたちを攻略できたはずだが、このときは麻薬がきれて本来の能力を失っていた。彼らは山になった同胞の死体を乗り越えなければならなかった。死肉あさりがやってきた——野生化した家の抗体だ。わたしたちのほうの鳥たちは、死体の上空で空気のにおいを嗅ぎ、ふたたび飛び去った。アリエカ人の内臓のつんとくる異臭で、わたしの目には涙が浮かんでいた。脇道のほうで騒ぎが起きていた。なにかがホストたちのなかへ押し入ろうとしていた。わたしは大声でブレンの注意を引いた。それは、例の、自分の体を切ったアリエカ人たちの集団だった。彼らはほかのアリエカ人たちのなかにこっそりまぎれこんでいたのだ。ブレンが無表情に彼らを見つめ、ほかのわたしたちがあぜんとして見守るまえで、そいつらは麻薬中毒の襲撃者たちを残忍に蹴散らしていった。

「ブレンが最初にここに着きました」ダーがわたしにむかって静かに言った。彼女はマグとブレンが話しているほうへ目をむけた。「あなたといっしょに。彼はこのような事態になると知っていたのですね？　どうやって？」

わたしは首をふった。「彼は知り合いが多いから」

「あなたは？」

イル／シブのことを話すつもりはなかった。ダーは無能ではなかった——関係者の名前も含めて、彼女がなにもかも知っていたとしても驚くにはあたらなかった。「かんべんして」わたしは言った。

「あなたはなにを知っているのです、アヴィス？」

わたしは無言でダーの目を見返し、うろたえたり恥じ入ったりしていると思われないようにした。そうすれば、たとえ隠しごとがあるとばれたとしても、それはなにかに敬意をはらっているせいだとわかってもらえる。ちょうどそのとき、見覚えのない番号から電話がかかってきた。音声のみで、3Dも2Dも映像はない。声はこもっていてよく聞きとれなかった。

「もういちど言って」わたしは怒鳴った。「あなたはだれ？　もういちど言って」

相手が用件をくりかえすと、今度はわたしにも聞きとれた。わたしは息をのみ、どうか聞きまちがいでありますようにと願いながら、音声をスピーカーへ切り替えて、マグとダーとブレンにも聞こえるようにした。だが、まちがいではなかった。もういちど流れ出してきた声は、ずっとはっきり聞きとれた。

「カル／ヴィンが死んだ」


ふたりの部屋で見つかったのは、飲み物とセックスの残りかすだけだった。カル／ヴィンの電話にかけても応答はなかった。ふたりがよくおとずれていたクラブへ行ってみると、ムカつくことに、最後まで残っていた数人の熱心な客が、いまだに世界の終わりをかき消そうとしていた。彼らはカル／ヴィンはここ何日か顔を出していないと言った。最後に来たときには、冷めた態度の男を連れていたとのことだった。

ほかのバーも何軒かあたってみたが、どこにも手がかりはなかった。突然、カル／ヴィンといっしょにいたのがだれなのか思い当たった。わたしたちは、わたしが以前住んでいた、サイルが以前住んでいたアパートへむかった。いま、わたしはそこから去り、サイルはそこへもどっていた。わたしの鍵はまだ使えた。サイルの荷物がそこらじゅうにあり、そのアパートはいまや完全に彼のものだったが、本人は不在だった。サイルからの、わたしに宛てた手紙が、かつてはふたりのものだったベッドの上に置いてあった。それはすでにあけられていた。わたしはそれをすこしだけひらき、〝これはお別れのことばだ〟という文章が目にはいったところで手を止めた。

カル／ヴィンは別の部屋にいた。あのメッセージはまちがっていた——カル／ヴィンは死んでいなかった。ヴィンが死んでいた。首を吊っていた。カルは、ヴィンが振り子のようにきっちりと揺れるのを見つめていた。別のマットレスの上に、別の手紙があった。

カルがわたしに目をむけた。そのとき彼がわたしの顔になにを見たのかはだれにもわからない。「感じなかった」カルは言った。「わからなかった。わたしは……」彼は自分の首に、リンクにふれた。「以前はたしかに……だが、またふたりともつけていたんだ。わかるはずだったのに。わからなかった。どうして……そんなことが」

カルの声は喪失感で獣じみてきた。「どうして？」彼は叫んだ。「これはだれなんだ？」そして両手を差しのべた——死んだ分身にむかって、ありえないことにひとりで死んだ、自分のきょうだいにむかって。

第六部

新しい王たち

17

わたしはサイルの手紙を何時間も握っていたが、そのことに気づいてさえいなかったと思う。カルを大使館へ連れていって気持ちをおちつかせる薬をあたえたあと、最終的にカルとふたりきりになったのはわたしだった。

「ヴィンをおろしてくれたか?」カルが言った。

「彼のことはわたしたちがちゃんとしたから」わたしは言った。

「きみはなぜここにいるんだ?」ほかの人たちが出入りしているなかで、カルはたずねた。

「マグ／ダーがじきにやってくる。いまはあれこれ手配を——」

「わたしが言いたかったのは……」カルはいっとき黙り込んだ。「文句を言ってるわけじゃないんだ、アヴィス。ヴィンが死んで……きみはなぜここでわたしといっしょにいる?」この期におよんでも、おたがいに何カ月もまえからわかっていたことを認めるのはむずかしかった——ふたりの相違のことだ。しばらくたってから、わたしは肩をすくめた。

「とにかくなにも知らなかった……」カルは驚きのこもった声で言った。「わたしは……最近のわたしたちはときどき、必要に迫られて、すこしだけ離れていた。そして……わたしはただ……ヴィンとサイルはいっしょに働いていたと思う、それで……」

カルは、分身からの自分宛ての手紙をベッドに置いた。そしてわたしにひろわせた。人びとが食事を運んできて悔やみのことばをつぶやいた——ほかの人たちが世界を修復するために奮闘したとき、カル／ヴィンはあっというまに自分本位になってしまったが、それでもカルは、そしてカル／ヴィンは、以前は充分に中心にいたのでなにかを保持することはできた。カル／ヴィンは主席大使だった。ホア／キンが引退したときに大使館のトップに置かれたのだ。委員会の多くの者から見ると、彼らのかかえる問題は欠点ではなく病気であり、これはその悲惨な結末といえた。わたしはヴィンのメッセージをひらいた。

わたしはきみとはちがう。許してくれ。
彼女にわたしからのことばを伝えてくれ。
どうか許してほしい。わたしはそれほど強くなかった。もう限界だ

たぶん、わたしは二行目のようなことばを予想していたか期待していたのだろう。

「わたしへの命令を見ただろう」カルが言った。「さて、きみになにを言えばいいのかな？」わざと不快にさせるような態度をとっていたものの、その声にある乱れは聞いていてつらかった。わたしはもう一枚の紙片に、サイルの手紙に目をむけた。「それはたぶん……ヴィンが見つけたんだ、あのまえに……」カルが言った。わたしにはマグ／ダーとブレンがはいってきた音が聞こえていなかった。彼らがいるのに気づいたのは、カルがこんなことを言ったときだった。「アヴィス・ベナー・チョウとふたりで、それぞれの別れのことばを比べているんだ」

〝最愛のアヴィス〟――わたしは読んだ。

最愛のアヴィスへ
これはお別れのことばだ。ぼくは歩いていく。外へ。きみに許してもらえるといいんだが。とてもとどまることはできない、ここでの暮らしはもう

耐えられない——

そこで読むのをやめて、紙片をたたんだ。カルさえちょっとだけ気の毒そうにわたしを見ていた。

「サイルはたいせつな人だった、以前は」わたしは言った。「読む気になれない」こんなのはわたしが結婚した男とはちがう——と言ってやってもよかった。わたしは冷たく笑ってみなをぎくりとさせた。かつて愛した熱烈な夢想家がエンバシータウンをさまよって死に場所を探している姿を想像してみた。彼を見つけられるのはいつごろになるだろう。

マグ／ダーがわたしから手紙を受け取った。ダーがそれを読み、マグに渡した。

「読むべきですね」ダーが言った。

「読むつもりはないよ」わたしは言った。

「いろいろ説明されています。彼の……理論が……」

「ああファロテクトン、もうやめて、マグ／ダー、わたしは読むつもりはないの」わたしはふたりを見つめた。出ていった。「サイルはオーッ通りへ踏み出した。そこになんて書いてあるか言ってあげようか。ゲンゴは神の言語である。アリエカ人は天使である。サイルは彼らの使者である、くらいかな。それがいま失墜した。わたしたちの嘘が彼らを堕落させたとか？」

ブレンは表情を変えなかった。マグ／ダーは身じろぎしただけで、わたしのことばを否定しなかった。

「苦しんでいるのは自分ひとりだと思っているのですか？」マグ／ダーは言った。「気持ちの整理をつけて、いますぐ読みなさい、アヴィス」「ヴィンはこれを読んで」——マグかダーが手紙をふった——「自殺したのです。それがわかっているのですか？」

「ふたりはなにをしていたの？　ヴィンはなにを考えていたの？　じゃあサイルが言ってるのは……？」わたしはたずねたことを後悔した。

「もうここには耐えられないということだけだ」ブレンが言った。「だから彼は去った。その理由は、きみが言ったとおりだ」

ファンウイングのない、自傷種のアリエカ人たちが、さらに同胞たちを殺していた。ブレンは探索のために蜂カメラの群れを送り出した。彼が漠然とめざしていたのは、イル／シブやそのほかの連絡員たちがいる方向にちがいなかった。音の聞こえなくなったアリエカ人たちの攻撃を見た。家々の死骸や、住居が根こそぎになったり浄化されたりした場所にできた穴をのぞきこんだ。わたしは自分たちがなにを探しているのかわからなかった。サイルは死ぬためにどの方角へむかうのかについてなんの手がかりも残さなかったので、わたしはレンズが彼の死体をとらえるのではないかと何度も想像してしまった。そんなことはなかった。

ファンウイングのない新種がいるところでは、廃墟のなかへ降下して、おたがいに身を寄せあい、レンズの狙いを定めた。アリエカ人の新種はわたしたちのカメラを見つけると破壊した。彼らはオレイティーたちを狩り立てていた。

生ける屍になった仲間たちほどは中毒が進行しておらず、襲撃者たちほどは怒りに満ちていないアリエカ人もいた。彼らはバイオリグの保育所というかその残骸のなかで、ゲンゴで夢中になって話をしていたが、早口すぎてブレンにもよく聞きとれないほどだった。「あんなしゃべりかたは聞いたことがない」ブレンは言った。「状況がどんどん変わっているな」

そのアリエカ人たちは生きようとしていた。彼らはエズ／ラーの声をもとめて叫び、もう何日も沈黙したままのスピーカーのまわりに宿営地を設置した。スピーカーはトーテムポールのようにきれいに掃除されていた。わずかに生きのびたこどもの世話をし、有知覚期をすぎた老人——やはり感染していたが、当人は知らなかった――を守っていた。こうした文明のなごりをかろうじてとどめている小グループと、心をなくした老人たちを見て飢えたように口を動かす歩く残骸たちとのあいだには対立が見られた。

わたし自身はもっと別のことを見ていた。ヴィンを見つけた晩に境界付近を撮影した映像をせっせと見返して――わたしがそんなことをしているのはだれも知らなかった――ようやく、数秒とはいえ、歩いてエンバシータウンから出ていく夫の姿を見つけた。何度かカメラを急いで切り替えて、わたしは彼が低めのバリケードのひとつをくだっていくのを見つめた。

彼はちらりと目をあげて、別のカメラがあるらしい方向を見たが、そのカメラの映像は見つけられなかったので、正面から表情を見ることはできなかった。それでも、サイルだということはわかった。歩き方を見るかぎりでは、のろのろしているわけでもなく、見るからに憂鬱そうというわけでもなかった。わたしが見ていた数秒間、彼は探検家のように危険な通りへ踏み込んでいったが、そこで信号が乱れて、あとにはだれもいない通りだけが映しだされた。

監禁されていた数週間、ブレーメンの窓際族だったワイアットは、くりかえしわたしたちとの対話を要求した。はじめは、正しい手続きをとらなければという漠然とした感覚から、委員会もそれに応じた。ワイアットは、パニックになって怒鳴りちらし、わたしたちを非難しただけだった。それ以降、わたしたちは会うのをやめた。

ワイアットはブレーメンへ緊急照明弾を送ったのではないかという意見もあった。たとえ彼がそんなことをしていて、それがきちんとプログラムされていたとしても、ブレーメンにたどり着くまでは何カ月もかかるし、イマーを通じてなんらかの反応があるまでにはさらに何カ月もかかる。

マグ／ダーから、ワイアットがまたわたしたちに会いたがっていると最初に言われたとき、わたしはあまり真剣に考えなかった。ワイアットは独房に監禁されていた——エンバシータウンにほかにもブレーメンのエージェントがいて、彼が指示を出すかもしれなかったからだ。「ワイアットもとうとうラーのことを知ったのです」マグが言った。「彼が死んだことを」いくら隔離されているとはいえ、その噂が彼のところにたどり着くまでそんなにかかったのは驚きだった。「これはあなたも聞くべきだと思います」わたしたちはワイアットの独房からの映像を見た。

「話を聞け！」ワイアットはカメラにむかって慎重に呼びかけた。「わたしならこれを止められる。聞くんだ！　ラーが死んでどれくらいたったんだ、このバカどもが？　なにが起きているか教えてもらえなかったら、手助けもできないだろう？　わたしをエズのところへ連れていくんだ。支配したければ、支配すればいい、共和国をつくればいい、わたしの知ったことじゃない、どうでもいい。そんなことは問題じゃないんだ。なんでも好きにすればいいが、エンバシータウンを存続させたいと思うなら、後生だからわたしをここから出してくれ。わたしならこれを止められる。わたしをエズのところへ連れていくんだ」

ワイアットが脅したりすかしたりするのは何度も見てきたが、これはいままでになかった。

境界地域では、オレイティーやそのアリエカ人の敵が、ひっきりなしに攻撃をしかけてきていた。最後の防衛作戦となりそうなものの手始めとして、マグ／ダーとブレンと委員会のトップの面々とわたしは、ワイアットに会いにいった。

エンバシータウンの刑務所には、少数の警備員たちが、義務感だけではなく無力感から、いまだ姿を消さずに残っていた。ワイアットは、わたしたちが彼をエズのところへ——護衛つきで——連れていくまで、いっさい説明はしなかった。独房には、汚れた囚人服を着た半分だけの大使がいた。「いったいなにを考えていた？」ワイアットはつぶやいた。彼はエズを見つめたまま、わたしたちにむかってしゃべっていた。「そんなことがうまくいくと思ったのか？」ワイアットはうなずき、付け加えた。「やあ、アヴィス」

「ワイアット」わたしは言った。彼がなぜわたしだけを名指ししたのかはわからなかった。

「見知らぬ人間がふたり、友人がふたり、シュタット共感検査であんな得点をあげられるのはとんでもない偶然じゃないか？　やれやれ、おまえたちはバカなのか？」ワイアットは首をふり、申し訳なさそうに両手をあげた——喧嘩をするつもりではないと。「よく聞け。これはただの偶然じゃない——意図されたことなんだ。わかるか？」彼はエズを指さした。「そいつの頭をスキャンしろ」

ワイアットがほのめかしていたのは、彼が説明しようとしていることが事態を変えるかもしれない、わたしたちにほんのわずかでも希望をあたえるかもしれないということだった。それが事実なら、エズも知っていたはずだが、なにもしなかったしなにも言わなかった。彼はみずからの希望さえむだにしていた。

「スキャンしろ」ワイアットが言った。「それでわかる。そいつは作られたものなんだ」ブレーメンによって。「極秘事項だ。わたしのデータスペースにまだ指令書が残っているかもしれない——破壊されていなければだが。〝エズ〟。ジョエル・ルコウスキー諜報員。パスワードを教えよう」

ルコウスキーにはたしかな才能があった——ほとんどの人には不可能な精神的接続を確立する才能だ。だが、それは一般化されたものであり、指向性はなかった。彼は双子ではなかった——なんらかの直観的な結びつきを得られるような親しい友人もいなかった。彼の才能にふさわしい単語が存在しなかったので、それは誤って共感能力と呼ばれた。だが、彼は他人の感じているように感じられるわけではなかった――彼の能力は最高の隠し芸としてあらわれた。

ルコウスキーは取調官だった。まさに達人だ――相手がいつ折れるか、どこを押すべきか、どんな約束をすべきか、嘘をついているかどうか、どうすれば嘘をつくのをやめさせられるか、なにもかもわかっていた。彼は若いうちに勧誘され、訓練や、集中法や、もっと強引な手段によって、そのふしぎな能力を磨きあげられた。彼は特異な存在となった。

わたしたちの小グループのなかでざわめきが起こり、ワイアットの説明をさえぎった。「なに?」わたしは言った。手をふって、ワイアットに話を続けるよううながした。「つまり彼は……なに……? 読心術師になったの?」エズは、わたしたちの声が聞こえないところで、うつむいてじっとすわっていた。わたしは警備員たちが殴ってやればいいのにと思った。

「もちろんちがう」ワイアットは言った。「テレパシーは不可能だ。しかし、適切な薬に、インプラントと受信機があれば、脳の働きを一定の段階まで引きあげることができる。充分な段階まで。彼のように感度がよければ――」わたしが鼻で笑ったので、ワイアットはことばを切った。「まあ、言いたいことはわかるだろう。人数は多くないが、彼のような者なら、きちんと育てて、適切なハードウェアを組み込んだ別のだれかといっしょに訓練すれば……」彼は自分の頭をつついた。「そこにいる〝エズ〟が、自分をその人物であるかのように読みとらせることができる」彼は正弦波のかたちで手をふった。「アウトプットは同じだ。リンク技術と関係があるが、ずっと強くて、おたがいにまったく似ていない頭どうしでも機能する。そのうちのひとりが……つまり、〝感度がよければ〟。

はじめのうち、彼らはまったく別のことを考えていた。IDリーダーのためのおとり捜査とか、脳波を模倣してエージェントにスキャンを突破させるとか、そういったことだ。やがて、彼らはあることを思いついた。ほら」ワイアットはゆっくりと続けた。「ブレーメンがいちど独自の分身を育てようとしたことがあっただろう？　チャロ・シティで。コロニーが設立されたばかりのころに」首をふる。「あまりうまくはいかなかった。噂によると、何年もかけたのに、技術を磨くためにアリエカ人に聞いてもらうこともできなかったし、エンバシータウンでじかに感覚をつかむこともできなかったから――当時はマイアブもいまよりさらに頻度が少なかった――結局は……まあ、どのペアもブレーメンでは機能しなかった」彼は両手で二人組みをしめした。「ほかのどこでもだ。まったく信頼できなかった。

ところが、そこにルコウスキーがあらわれた。長年の懸案を解決できるかもしれないと考えたわけだ。

ホストがわれわれの大使の声にあるどんなものを認識しているのかという謎は、いまだに解明されていなかった――チャロ・シティが突き止めたのは、インプラント、強化ボット、化学物質、そして数百時間におよぶ訓練のあとで、ジョエル・ルコウスキーとその相方のエージェント、言語学者のコリー・レン――暗号名ラー――が、シュタット検査でとんでもない得点を出すことができたという事実だけだった。

ふたりの出す音がアリエカ人にとってゲンゴであるかどうかはだれも知らなかった――だが、シュタットはそれを判断する唯一のテストであり、少なくとも、問題の諜報員たちはパスしたように見えた。たとえそれが実際には機能しなくても、たとえ会計専門家がそれは失敗する可能性があると想像したように失敗したとしても、たとえエズ／ラーのことばが礼儀正しい無理解を誘発したとしても、それでなにかが失われるわけではなかった。ふたりの職業諜報員は、つぎのブレーメン行きの船に乗り込むまで、長く退屈な任務をこなすだけだ。しかし、もしも成功したら？

きみたちはだれも愚かではない」ワイアットは続けた。「なぜわれわれが愚かだと思うのだ？　きみたちは、われわれがきみたちの挑発的な行動に気づいていないと思っている——偽の会議をひらいたり、秘密の予定表を作ったり、命令に従わなかったり、所得を隠したり、バイオリグにまつわるごまかしで、最高のものをとっておいたり、エンバシータウンの住民だけが動かせるようにしたり。きみたちはそれが見つかっていないと思っているのか？　言っておくが、われわれは何十万時間もまえから知っていたのだ——きみたちが独立をめざしてきたことを」

すこしまえなら、ワイアットの発言のあとに続いた沈黙は宣戦布告を意味していただろう。この新しい時代には、それはただの沈黙だった。彼の発言は、暴露というよりも、なにか不作法な行為のように感じられた。ワイアットは目をこすった。

「もう終わったことだ。若気のいたりだよ。どこのコロニーでもやることだ。ここはわたしの五番目の駐在地だ。ここのまえは、チャオ・ポリスに、ドラコーシに、ベリットブルーにいた。きみたちにとってそれはなにを意味する？　やれやれ、きみたちは読むということをしないのか？　マイアブで届いたデータをアップロードしたらどうだ？　わたしは専門家だ。わたしが派遣されたのは、開拓地が戦いをしたくてうずうずしている場所ばかりだ」

「分離独立を阻止するわけか」ブレンが言った。

「まさか」ワイアットが言った。「きみはここでは謎めいた老人かもしれないが、アウトから来たわたしが相手では、自分の無知を隠すことはできないな。ベリットブルーは実際に分離独立した、最小限の戦争だけで」彼は親指と人差し指をわずかにひらいて、その戦争の小ささをしめした。「ドラコーシの独立は完全に平和的なものだった。チャオ・ポリスとは地方分権の計画について徹底的に議論している最中だ。われわれがどれだけがさつだと思ってるんだ、ブレン？　彼らは自由になった……それでもわれわれのものだ」ワイアットはその点については説明しなかった。

「とはいえ例外はある。きみたちはブレーメンから遠く離れすぎていて、行き来が面倒なので、管理が楽ではない。しかもきみたちは準備ができていない。すぐに独立させるわけにはいかなかった。それはゲンゴのせいだ――それで混乱したんだ。きみたちは自分を貴族だと思っている。思っていた、と言うべきかな。そして、このコロニーは自分たちの私有地だと。それについては一理あった――過去にわたしが見たほかの貴族社会とはちがい、きみたちはたしかに不可欠な存在だ。だった。だから、きみたちは昔からずっとみずからの後継者を選んできた。おめでとう――きみたちは世襲権力を発明したんだ。

だが、きみたちはひとり残らず、大使も大臣も、エンバシータウンのあらゆるスタッフも、ブレーメンに雇われている。〝大使たち〟だろう？　きみたちはだれを代表しているつもりだ？　われわれは雇うことができるし、解雇することもできる。そして交代させることも」

エズ／ラーはテストだった。エンバシータウンの大使たちから権力を取りあげて自治政府に足かせをつけるための作戦だ。彼らが成功すればすべては変わるはずだった。二、三度船が行き来するころには、この辺境の社会制度はくつがえされるはずだった。ここの大使たち以外の者がゲンゴをしゃべれるとなれば、官僚や、生え抜きの外交官や、体制の擁護者がエンバシータウンへ送りこまれて、地元年で数年後には、わたしたちは生きるためにブレーメンに頼るようになる。この大使たちは半分ずつ、分身ごとに、ゆっくりと死に絶えるが、あとを継ぐ者はいない。養育室は閉鎖される。なりそこないが死ねば診療所はからっぽになり、ほかにはだれもいなくなる。

流血のない、優雅で、ゆるやかな、ブレーメンによる支配の表明となるはずだった。どうして独立など要求できるだろう――わたしたちの生活を維持してくれるホストたちとの窓口がブレーメンの役人でかためられているとしたら？　エンバシータウンの手中にあったのはゲンゴの独占権だけであり、エズ／ラーにより、ブレーメンはそれを打ち破ろうとした。

それは世界を破壊するミスだった。愚かなミスではない――ただ、とてつもなく運が悪かった。心理学と音声学による運命のいたずら。ブレーメンが試みたのは当然だろう。優雅な帝国的措置となるはずだったのだ。言語教育と官僚機構による反革命。

「バイオリグは……いいでしょう」マグ／ダーが言った。「あれは計り知れぬほど貴重です」「それに、鉱物をはじめとするここの産物も有益です。ほかにもいくつか」「それでも」「わかりません」「なぜここまで？」ここは僻地だから、とだれもが言っていた。まちがったプライドや否認などなかった。ほとんどの人びとは、ときどき、なぜエンバシータウンは滅びるまで放置されないのだろうとふしぎに思っていた。

「きみたちの何人かには話が通じるだろうと思っていた」ワイアットが言った。「なにが起きているかきちんと理解しているだろうと」そして、彼はわたしをまっすぐ見つめた。

わたしは立ちあがって腕を組んだ。ワイアットに顔をむけた。全員の視線がわたしに集まっていた。わたしは口をひらいた。「イマーよ」

わたしは洞窟にある街や、細長い都市が金網のようにつらなった惑星を、呼吸のできない乾燥した土地や、港や、なんとも言いようがないさまざまな場所をおとずれてきた。いくつかは独立していた。多くは、多かれ少なかれ、ブレーメンに依存していた。「彼らはけっしてコロニーを崩壊させない」わたしは言った。だれもが聞いていたことだった。「けっして」たとえ輸送コストが送られてくるこまごました品物や専門知識の価格を上まわるとしても、ブレーメンはこの街を手放すつもりはないだろう――わたしたちが彼らのものであるかぎりは。

仲間たちがゆっくりとうなずいていた。ワイアットはうなずいていなかった。

「おいおい、アヴィス。なにが言いたいんだ？　〝それはわれわれの政府の基礎である……〟」ワイアットの声は妙に楽しげで、そのいかにも役人的な反論とともに、彼が何度も語ってきたはずの台詞の嘘を証明していた。「どれだけたくさんのコロニーが切り捨てられたか知らないのか？　地図で見ているだろう、イマーにならぶ墓碑の記号を」わたしは人間の、あるいは人間と異星人の廃墟がひろがり、高層ビルが異質な泥のなかに沈んでいる、いくつもの惑星の話を聞いていた。設計ミスで、失敗で、ときには謎の理由で打ち捨てられた風景。イマーサーにとってはありふれたものだ。わたしはそうしたからっぽの建造物に責められている気がした――それを知りながら、わたしがいまだに政府の主張をくりかえしていることを。

「もしもブレーメンの利益になるなら」ワイアットは言った。「われわれはきみたちを解放し、わたしを監督として派遣するだろう。これだけの労力を注ぎこんでいるのは、われわれが〝コロニーを置き去りにしない〟からではないのだよ」彼はまた期待のこもった目でわたしを見た。つぎの挑戦か。

わたしは地図のことを考えた。顔をあげ、天井のむこうにあるはずの、あの〈難破船〉へ目をむけた。イマーのことなら、ワイアットも含めて、その場にいただれよりもよく知っていた。わたしは思いだした――自分が秘密をそれとなく明かしていることに気づいていなかった、ある操舵員とのやりとりを、そのひかえめな熱意を。

「わたしたちはイマーのはずれにいる」わたしは仲間たちに言った。「ブレーメンはいまも探検を続けている。エンバシータウンは中継所になるはずだった」

「バイオリグをはじめとするあれこれ」ワイアットが言った。「あれはすばらしい」肩をすくめる。「手に入れるだけの価値がある。だが、アヴィス・ベナー・チョウの言うとおりだ。きみたちは、こんなちっぽけな場所にはふさわしくないほど注目されている」

だれもマグやダーを見ていなかった。全員が、以前から疑っていたことをここで確認した――彼女たちの愛人だったラーは諜報員で、ふたりを、わたしたちを裏切っていたのだと。ラーに計略があったのは驚くことではなかったが、エンバシータウンにとってそこまで有害な内容だったことに、わたしはショックを受けた。しかもラーは、すべてが変わってしまったあの危難の日々にも、それを教えなかった。ただし、マグ／ダーがなにを知っていたのかはわからなかった。

イマーがなつかしかった。通常宇宙のありえないほど遠いところへむかう船が、果てしなく古い非在へむかって潜るときの、あの混沌としたかたまりが湧きあがる感覚。探検家になった自分が、頑強に作られた開拓船に乗り込み、流れに翻弄されながら危険地帯を突破し、イマーに住むサメの群れに突っ込んで、無作為あるいは意図的な攻撃をはねつける場面を想像した。探検家が高貴な人びとだとは思わないが、その考えは、その計画は、わたしの心を駆りたてた。

「ブレーメンには燃料補給所が必要だった」わたしは言った。「でも浮上するのはむずかしい――もっとたくさんの標識を置く必要があった」半分はイマーに、半分は通常宇宙に突き出したブイが、照明とイマー版の照明によって、おとずれる者を導く。エンバシータウンの夜をほのかに照らすのは〈難破船〉だけではなくなる。小さな色がいくつもつらなることだろう。船が燃料や備品や生命維持システムのための化学物質を補給し、最新のデータやイマーウェアをアップロードしているあいだ、エンバシータウンは乗組員が待機して遊ぶ場所になる。「ブレーメンはここを港町にしたいのよ」

ワイアットが言った。「闇がおとずれるまえの最後の港だ」

エンバシータウンには、売春宿や酒場といった旅人むけの不道徳な施設が何キロメートルにもわたってひろがるだろう。わたしはアウトで何度もそういう場所をおとずれていた。そうなれば、ここにも路上で暮らすこどもたちがあらわれて、街のゴミ捨て場で食べ物をひろい集め、ガラクタの再利用をするだろう。それは避けようのないことではない。市民生活を崩壊させずに港湾サービスを提供する方法はいろいろある。わたし自身、もっと健康的な立ち寄り都市をいくつも見てきた。だが、それにはたいへんな苦労がともなう。

すばらしい半生物テクノロジー、珍しい骨董品、ほかに類のない分子構造をもつ貴重な金属の産地を支配するのは、望ましいことだった。しかし、最後の前哨基地を、広大な未踏の宇宙への足がかりを支配するのは、どうしても譲れないことだった。

「外にはなにがあるの？」わたしはたずねた。ワイアットは首をふった。

「わからない。イマーサーのきみならわたしよりよく知っているはずなのに、そのきみがなにも知らないんだからな。しかし、なにかはある。常になにかはあるんだ」イマーには常になにかがあった。「だれも行かないところに灯台は置かない。危険だが行かなければならないところに置くんだ。このあたりの宙域で慎重になるのは理由があることだが、ここまで来て、通過して、どこかよそへむかうのにも理由があるのだ」

「きっとやってくるでしょう」マグ／ダーが口をひら

いた。「ブレーメンが」「彼らがどうしているかを知るために」「つまり、エズ／ラーを。彼らの様子をチェックするために」ふたりは顔を見合わせた。「それほど長く待つことはないかもしれません」「わたしたちが考えていたとおりに」

「あと五日が限度だろう」だれかが言った。「破滅が迫っているんだ」

「それはそうだが……」

「もしもわれわれが──」

ワイアットは抜け目ない男で、わざと手の内をさらすことでなにかしら救おうとしていた──すくなくとも、自分の命だけは。彼がなにもかも話したのは、はた目からは絶望したせいに見えたが、実際は博打であり、戦略だった。わたしたちはエズとの境にあるガラスへ目をむけた。エズが目をあげて、こちらへ視線を送ってきた。わたしたちが見ているのを知っていたかのように。

18

アリエカ人のいろいろなグループが、屋根にのぼったり、死んだ建物のあいだにまぎれたり、武装して歩きまわったりしていた──どれも荒れ狂う自傷種の連中から身を守るための戦略だ。アリエカ人の死体はそこらじゅうにあり、そこかしこにケディス人やシュラース人やテラ人の亡骸もころがっていた。アリエカ人の殺人者たちが、わたしたちには想像もつかない理由で引きずってきたものだった。ゼルの群れが、食べ物とエズ／ラーのスピーチをもとめてさまよい、かつての持ち主から捨てられたまま、中途半端に野生化していた。

それはもはや都市ではなかった。戦争で分断された、破壊された土地の集まりだった。とはいえ、そこには政治的あるいは侵略的な意図はなかったので、実際には戦争ではなく、なにかもっと病的なものだった。それぞれの抵抗グループで、ごく一部のアリエカ人たちが、記憶にある自分にもどろうと奮闘していた。だが、その意識を集中できるのはいちどに数時間だけで、そのあとは禁断症状に襲われてしまうのだった。グループの仲間たちは、以前にエズ／ラーがしゃべっていたことばを、その声色をまねしながら、屈服しかけた者にむかってささやきかける。それはただの単語であり、文節だった。ときには、痙攣に苦しむ者がなかば心をとりもどすこともあった——なにかを再建しなければいけないと思いだせるくらいまで。

残っているこうした居留地のあいだには、自分がふるえていることにすら気づかない、ほんとうに心をなくした連中がいて、食べ物とエズ／ラーの声だけをもとめて狩りをし、逆に狩られていた。だが、自傷種の連中は、急にほとんど見かけなくなった。わたしは彼らが死にかけているのだろうかと考えた。

ところどころで、わたしたちはバリケードを解体し、エンバシータウンの一部の区画をオレイティーたちに明け渡した。同時に、予想もしなかったことに、ホストたち——わたしたちはまだときどき、不快なユーモアをこめてその呼び名を使っていた——による都市の外への集団脱出がはじまった。産業用の腸が都市とバイオリグの牧草地や野生の荒れ地とをつないでいるところで口と体腔を見つけたアリエカ人たちが、少数ではあったが徐々に数を増やしていた。彼らはそれを追って出ていったのだ。

「外でならエズ／ラーを見つけられると思っているのか？」彼らの行き先もその理由も、わたしたちにはわからなかった。ひょっとすると、殺戮現場のようになった市街地で、かつての同胞たちに囲まれて生きていくことに、それ以上耐えられなくなったのかもしれない。静かな死をもとめる気持ちが、エズ／ラーの声をもとめる気持ちより強くなったのかもしれない。わたしはその考えに、もっと大勢がでていく可能性に、あまり慰めを、希望をもたないよう気をつけた。それでも、慎重に、すこしだけ心を許した。

わたしたちはラーの墓をあばいた。わたしは立ち会わなかった。

ありがたいことに、ラーは火葬にされたり生き物の餌になったりはしていなかった。彼の死体を救ったのはマグ／ダーだった。ラーに信仰はなかったが、彼の家族の登録上の宗派はユニテリアン・シャローミックで、地元の通常の埋葬方式は禁じられていたので、マグ／ダーはそれに敬意をはらい、異端の信仰をもつ人びとのために用意された小さな墓場にラーを埋葬したのだった。

わたしたちは、産み出されるこどもを待つ親のように、医師たちがワイアットの提供した図面をもとに作業を進めるのを待った。彼らは死んだラーの頭からインプラントを、ふつうのものに見えたリンクに付属していた秘密の増幅器を取り出した。わたしの親指ほどの大きさで、カバーは有機物だったが、すべてテラのテクノロジーだった。わたしはふと思った――もしもブレーメンの設計者たちがアリエカのバイオリグを使っていたら、インプラント自体がホストたちのように中毒になって、エズとラーをエズ／ラーに仕立てあげたものが彼らの声のとりこになっていたのだろうか。いったいなんという神学だろう――みずからを崇拝する神、みずからの中毒になる麻薬。

委員会は、まだ働いていた科学者たちをそれぞれの仕事場から引っ立ててきた――病院の残骸から、放浪している街角から、そしてもちろん診療所から。それ以外の科学者たちについては、懇願したり脅したりして仕事にもどらせた。主任研究員のサウセルが調査の指揮をとった。彼らの行動は迅速だった。

ジョエル・ルコウスキー——エズ——は、自分のことを熟練したゲームプレイヤーとみなしていたにちがいない。ひどく打ちひしがれている姿も見せかけだと考えていたのだろう。わたしたちは彼にたずねた——なぜひそかに埋め込まれていたテクノロジーについて話さなかったのか、なぜわたしたち全員が生きのびられる可能性がある行動をとらずに、全員を道連れに死のうとしたのか。エズはなにか秘密の計画があるようなことをほのめかしたが、結局は答などなかったのだろう。彼は自分の秘密にむしばまれていただけだ。

エズは仕組みを理解しておらず、それが自分にどのように作用したかを喧嘩腰で説明することしかできなかった。彼は、わたしたちがラーから取り出し、いまはわたしの手にあたたかく包まれているインプラントに目をむけた。

「なにも感じないな」エズは言った。「わかっていたのは……ラーがどう感じているか、なにを言うべきかということだけだった。それがあったせいでやりやすかったのかどうかはわからない」

研究者たちは、ラーの精神にからみついていた繊細な装置を、解除用人工酵素を用いて分解した。ナノ巻きひげが細い髪の毛のように垂れさがり、わたしの手のなかで神経物質をむなしく探してぴくぴくとふるえた。それは、ジョエル・ルコウスキーの体内にある連携相手から検出した、シータ、ベータ、アルファ、デルタなどの波を模倣し、双方の信号をありえないほどのレベルまで連動させた。脳の状態がどうあれ、アウトプットは共有されているように見えた。

「これはアンプでもあります」サウセルがわたしたちに言った。「興奮剤ですね。前島皮質と前帯状皮質の働きを強化します。脳の膏薬です」彼女は装置を取りあげてじっくり調べ、その正体と機能を突き止めるために、いったん分解してまた組み立てた。マグ／ダーは何時間も彼女といっしょにすごし、その作業に全力をかたむけた。

「なにかもくろんでいるようだな」ブレンがわたしに言った。「マグ／ダーは。最初から考えがあったんだろう」

エズはいちども協力するとは言わなかったが、わたしたちは選択の余地をあたえなかったし、できる抵抗といえばふて寝することだけだった。彼はわたしたちに従った。

「あなたがやるつもり？」その夜、わたしはブレンにたずねた。静かな口調で。彼は目をそむけた。そのときは話ができそうな雰囲気だった。ブレンは裸で、いまやバイオファイアでお祭り騒ぎになった都市の夜の明かりが、窓越しに彼を、その年老いたアスリートの肉体を輝かせていた。

「いや」ブレンは言った。「やりたくない。歳をとりすぎたし、体もきつい。できるとも思えない。選択肢が多くないのはわかっている。わしはそういうのが得意じゃない――まちがったことをまちがったやりかたでしゃべってしまう。これをやるのは、どうしても生きたいと願っているやつでなければならないが、わしにはそこまでの気持ちはない。怒らないでくれ。死の願望があるわけじゃないが、わしには必要な……活力がない。

ああ、わかってる。エズはカットだから、必要なのはターンの話し手だ。まあ、大使たちのところへ行けば、自分の分身を切り離してもいいくらい必死になっているやつを見つけることはできるだろう。いまならそうむずかしくはないかもしれん。金を賭けてもいいが……」ブレンは、金がどれほど無意味なものになったかを考えて、声をあげて笑った。「選んでもらおうとして分裂者になるやつはかならずいる。そしてそいつがターンになる。しかし、いずれにせよ、われわれがだれを選ぶかはわかっているんだ」ブレンはわたしにむきなおった。「カルだ」

ふたりとも口をきかなかった。わたしはブレンを見もしなかった。

「わしらはエズとラーについてなにを知ってる？　彼らは分身どうしではなかった。だが、彼らが共有したものは重要だったのかもしれない。憎悪だ。わしらは新しい大使を訓練しているのではなく、麻薬を抽出している。わかっている材料は残らず再現しなければならない。ターンにカットを憎ませる必要があるわけだ。声がみずからを引き裂くように。たしかに、エズは世界を破壊した。だったら、大使たちは彼を憎んでいるはずだろう？　わしだってそうだろう？」ブレンはわたしにむかって美しい笑みを見せた。「ところが、わしはこの世界にうんざりしていて、ジョエル・ルコウスキーを充分に憎んでいないのだよ、アヴィス。必要なのはそれができる者だ。カルは自分の世界だけではなく、自分の分身も失った。充分にエズを憎んでいる。わしはといえば、薄いお茶みたいなものだ。教えてほしいのだが、カルはもう、自分がやるのだと知っていると思うかね？」

たぶん、とわたしは思った。カルは自分のやるべきことを知っているはずだ——彼の過去を、未来を、きょうだいを破壊した男の共生体になるのだと。

彼が手術室にはいるまえに集まった委員会の面々は、万が一にそなえてお別れを言っておくのだとちゃんとわかっていた。カルは誕生日に機嫌の悪い少年のようだった。彼はわたしを見つけた。

「ほら」カルが目のまえにやってきたので、わたしはあとずさりしてなにかあたりさわりのないことを言おうとしたが、彼はなにかを押しつけてきた。「これはきみが……持っているべきだ」カルは言った。彼はときどきそんなふうに間をあけて、ヴィンが続きを言うのを待つことがあった。手渡されたのはヴィンが残した手紙だった。「もう読んだだろう。あいつにとってきみがどういう存在だったかわかるはずだ。これはきみのものだ、わたしではなく」いろいろと彼を懲らしめてやりたい気持ちもあったので、わたしはしりごみせずにそれを受け取った。

「あのころ、あなたたちはサイルといっしょになにをやっていたの?」わたしはたずねた。

「ここでそれをきくのか?」

「あのときのことじゃないよ」わたしはひややかに言って、腕を組んだ。「嘘祭のときのことじゃない。あのときあなたたちがなにをしていたかはちゃんとわかってる」

「きみに……わかるはずはない……」カルはゆっくりと言った。「われわれがああいうことを……した理由が——」

「ちょっと、かんべんして」わたしは急いで口をはさんだ。「だってね、わたしはその理由をきっちり把握してると思ってるの——もしもあなたがゲンゴになにが起きているかを知らないのなら、どうして大使たちになにが起きるかを知っているわけ? でも、実のところ、たとえあなたの話に裏があるとしても、わたしにはどうでもいい。わたしが言ってるのはあのときのことじゃなくて、いまのこと。これがはじまってからのこと。サール・テシュ＝エシャーはとっくに死んでいたのに、エズ／ラーが来てから、あなたたちはずっとサイルといっしょにすごしていた。それからなにもかも……いったいなにをしていたの? あなたと、それとヴィンは?」

「サイルはいつもたくさんの計画をもっていた。われわれはたくさんの計画を立てたんだ。サイルとわたしで。ヴィンは……なにかほかのことを考えていた、と思う」カルはわたしを見つめた。サイルの手紙を読んで、ヴィンはみずからの命を絶った。サイルがなにを考え、なにを望んでいたにせよ、ヴィンはサイルのなかに自分との共通点を見いだした——悲しみか喪失感かなにかを。かつて、あるいはいまも、わたしを愛した者どうしの連帯感？　わたしは胃のあたりが苦しくなるのを感じた。

カルが麻酔をかけられているあいだに、エズがパニックを起こし、わたしはなにもやらない、おまえたちを助けるつもりはない、とてもむりだ、うまくいくわけがないと言いだした。わたしは警備員のひとりから、エズのちょっとした崩壊の真っ最中にマグ／ダーが到着したときの様子を聞いた。マグはドアのそばに立ち、ダーはエズのすわっているところに近づいて、ぐっと身を乗り出すと、その顔にパンチを叩きこんだ。彼女は指の節を骨折した。

ダーは警備員たちに「こいつを押さえて」と言うなり、痛んだこぶしでもういちどエズを殴った。彼は悲鳴をあげて身をよじり、頭を左右へ激しくふった。そして、血まみれの口で痛みにぜいぜい言いながら、驚愕をあらわにしてマグとダーを見あげた。マグはそんなエズにむかって、とても淡々としたおだやかな声で告げた。「言っておきますが、あなたはかならずカルといっしょにゲンゴをしゃべるのです。やりかたを学ぶのです、それも大急ぎで。そしてあなたは、二度とわたしやほかのスタッフや委員会のメンバーに逆らってはいけません」

わたしは現場にいなかったけれど、あとでそんなことがあったのだと教えてもらった。

19

バリケードへの戦略もなにもない突撃が続いていた。新しい街の境界には、死んだアリエカ人のせいで悪臭がただよっていた。レンガがホストたちの死体のまわりに散らばっていた。手持ちのバイオリグの武器は飢えて死にかけていた。テラ産テクノロジーの武器は壊れかけていた。あと数日もしたら、素手でギフトウィングと戦うことになるだろう。

包囲攻撃にともなうありきたりな問題がとどめになりそうだった――物資の欠乏だ。食料については、もはやエンバシータウンと契約農場とをつなぐ専用のループ状の結腸で届くことはなく、貯蔵品も無限ではなかった。アリエカ人の発電所から電力が送られてくることもなく、自前の予備電源は故障していた。

別にかまわないではないかと自分を納得させることはできなかったけれど、過去をなつかしむ気持ちは抑えられなかった。天使たちのいる通りは、わたしたちが建造したときとは姿が変わっていて、途中で切れたりねじれたりしている様子は、いまも、わたしたちの目的論などたわむれでしかない、ほとんどふざけているのかと思えるほど異質なものに感じられ、それを見ていると、どうしても思いださずにはいられなかった――幼いころにそれらの通りを見て、視界の彼方にある都市を、ありとあらゆるこどもらしい空想や物語でにぎわせたことを。そこから先は、すべての思い出が勢いよくどんどん流れすぎていった。勉強、セックス、友人、仕事。わたしは昔から、なにも後悔するなといういましめを理解できず、それがなぜ臆病ではないのかもわからなかったけれど、ここを離れたことに後悔はなかったし、それどころか、突然、ここへもどったことについても後悔がなくなっていた。サイルのことすらそうだった。意識を解き放ち、もはや手の届かない通り——それは時間が巻きもどされた思い出のヤントラだった——へさまよわせてみたところ、わたしは別に夫のことを良く思ったわけではなかった。その瞬間に、自分が夫のどんなところを愛したのかを思いだしたのだった。

物資はすべて節約され、配給制となった。わたしたちは清風の世話をした。そいつらは気の毒なことに移動を強いられ、生身のつなぎ紐を切断されて焼灼されていた。なるべくトラウマが残らないようにしたとはいえ、そいつらが苦しんでいるのはたしかだった。かわりになるテラ産テクノロジーはなかったので、空気庭師たちは、気流を形成して空気ドームを維持してくれている清風とその仲間たちの生物群系を、必死になって守っていた。声が届かないように気をくばり、中毒になりえないテクノロジーで充電をおこない、可能なかぎり二次感染をふせごうと奮闘したが、どんなに努力しても、わたしたちの呼吸マシンを中毒や病気から守ることはできそうにないとわかっていたし、もはや助けてくれるホストの学者はいなかった。

清風の息が苦しくなれば、わたしたちの息も苦しくなり、アリエカ人がこちらの防御を突破して侵入してくるだろう。決着がついたら、わたしたちは死者の伝統である倦怠とともに横たわり、アリエカ人はわたしたちをつついてエズ／ラーのようにしゃべってくれとわびしく頼むだろう。そのあとは、全員が死ぬか、新しい世代が生まれて彼らの文化を再建するだろう。わたしたちと彼らの親たちの骨のまわりではさまざまな儀式がおこなわれるかもしれない。

わたしたちが見ているのはまさに悪夢だった。こうした状況のなか、神の麻薬であるエズ／カルが到来したのだった。

最後の希望をしつけ、育てるという作業は、ブレンやマグ／ダーたちにまかせることにした。わたしは補給品や武器の運搬といった、ほかの作業を監督するほうがよかった。カルが目ざめて、あらためてエズと顔を合わせ、ふたりで最初の試みにとりかかり、シュタット検査を受けて、その結果の計算がおこなわれているのは知っていたけれど、わたしはどういう状況なのか質問しなかった。ブレンさえ避けた。

あれこれ噂がひろまっていた――なにかが開発されているとか、ゲンゴを話せるオートムが完成したとか、大使とその友人たちがマイアブを準備し、思いきってイマーへ脱出しようとしているとか。わたしたちが真相をリークしなかったのは、それがまだまだ試験段階だったからだ。エズ／カルがこの新しい悪夢の街に登場したとき、わたしはなにも伝えなかったもうひとつの理由に思い当たった。約束が果たされるというのは昔ながらの劇的な瞬間ではあるが、予言はどうしても失望をともなう。思いがけない救済ならはるかにすばらしいではないか？

情報はいやでもはいってきた――カルが目ざめたときに、彼の治療が終わったときに。くわしい話はできるだけ聞かないようにしたが、カルとエズが大使館の広場に登場することは事前に知っていたので、その場で待機していた。実際には、エンバシータウンのすべての人びとがそこに集まっているように見えた。ケディス人やシュラース人までいた。ワイアットには見張りと保護のために警備員がついていた。オートムたちもいて、チューリングウェアの奮闘により、場にふさわしくない愛想をふりまくやつもいた。アースルは見当たらなかった。探そうとしている自分に気づいたら失望だけが残った。

そこはちぢんでしまった街の境界のすぐ近くだったので、アリエカ人が群れをなしてバリケードに攻撃をしかける音や、それに反撃する飛び道具やエネルギー兵器の音が聞こえていた。治安官がエンバシータウンの住民を大使館の入口に近づけまいとしていた。わたしはふと、自分が病院で進行していたできごとから距離を置いたのは、群衆のできるだけ近くでこれを体験したかったからにちがいないと気づいた。見あげると、委員会の仲間たちがふたつに分かれて、カルが進み出てきた。背後にエズを従えて。

「エズ／カル」公式の護衛のひとりが叫ぶと、あろうことか、群衆のなかでだれかがその名を復唱し、やがてそれが、つかのまの唱和へとひろがった。

カルの姿はおそろしげで、それが照明の輝きをあびでさらにすごいことになっていた。剃りあげられた頭は、白い肌のなかでもひときわ白く、首のリンクはきらめいていた。なにか薬で意識をはっきりさせていたのだと思う——動きが小さな虫のようにちゃかちゃかしていた。頭蓋には黒っぽい縫合線が十字にのびていた——大きな縫い目で、技術的にも雑だったのは、酵素を使わない治療者が減っていたせいだろうが、それにしても見た目がおおげさだったので、医学的にそんなものが必要だったのだろうかと疑問をおぼえた。カルは群衆を見つめた。視線はまっすぐわたしのほうをむいていたが、目にはいっているはずはなかった。

ジョエル・ルコウスキーはふたたびエズになっていた。肉体的にはなんの跡もついていなかったが、比べると、彼のほうが生気がないように見えた。カルがエズにきつい口調で声をかけた。ことばは聞きとれなかった。共感能力をそなえ、受信機となり、これを機能させなければならないのはエズのほうだった。

「わたしはなにもかも失った」カルがようやく群衆にむかって話しかけた。アンプが彼の声を運び、全員が静まりかえった。「すべてを失って、わたしはあの失われた場所へと沈みこんだが、そのあと、エンバシータウンがわたしを必要としていることに気づいて、もどってきた。必要とされていると気づいて……」カルはここで口をつぐみ、わたしは息をのんだが、エズがまえに進み出て、その顔つきとはちがう力強い声で続けた。「……われわれはもどってきた」

喝采。エズはふたたびうつむいた。カルは唇をなめた。地元の鳥たちさえ一羽残らず広場に集まって見守っているようだった。

「われわれはもどった」カルがいった。「あなたたちに見せてあげよう……」またもや心臓の止まりそうな間があって、エズがつぶやいた。「……われわれの成すことを」

ふたりが顔を見合わせ、わたしは突然、何時間にもおよんだにちがいない準備の成果を見た。ふたりがおたがいの目を見つめるとなにかが起きた。インプラントのパルスが両者をホットシンクで同期させ、このふたりは同じ存在だという嘘を宇宙へむかって送り出した。

カットの話者であるエズと、ターンの話者であるカルが、おたがいを仲間とみなし、口をひらいてゲンゴをしゃべった。

それを耳にしたとたん、わたしたち人間さえ、思わずあえぎ声をもらした。

「ア・ソラシュ・コルタ・ケス・エシュバー・ラヴィッシュ・サス」

〝わたしはしばらく留守にしたがいまもどってきた〟

都市は目ざめた。死んだ部分までぴくりと身をふるわせた。わたしたちもみな花のように咲いた。

エンバシータウンの通りの地下にのびるワイヤーをとおり、仮設の小屋やバリケードをすぎて、テラ人がいなくなっていまはアリエカ人が占拠するレンガやアスファルト敷きの道路の下を電気のスピードでくぐり抜け、何キロメートルにもおよぶ腐りかけた建造物や死を待つだけの家獣のあいだへ分け入り、スピーカーを通過する。たくさんの拡声器から新たな神の麻薬の声が、エズ/カルの声が流れ出し、都市は密封されたみじめな禁断症状を脱してふたたびハイになった。

何千ものサンゴ状の目が高々とのびた。へたっていたファンウイングが急に羽ばたき、振動をとらえるべくぴんと張りつめた。口がひらいた。崩れていたキチン室の階段は、ためらいがちに立ちあがり、新たな声とともにわきあがった化学物質によって急に強度を増した。〝わたしはしばらく留守にしたがいまもどってきた〟皮膚はぎしぎしとふくらみ、反応した肉は、人間のそれよりもはるかに速い代謝で、エズ／カルのゲンゴの不協和音から引き出したジャンクエネルギーを吸いあげた。はるか地平線にいたるまでずっと、都市は、そのゼルや住民は、歩く屍となっていた状態から脱して自分を取りもどした。

アリエカ人の塔やガスで立ちあげられていた住居が、エンバシータウンのへりで目をさまして、わたしたちを見おろし、耳をひらいて聞き入った。中毒になった都市は、渇望からくる昏睡状態を脱した。警備員や狙撃手が叫んだ。彼らは自分たちがなにを見ているのかわかっていなかった。攻撃対象だったオレイティーたちが、急に動きを止めて聞き入った。

もはやジョエル・ルコウスキーの人生が語られることがないのは明白だった。これはエズではなくカルの書いた台本だった。ゲンゴがその効き目を失わないように、文章の構成をすこしずつ変えながら、カルとエズは、エズ／カルがもどったことをくりかえし伝えた。エンバシータウンの住民は泣いていた。生きのびられるかもしれないとわかったのだ。

これから先、わたしたちが必要とするものをアリエカ人に伝える方法をあらためて確立し、こちらから提供できるものを考えなければならなかった。立ちあがろうとしている都市のどこかに、わたしたちと理解を深めていたホストたちがいるはずであり、それがふたたびなんらかの支配力をとりもどすことになれば、取引もできるはずだった。健全な政治組織にはならないだろう。自分の中毒をコントロールできる者が、できない者を支配し、わたしたちの要求を仲介する——言語の麻薬売買だ。商品の扱いについては慎重におこなわなければ。

ブレンが階段にいたので、わたしは手をふり、群衆をかきわけてそこへむかった。もう死ぬことはないと確信して、わたしたちはキスした。エズ／カルは沈黙していた。どこかよその、わたしの視界の外では、何十万ものアリエカ人が顔を見合わせ、陶酔状態ではあったものの、ずいぶんひさしぶりに明晰な思考をとりもどしていた。

「ホストたちが！」バリケードから声が聞こえた。ほんの数分で、ホストたちが集まって仲間の死体を片付けはじめた。

一瞬、あらゆる地域で同時に、聞き入っていたアリエカ人と復活しかけていた部屋すべてが、押し寄せた感情の余波により、ふたたび身をこわばらせた。あとになって、わたしはカメラの映像でなにがあったのかを見た。視線をかわすこともなく、わたしにはわからないなんらかの衝動により、カルとエズが身を乗り出し、完璧なタイミングで、歯切れのよいカットとターンのゲンゴで、よろしいを意味することばをしゃべったのだった。

第七部
ゲンゴナシ

20

わたしはふたたび交易人になった。仲間といっしょにコーヴィッドで郊外へ出かけた。仕事だ。神の麻薬二号であるエズ／カルの治世になり、またエンバシータウンを離れられるようになったのだ。

今回の遠征ではメイ／ベルが話し手だった。ふたりはエズ／カルという名前をしゃべることができた。

最後に出かけてからの数週間で、風景はぼろぼろになっていた。突き出した岩のそばにある骸骨は、そこへやってきて死んだバイオリグのものだ。牧草地をずたずたに引き裂いたのは、押し寄せたマシンのわだちと、神の麻薬である声をもとめて都市へむかった難民たちや、のちの、わたしたちにはいまだに理解できないあの集団脱出で去っていった難民たちによって踏まれた新しい道だった。都市は死者の数以上に消耗していた。

わたしたちは、農場が新たに別のかたちで運営されている場所へおりた。ひとつの社会が動きだしていた。それは強靭なものではなかった。農夫たちは、新しい麻薬でまた中毒になっていたが、かつての心を失うほどの渇望よりはましだった。わたしたちには商人になる以外の道はなかった。

わたしたちはデータチップをかかえてスピーカーの届かないところへ出かけた。そこで見つけたアリエカ人たちは、いまだにエズ／ラーが支配者でエンバシータウンの声であり、ここ数日はなぜか沈黙していると思っていた。メイ／ベルはてきぱきと説明したものの、なにが変わったのか理解してもらえたかどうかははっきりしなかった──アリエカ人たちがギフトウイングの指を熱心に動かして、ファイルを再生し、エズ／カルの声を聞くまでは。

〝もうひとりの声をもっと聞きたい〟ひとりの農夫が言った。そいつは以前の取引のやりかたを思いだそうとした──わたしたちの前任者たちがはじめてやってきたとき、交渉役のテラ人がアリエカ人たちに教えたのだ。そして、エズ／ラーのチップをもっとくれるなら、自分が育てた医療用装備をもっと渡そうとぎこちなく提案してきた。わたしたちはそのチップはないのだと説明した。だが、別のアリエカ人は新顔のほうを好んだ。そいつは燃料と部品を排出する咀嚼獣を何匹かしめした──この新しいエズ／カルをもっとくれるなら、いままでよりたくさん渡すと。

エズ／カルを好むアリエカ人のほうがおちついていたのだろうか？　あいかわらずエズ／ラーを渇望する連中の熱にうかされたような雰囲気と比べて、冷静さや集中力があったのだろうか？　たしかに、陶酔のあとの、禁断症状が出るまえ、はざまのおちついた時期にあるアリエカ人については、以前よりも扱いやすくなっているように思われた。エズ／カル版のゲンゴを聞いたアリエカ人は、頭がよりはっきりした状態にとどまっていて、わたしたちがいっしょに育ったホストたちにいくらか近かった。

わたしたちは介入し、出現しつつあるさまざまな組織のかたちをととのえようとした。わたしたちが必要とする物資のためにパイプラインを再建しようとした。わたしは通過する風景のあらゆるところでサイルの死んでいる姿を想像した。都市のなかで、清風が機能しなくなった場所でうずくまって。そのむこうの最初の丘陵地帯で。

農場の荒れ果てた残骸を、わたしたちの食料──栄養豊富な糧──を生産するために昔の協定により提供されたタンクを、テラの空気を満たしたバブルのなかで育つ作物を、食用動物や肉布のシートを飛び越えた。壊れたり崩れたりしているところも多かったが、それは修理することができた。乗組員は最善を尽くし、空気腺をなだめて隔室を満たしてもらい、精神的ショックを受けた分娩用の囲いは再起動した。地元のアリエカ人の飼育係たちを見つけて、エズ／カルのスピーチのかけらで精神を立て直し、よろこびをあたえ、農場へもどってわたしたちに協力してくれるよう説得した。彼らは建物を治療し、わたしたちが必要とする物資の都市方向への流れを復活させた。食料のセルが血球のように押し合いへし合いしながらエンバシータウンへとむかった。

都市の住民がわたしたちを攻撃することがなくなったいま、輸入の蠕動が復活したことで、わたしたちはあるていど都市を無視することもできたかもしれない。神の麻薬のスピーチを、徐々に回復していく各地区へ放送して、その住民を従順にさせてもよかったかもしれない。もちろん、そんなことはしなかった。仲間たちの多くは、この生物都市のことを心配し、責任すら感じていたのだ。とはいえ、わたしたちもまさかエズ／カルの精力的な介入がはじまるとは予想していなかった。正確には、カルの介入だ。カルと、もうひとりの神の麻薬の片割れは、単に放送をしたり、用心深く通りへ出かけたりしただけではなかった。エズ／カルはパレードをおこなったのだ。

委員会はそれを止めようとすることもできた。エズは囚人だった。ときどき、自分の計画を立てようとしたり、状況を利用しようとしたりするときには、エズの行動は露骨で、いかにも不器用だった。はじめのうち、エズはわたしたちに言われたことをするのがほとんどだった。しばらくすると、彼はカルに言われたことをするようになった。わたしはカルが心配だった——重要な存在になりたいという彼の熱意が。わたしたちはカルに、あなたはわたしたちのものであり、あなたがエズといっしょになにをするかはわたしたちが決めると告げた。数日はたしかにそうなったが、それもカルが支配の詳細について思いだすまでだった。

「いや、ゆっくりやるのはよそう」カルはわたしたちに――実際には、わたしに――言った。わたしが、都市はまだまだ危険だし、わたしたちが整備したシステムがあれば、しばらくはあまり密接にかかわる必要はないかもしれないと告げたときのことだった。「うん、そうしよう」カルは言った。

エズ／カルのスピーチはエズ／ラーのそれとはまったくちがっていた。カルは送信機を大使館のまえ、彼がゲンゴをしゃべるときに姿を見られる場所に設置した。放送のときは早めにあらわれて待機し、腕を組んだり腰に手を当てたりして、広場を見つめていた。驚いたことに、それは彼だけではなかった――エズもいっしょだった。エズは、こうして出演してゲンゴを披露するとき以外はほとんど口をきかず、たとえなにかしゃべることがあっても、ぼそぼそしたそっけない口ぶりで、気持ちがそこにないのは明白だった。それでも、エズはけっしてカルを待たなかった。

カルは必要なときしかエズに目をむけなかった。彼がエズを憎んでいるのは見ればすぐにわかった。だが、カルはこの新しい役割にかかわっていくすべを見つけていた――エズを道具として利用しながら。

〝わたしのことばを聞くすべての者よ〟とエズ／カルは言った。それは十月の第三小月の第三ウトゥディのことだった。わたしは映像を見なかったが、もし見たらなにを目にしていたかはわかっている――都市のいたるところで、アリエカ人の集団がスピーカーを取り囲み、おたがいにすがりついていた。わたしがエズ／カルのことばを聞いていることに気づいたのは、自分でも意識せずに翻訳していたひとつの約束に愕然としたからだった。

〝明日わたしはきみたちのなかを歩くつもりだ〟とエ

ズ／カルは言った。ふたりがそう言ったとき、たしかに都市から物音が聞こえてきた。かすかに、膜質の壁を越えて。その反応はある種の革命だった。アリエカ人がエズ／ラーのしゃべった内容を理解したり気にとめたりしたのを見たことはいちどもなかった――彼らの声はただ酔わせるだけだった。聞き手が、ある陳腐な台詞やバカげた言いまわしを別のものより好んだとしても、それは好きな色と同じように抽象的で無意味な好みでしかなかった。このときのはそうではなかった。都市にいる者たちは、エズ／カルの声でトリップしていてさえ、それらのことばの内容をちゃんと理解していた。わたしはそのとき、ブレンがいてくれればと思った。

「いったいなにをやってるの？」わたしはカルのところへ行って問いつめた。最初、彼はわたしに気づかないようだった。それから一秒とたたないうちに、表情が困惑からいらだちへ、さらには無関心へと変わった。

カルは歩み去り、エズがそのあとを追い、エズの護衛たちがふたりを追った。

物語に出てくる王様のように、エズ／カルはバリケードをのぼって、かつてはわたしたちの通りだった場所へとくだり、待ちかまえる数百名のアリエカ人たちのなかへ踏み込んでいった。アリエカ人たちは音もたてずにじっとたたずんでいた。蹄のある足を小さく運んでエズ／カルのために道をあけた。

エズ／カルに付き添う、神経をとがらせた男女たちが、プラストーンでかためられたゴミと瓦礫を急いでおりてふたりを追った。だれも道はあけてくれなかった。わたしたちはひどく気を遣いながら、ホストたちのあいだをうねうねと進んだ。こちらは大人数で、同行するのは当然だと主張する大臣たちと、わたし、マグ／ダー、そのほかの委員会の面々が、エズ／カルのあとを追いながら、指示を出そうとしたり、ただ観察したりしていた。わたしは、うまくことばにはできなかったけれど、感じていた——カルは、エズ／カルは、自分たちのことばがアリエカ人の渇望を満たして煽りたてるだけではなく具体的な内容を伝えることを、当然知っていたのだと。

　なんの苦労もなかった。エズ／ラーの聴衆は、農業白書だろうと、エズが彼らの心をつかめると考えていた、あるいはそんなふりをしていた物語だろうと、同じように反応していた。いま、エズの語る物語はほんとうに聴衆をつかんでいたが、それはもはや彼の物語ではなかった。アリエカ人はファンウイングをはためかせたまま、熱心に聞き入った。カルは、エズとふたりで、かつてのエンバシータウンと都市との境界まで歩き続けるつもりでいるようだった。ふたりは清風をまとっていなかったので、これは正真正銘の劇場だった。エズはカルに遅れずについていった。

〝聞く者たち（リスナーズ）よ〟エズ／カルが言った。ふたりの声は、それぞれの服についている小さなマイクによってアンプへ送られていた。カルはまちがいなくエズに目をむけていなかったのに、ふたりで同時にしゃべっていた。エズ／カルがあまり長く待ったので、わたしは集まった群衆に対する彼らの声の影響力が衰えたのではないかと思った。それはたったひとつの単語で、文節ですらなく、文法はアリエカ人にとってそれほど興味をそそるものではないようだった。それでもふたりは待った。

〝聞く者たちよ〟エズ／カルは言った。〝わたしのことばを理解できるか？〟

　アリエカ人たちが〝はい〟とこたえた。

〝ギフトウイングをあげよ〟エズ／カルが言うと、アリエカ人たちはその指示に従った。〝ギフトウイングをゆらせ〟ふたりが言うと、やはり、ただちに、アリエカ人たちは従った。

　見たこともない光景だった。見守っていたテラ人たちはただ呆然としていた。エズは、たとえ興奮したり驚いたりしていたのだとしても、そんな様子はいっさいあらわさなかった。中毒で従順になった群衆をじっと見渡しているだけだった。〝ギフトウィングをあげて聞け〟エズ／カルが言った。〝聞け〟

彼らは語った。都市は病んでいて、治療が必要であり、やるべきことはたくさんある。都市には大勢の聞き手がいて、彼らはまだ危険だったり危機にさらされていたり、その両方だったりするが、いまや状況は好転していると。アリエカ人たちにとって、このような政治的発言を、この声で聞かされるのは、啓示のようなものだったのかもしれない。彼らは夢中で聞き入った。

カルの表情に楽しげな様子はなかった。きつく張りつめた顔、筋肉のひきつり――わたしには、ほかに道がないのでしかたなくやっているように見えた。〝聞け〟エズ／カルが言うと、アリエカ人はさらに熱心に聞き入った。あちこちで壁が緊張した。窓がため息をついた。

都市を再生したとき、アリエカ人たちはそれを変えた。この再起動版の都市では、家はより小さな住居に分割されていて、汗だくになった木のような支柱が点在していた。もちろん、塔はまだあったし、工場や格納庫では、こどもやバイオリグを育てたり、アリエカ人や彼らの建物がエズ／カルの声を聞いたときに発する新しい化学物質の処理をおこなったりしていた。だが、わたしたちが見る家々の風景はもっとごちゃごちゃした雰囲気だった。通りは以前よりも傾斜が増していたし、より変化に富んでいた――キチン質の切妻や、見たこともないコンキスタドールの兜のような複雑な曲線。

古いホールはまだ残っていて、その構造体はエズ／カルの声で死なないていどには復活したが、立ちあがるまでにはいたってなかった。朽ちかけた都市の、新しい村のような場所のはざまにある地域はいまも危険だった。ぶっ飛びすぎて二度ともとにはもどれない動物やアリエカ人が徘徊しているのだ。スピーチのあいだ、彼らはぽつんと立つ拡声器のまわりに集まり、エズ／カルの声から攻撃的な欲求を手に入れたが、心をとりもどすところまではいかなかった。

「時が来たら、それらは一掃しなければならない」カルが言った。そのあいだにも、都市には領地が点々と生まれ、わたしたちはそれぞれについて手順を定めようとした。あるていどくわしい情報も手にはいった──「そこは、さほど中毒のひどくない連中が合同で支配している。そこは危険すぎるからいまは立ち入らないほうがいい。その尖塔のまわりで、一帯を支配しているアリエカ人たちは、崩壊まえは役人だった」──ブレンからの情報だ。ブレンはそれをイル／シブから得ていた。

「マグ／ダーはきみに押しつけるつもりはない」ブレンはわたしに言った。「しかし……」彼はわたしの顔に浮かぶ表情を見て、続けた。「なにが起きているかはわかるだろう。いまや物事を動かしているのは彼らではないし、彼らは診療所を閉鎖する立場にはいない……」

「彼らは可能なら閉鎖すると思う？」

「それはわからないし、いまはどうでもいい。カルは絶対にしないだろうな。エズ／カルがしゃべったときに起きたことを見ただろう。きみの知っていることで、マグ／ダーが知っておくべきことがあるなら、教えてやってくれ。情報は流しておく必要がある。マグ／ダーは利口だから、きみがどういうところから情報を得ているか知っているはずだが、むこうから質問はしないだろう。なにか計画があるにちがいない。このところサウセルの研究室でよくすごしている。マグ／ダーが彼女と話しているのを見かけないか？」

わたしはまた都市へもどることになったが、公式の遠征団の一員として委員会の仕事をこなすためではなかった。わたしはブレンといっしょに出かけて、彼の友人と再会した――イル／シブ、謎の放浪大使だ。

大気の彫刻がかなり弱体化していたので、最近までエンバシータウンの通りだった場所でも清風を身につけなければならなかった。ここまでのところ、ブレンもわたしも蜂カメラを慎重に避けていたが、たとえ見られたとしても、たくさんの噂のひとつになるだけだということはわかっていた。わたしたちは廃墟のなかに陣取った。こどもたちが暮らしていたらしい（おもちゃの残骸を踏んづけた）アパートのバルコニーから、わたしたちはエズ／カルがふたたび群衆のなかへ、ことばだけで彼らの指示に従うアリエカ人のなかへ踏み込んでいくのを見た。

「つぎにあのふたりは都市へむかうだろう」シブが言った。わたしはイル／シブがはいってきたことに気づかなかった。「すると……」シブは窓越しにエズ／カルを指さした。「こいつのゲンゴは別のかたちで作用するのだな」

「彼らのことはオグ／マーと呼ぶべきだったな、エズ／カルではなく」ブレンが言った。わたしたちは彼に目をむけて説明をもとめた。「そういう名の神がいたんだよ、だいたい似たようなことをした」

イル／シブはバイオリグのピストルを身につけていた。ブレンとわたしはもっと粗末な武器を用意していた。イル／シブは、わたしが以前の遠征で同行した不器用な人びとよりはるかにやすやすと行動した。廃墟のなかのレンガが生物に変わった場所でも躊躇しなかった。空気は途中で変化した。吹き寄せる空気の流れはエンバシータウンの風とはちがっていた。あたりは聞きなれない物音でいっぱいだった。小さな動物相があちこちで存在を主張していた。通りにいるアリエカ人はわたしたちを止めなかったが、サンゴ状の目をのばして見つめる者はいた。小さな池の上にはヒバマタのような固着生物が張りだしていて、反応生成物を下の液体のなかへしたたらせていた。わたしは、それらは周到な都市計画によって設置されたものなのだろうかと考えた。

わたしは骨髄のような木がならぶ大通りをとおしてエンバシータウンへ目をむけた。ぎょっとしたことに、近くにいたひとりのアリエカ人が、なにをしているのかとゲンゴでしつこく問いかけてきた。わたしは武器をかまえたが、イル／シブが返事をした。〝あたしはイル｜シブ〟とふたりは言った。〝こちらは——〟そのあとに続いたのはわたしたちの名前ではなかった。〝彼らはあたしといっしょに来た。あたしは家へ帰るところ。コー・タイコー｜ウレシュ〟イル／シブは、表現を強調するために、それを個人的な話にした。ふたりが言ったのは〝あたし、家へむかう者〟だったので、わたしは、家へ帰るのはアリエカ人にとっても重大なことなのだろうかと考えた。

「彼らはあたしたちを知ってる」イルが言った。「最近は中毒のせいで記憶をなくしてしまった者もいるけど、話ができる相手を見つければだいじょうぶ」「もっとも」シブが言った。「これまでにない忠誠心が生まれているかもしれない。一部の者には……」「あたしたちをとおさない理由があるかもしれない」

実のところ、その遠征で耳にしたゲンゴのなかには、ほとんど筋がとおらないものがあった。衰弱しきった語り手の口にすることばは、意味あることをしゃべりたいという願望でしかなかった。最終的に、イル／シブはわたしたちをぼろぼろになった空き地へ連れていった。わたしは息をのんだ。ひとりの男が待っていた。寄りかかっている金属製の柱は、男の頭上で街灯とそっくりなかたちに反り返っていた。まるでテラの街の古い2D画像から移植してきたような姿だった。

男はうなずき、イルとシブとブレンに小声で話しかけた。みんなわたしには聞こえないように話していた。男はわたしの知り合いのだれとも似ていなかった。これといった特徴はなく、浅黒い肌で、古ぼけた服を着て、見たことのない種類の清風から空気を吸い込んでいた。わたしがその男について言えることはなにもなかった。男はイル／シブとブレンのそばを離れて、わたしのところへもどってきた。

「そいつはなんなの？」わたしは言った。「分裂者なの？」

「ちがう」ブレンが言った。彼は肩をすくめた。「わしはそうは思わない。彼のきょうだいはすでに死んでいるかもしれないが、わしはそうは思わない。彼らは単におたがいがあまり好きではなかったのだ」もちろん、わたしはこういう裏世界の亡命者が存在することを知っていた――不正をはたらいた分裂者、解雇されたスタッフ、悪人の大使。だが、ここでこうしていることには驚かされた。あの崩壊の日々のあいだ、神の麻薬二号があらわれるまで、彼らはどうやって暮らしていたのだろう？

「あんたはいまでも直喩たちのだれかと話しているのかね？」ブレンがたずねた。

「なにそれ」わたしは言った。「どうして？　ほとんどないよ。ずっとまえに、バーでダリウスを見かけたことはある。おたがい気まずかった。だって、エンバシータウンは狭すぎるから、どうしたってときどき出くわすんだけど、話をするわけじゃないから」

「彼らがなにをしているか知ってるのか？」

「〝彼ら〟なんてものはないと思うよ、ブレン。みんな……ばらばらになったから。いろいろあったあとで。いまでも会っている人たちはいるかもしれない……でも、ああいうのはずっとまえに終わったの。ハッサーの事件のあと。こんなの想像できる？　もうだれも直喩のことなんか気にかけてないんだよ、その語り手たちも含めて。ゲンゴは……」わたしは声をたてて笑った。「以前とは変わってしまった」

イル／シブが腐りかけた都市の垢を服からこすり落としながらもどってきた。「そのとおりだ」ブレンは言った。「しかし、だれも気にかけていないというのは正しくない。あんたはわしらがどこへむかっているのか知らないだろう――あんたを連れてこいと要求されたのだよ」

「え？」わたしは今回の潜入で任務の対象となっていたのが自分だとは思っていなかった。イル／シブはわたしを地下室っぽいところへ案内し、集まっているアリエカ人たちのなかへ連れこんだ。「アヴィス・ベナー・チョウ」イル／シブは言った。ふたりはわたしの名前を、同じ調子で、ぴったり同時にしゃべったので、声はふたつだったのに、まるでひとつのように聞こえた。

部屋にはアリエカ人のにおいが充満していた。数は多くなかった。彼らのたてている音は、会話や、思考のつぶやきだった。ひとりが薄暗がりからわたしに近づいてきてあいさつをした。イル／シブが名前を教えてくれた。わたしはそいつのファンウイングに目をむけた。

「まさか」わたしは言った。「会ったことがある」

そいつは、アリエカの歴史上最高の嘘つきだったサール・テシュ＝エシャー、テシュ・エシャー（サール）、の親しい仲間だった。かつてわたしがスパニッシュダンサーと呼んだアリエカ人だった。「むこうはおぼえているの……？」

「もちろんおぼえているさ、アヴィス」ブレンが言った。「きみはなぜここにいると思ってるのかね？」

ブレンとイル／シブが、集まったアリエカ人たちにひとつかみのデータチップをあたえた。彼らは、外肢や指を興奮でふるわせながら、ただちにそれを受け取った。「エズ／カルはあなたが録音していることを知ってるの？」わたしはたずねた。

「知らないと思う」ブレンは言った。「きみは見たかね？　エズ／カルがやろうとしているのは、エズがエズ／ラーの一部だったときにやったことだ――阻止しているのだよ、わしらが録音のストックを用意して彼ら抜きでもやっていけるようになるのを」

「でも、あなたは録音した」

「これはおおやけの場でのスピーチだけだ。彼らもその録音を止めることはできないし、そもそも止める理由があるまい？　彼らは、それが語られたから、それが外にあるから、ホストたちがそれを聞いて我を忘れるのだと考えているのだ」

わたしはその場にいるアリエカ人たちをひとりずつ見まわしていった。ほかのファンウイングにも、見たことのある模様がついていた。「サール／テシュ＝エシャーのグループにいたのがほかにもいるね」わたしはそう言って、ブレンに目をむけた。「彼らはあいつの友人だった」

「そうだ」ブレンが言った。「彼らは嘘をつくことができる。サール／テシュ＝エシャーほどの名手がいるわけではない。あれは……」肩をすくめる。「先駆者だった。なにかを成し遂げようとしていた」

「あなたの夫がしたことは正しかった」イル／シブが言った。「あれを止めたこと。彼の観点からすれば正しいことだった。あれはすべてを変えようとしていたのだから」沈黙がおりた。「その後、ここにいる連中はあいつ抜きで進まなければならなかった。歩みは遅い」「できるだけのことはしているが」

アリエカ人全員がデータチップを受け取り、部屋のあちこちへ散っていった。みんな同じような優雅な身のこなしでファンウイングをまとっていた。薄膜は大きくひろがっていた。彼らが引き下がり、うずくまって動きを止めると、部屋は麻薬窟に変わった。ごく小さな音で、彼らは音を再生した。見ているとすぐに反応があり、ふるえが、生物的陶酔による痙攣がはじまった。張りつめたファンウイングの皮膜をとおしてスピーカーの光が見え、こもった鳥のさえずりのような音が聞こえた——エズ／カルの魂、あるいはその見せかけだけの類似品。

「なぜこんな録音にまだ効果があるの？」わたしはささやいた。「みんな聞いているはずなのに」

「彼らは聞いていない」ブレンが言った。「彼らは待つのだよ。とてつもない意志の力で。エズ／カルがしゃべりそうだとわかると、彼らはファンウイングを折りたたむ。エズ／ラーのときからそうしていた。自分にがまんを強いているのだ。それ抜きで耐える時間を徐々にのばそうとしている」

そのふるえている姿が、神の麻薬の治世に対する抵抗の証だというのは、なかなか想像しにくかった。それでも。「彼らがいまこれを受け取れるのは、これまでに受け取っていなかったから」イルが言った。

アリエカ人たちが、ひとりずつゆっくりと立ちあがった。そしてわたしに目をむけた。ふしぎな記憶の復活。途切れていたところからまたはじまろうとしているみたいだった。スパニッシュダンサーが近づいてきた——その仲間たちがわたしを取り囲んだ。彼らがゲンゴでしゃべった連続音は、わたしを意味することばだった。自分自身が語られるのを聞くのはずいぶんひさしぶりだった。

アリエカ人たちは、最初は事実としてわたしを語った。〝暗闇で苦しめられてあたえられたものを食べた少女がいた〟それから、直喩としてわたしを展開しはじめた。〝われわれがいま〟スパニッシュダンサーが言った。〝神の麻薬の声によってあたえられるものを受け取るとき、われわれは暗闇で苦しめられてあたえられたものを食べた少女と似ている〟ほかの仲間たちもそれにこたえた。

「サール／テシュ＝エシャーは単に最高の嘘つきだっただけではない」ブレンが言った。「あれは一種の先駆けだった。ただ嘘をつくというだけのことではなかったんだ。それだけのことだったら、なぜ彼らがあれほどあんたに興味をもつのかね、アヴィス？　嘘と直喩にどんなつながりがある？」

〝この世界にあるほかのもので〟ひとりのアリエカ人が語っていた。〝暗闇で苦しめられてあたえられたものを食べた少女と似ているのは？〟

「厳しかった」ブレンが言った。「彼らはあの戦争でちりぢりになってしまった」麻薬不足による戦争。エズがラーを殺した戦争。歩く屍の戦争。「いま彼らはおたがいを探しだし、進み続けようとしている。彼らはサール／テシュ＝エシャーを崇拝してはいなかった。だが、あれは名目上の指導者のようなものだった」

「予言者だ」イルかシブが言った。

「なぜマグ／ダーに話せなかったの、さもなければカルにでも……」わたしの声は尻すぼみになった。この部屋にいるグループが秘密だからに決まっている。神の麻薬の力を抑えつけようというのだ。カルは妨害しようとするだろう。わたしは信じたくなかった。ブレンは考えているわたしを見てうなずいた。

「そのとおり」ブレンは言った。「まあ、マグ／ダーは別だな。しかし、彼らがおかすことのできるリスクはかぎられている。いま彼らはおもてへ出たがっていて、その方法はひとつしか見当たらなくて、それがこのまま踏んばることなんだ。彼らはそれ以外のリスクをおかすつもりはない。だいなしになりかねないからな」

「なにがだいなしになるの？　あなたはなにをしようとしているの？」

「わしではない」

「あなたたちみんな。あなたも、あなたも」わたしはイル／シブに言った。「このホストたちも。あなたたちはなにをしようとしているの？」

「マグ／ダーのやりかたではうまくいかない」ブレンが言った。「ただくいとめるだけだ。だからカルと戦おうとしない。船が来るまで世界を動かし続けようとするだけでは充分ではない。この状況を変えなければならないのだ」彼が話しているあいだに、アリエカ人たちが難破船の漂流物のようにわたしのまわりに集まってきて、わたしであるフレーズを口にし、なにか新しいことを、それ——つまりわたし、わたしの過去——と似ていると主張できる、なにか新しいことを考えようとした。

「注意を払わなければならないのはエズ／カルだけではない」ブレンが言った。「この件は内密にしなければいけない」わたしは、ハッサーがテシュ・エシャー（サール）を殺しに来たとき、アリエカ人たちがわきへよけたことを思いだした。

「ほかのアリエカ人のことを心配しているのね」わたしは言った。

「このような語り手は以前は危険だった」ブレンは言った。「サイルの彼らについての判断は正しかったし、同じことが彼らの……」ブレンが肩をすくめて首をふったので、わたしには彼の使ったフレーズが不正確だったことがわかった。「支配集団にも言える。そもそも、いまのところ彼らがどこにいるのかわからないが、エズ／カルはなにか知っているはずだ。というか、カルは。彼らは以前にも取引をしていた。彼があんなに熱心に都市へはいりたがるのはなぜなのか？」

わたしは、カルが熱心なのは新たな夢想への情熱だと思っていた。だが、あのとき、嘘祭の会場で、カルとペアツリーはわたしを見ていた。「ああファロよ」サイルも見ていた。当時から陰謀家だったサイルなら、いまのエズ／カルを認めることだろう。彼らが優先するのは、以前のカル／ヴィンと同じように、権力と生存だった。サイルが優先するのは常に都市とその停滞だった。かつて両者は重なり合っていたが、時の流れはサイルを置き去りにした。それゆえ、彼は希望のない散歩に出かけてしまったのだ。

「カルはもう友人たちをふたたび見つけたかもしれない」ブレンが言った。「この連中は……」彼は部屋のなかをしめした。「かつては脅威だった。あんたも見ただろう。いまは……」声をあげて笑う。「まあ、なにもかも変わってしまった。だが、彼らはいまでも脅威になる可能性がある。まえとはちがうが、より大きな脅威に。カルはこのグループがまだ存在していることを知らないかもしれない。たとえ以前は知っていたとしても。だが、以前彼とともに動いていたアリエカ人たちは知っている。だから、もしもカルがそいつらを見つけたら、ここの連中はとても静かにしているほうがいい。わしらだって同じだ」

「ここの連中がどうして脅威になるの？」わたしは言った。「さっぱりわからない。なぜ彼らはこんなことをしているの？　なにをやっているにせよ」

ブレンは肩をすくめた。「説明はむずかしい。なんと言えばいいのかわからない」

「わからないんだ」わたしは言った。ブレンは、イエスだかノーだかはっきりしない態度で、ひょいと頭をさげた。

「あなたたゲンゴはどうなの、アヴィス？」イル／シブのどちらかが言った。ふたりはスパニッシュダンサーに話しかけ、それが返事をした。わたしは途中まで話についていったが、あきらめて首をふると、イルかシブがいくつかの文節を通訳してくれた。

〝われわれがこれであるのは良くない。われわれはこれ以外のものになりたい。われわれが暗闇で苦しめられてあたえられたものを食べた少女と似ているのはわれわれがエズ／カルによってあたえられたものを吸収するからだ〟長い沈黙があった。〝われわれがそのかわりに暗闇で苦しめられてあたえられたものを食べた少女のようになりたいのはわれわれが……〟そしてまた沈黙がおり、スパニッシュダンサーはその外肢をふった。

「そいつはあなたの直喩を二度、矛盾したかたちで使おうとした」シブが言った。「でも、うまくいかなかった」

〝いまは〟スパニッシュダンサーは続けた。〝悪化している。われわれはこれを予想しなかった。われわれが神の麻薬のことばで中毒になって無力になり、自分を失ったときも悪かったが、いまそれが別のかたちになってさらに悪くなった。いま神の麻薬が語られるとわれわれはそれに従う〟そう、スパニッシュダンサーは、わたしにはなんの意味もなさない抑揚の変化とともにそう言ったが、アリエカ人の心象地図がどれほど異質なものであろうと、それはとてつもなくおそろしいことにちがいなかった。群衆はエズ／カルの指示にただちに反応し、なんの選択もしていなかった。〝われわれは判断したい、なにを聞くか、どのように生きるか、なにを言うか、なにを語るか、なにを意味するか、なにに従うか。われわれはゲンゴを自分たちで使いたい〟

そこにいるアリエカ人たちは、新たな麻薬への渇望と、拒絶ができない状況を不快に思っていた。この秘密集会はその点では珍しいものとはいえなかった。だが、それは彼らがずっと成し遂げたかったこととはかみ合っていた――昔からの嘘への渇望、ゲンゴに望みどおりの意味をもたせたいという思いだ。彼らはその積年の願望により、ほかの意識あるアリエカ人たち以上に、この新しい状況を忌み嫌っているようだった。

「わしらはあんたをここへ連れてくると約束した」ブレンが言った。「ホストみたいに言ったのだ」彼はこどもの誓いのことばを口にしてにっこりした。「彼らはあんたに会うといって譲らなかったよ。帰りにくくなるまえにあんたを連れもどすほうがよさそうだ、あとはイル／シブにまかせて。寄るところはほかにもある。別のやりかたを見つけようとしているのはこの連中だけではないのだ」

なんという危険な巡回だろう。崩壊し、再生しようとしている都市で反乱分子のグループをまわる。わたしがテラ人とアリエカ人の思考は比べようがないということをずっと主張してきたのは、わたし自身がそう聞かされてきたからだ。しかし、そのことを、あんなにくりかえしわたしに伝えたのはだれだったろう。スタッフ、そして理解に関して独占権をもっていた大使たちだ。自分がアリエカ人の行動を理解することを許され、それが可能になったのだと急に実感したら、頭がくらくらした。わたしがそこで見たのは反対意見であり、わたしはそれを理解した。

わたしが会ったのは、ここの嘘つきたち、自分たちの言語を変えようと熱心に努力している者たちだけだった。ブレンとイル／シブはまた別のグループをおとずれて、彼らの渇望と〝ゲンゴナシ〟の状態を解消してやるのかもしれない。それから、ひょっとしたらエズ／カルの無造作な命令に逆らおうとしている者たちのところへ行く。そのあとでおとずれるのは、化学的な治療法を探している者たちかもしれない。わたしはこの遠征に、最初の訪問に、ほんとうに参加したわけではなかったけれど、その場にはいたしブレンはわたしを信頼してくれた。彼はわたしを仲間として連れていったわけではなかった――わたしがそこにいたのは、わたしが直喩であり、この反体制派の面々が戦略的な目的でわたしを必要としていたからだ。同じように、ほかのグループは、＊ウェアのかけらや、化学薬品や、爆弾を要求するのかもしれない。

危機的状況にあるエンバシータウンは情熱を放棄していた。わたしは思った――三日もあれば、エズ／カル、あるいはエズ、あるいはカルのことを、救世主だと、悪魔だと、その両方だと信じている人びとを見つけられるだろう。大使は天使だと。悪魔だと。アリエカ人がそうだと。唯一の希望はこの惑星をできるだけ急いで離れることだと。絶対に離れるべきではないのだと。アリエカ人だって同じだろう、と考えたとたん、わたしは希望と絶望を同時に感じた。ゲンゴでは、よそではありきたりな怪物と神々との境界のあいまいさを表現できない。わたしはふいに納得した——こうした集会はアリエカ人にとっての積荷崇拝なのだ。わたしはゴーストダンスに参加しているのか？　ブレンとイル／シブが支援しているのは、現実離れした、千年至福説の信者なのだ。

スパニッシュダンサーがわたしを表現しようと奮闘していた。わたしに以前にはなかった意味をもたせようと、直喩を新しいかたちに変えようと。〝われわれが暗闇で苦しめられてあたえられたものを食べた少女と似ているのはわれわれが……少女と同じようにわれわれが……苦しめられて……〟そいつはわたしの周囲をめぐって、わたしを見つめ、自分がわたしと似ている理由をなんとか伝えようとした。

「なぜマグ／ダーの計画ではうまくいかないの？」わたしは言った。「いえ、わかるんだけど……いちどだけ言ってみてよ、船が来るまでこのままのやりかたを続けることができない理由を」

ブレン、シブ、イルは、だれが返事をしようかと顔を見合わせた。「あなたもエズ／カルのふるまいは見たはず」シブが言った。「このままで、あたしたちがぶじでいられると思う？」

「なによりも」ブレンが言った。正直言って、失望したような声だった。「たとえそれがうまくいったとしても、きみはエズ／ラーがいなくなったときにアリエカ人がどうなったか見たはずだ。彼らによる……投与がなくなったときに。では、救援が到着したときにはどうなる？　わしらが去ったあとは？」彼はスパニッシュダンサーを身ぶりでしめした。「いったいどうなるのかね、彼らは？」

21

また飛行船が消えた。エズ／カルの指示で都市近郊の農場をめぐり、わたしたちが必要とするものを渡すよう依頼して――強要して――いたところだった。必要なものが手にはいらない場合にスピーカーを取り外すのは簡単なことだったし、アリエカ人の農夫たちもそれを知っていた。通信は途絶え、回復することはなかった。わたしたちは蜂カメラをはなった。

大使館の孤立したフロアに最後まで残っていた独立ゾーンでは、無断居住者の長とそのグループが恩赦を拒否して居すわっていたが、部隊による鎮圧作業が進んでいた。わたしはバリケードへ出かけた。壊れた家具や、家から出た雑多な品物、必要のない機械類のかたまり。だがそれらは、通常とはちがい、プラストーンではなく急速硬化タイプのポリマーでかためられていて、全体に樹脂をかけられたガラクタはレンガや透明なガラスのようにかちかちになっていた。残骸は見えていて、水中に浮かぶゴミのように、一瞬のなかに凍りついていた。戦争はもう終わっていたので、バリケードにはV字形の切り込みで歩道が作られ、完璧に平坦な切断面が、透明な樹脂とそのなかにあるゴミをつらぬいていた。歩道の縁の面には分断されたガラクタが乱雑にまぎれこんでいた。

　わたしはシモンといっしょにいた。蜂カメラからの雑音まじりの映像を彼のハンドスクリーンで見守っていた。「あれはなに？」わたしは言った。それは行方不明のコーヴィッドだった。死んでいた。まわりの地面は焼け焦げていた。人間の死体らしいものがたくさん見えた。

　わたしたちは武装して大急ぎでその荒れ地へむかい、アリエカ人や動物やゼル、ひょっとしたら田舎の農場で暮らす野人やエンバシータウンからの亡命者によって踏み固められた道をたどった。そうした人びとすべてと連絡がとれていたわけではなかった。一瞬、よりにもよって浮浪（はぐれ）が失われてしまった、という強い感情に襲われたのには驚いた。いま自分がやっていることは、あの厳しい〝時代の流れ〟というやつを受け継ぐ行為なのだと思いこもうとしたが、なかなかうまくいかなかった。

　飛行船は地面にひろがっていた。わたしたちはそのおぞましい惨禍のなかへと降下した。そして作業にとりかかった。わたしたちのなかでいちばん専門家に近い人びとが、すべての死体の咬みあとや焼けあとらしきものからサンプルを採取した。それはいたるところにあった。

「うわ」調査官が言った。それはロー／ガン大使の片割れであるローだった。彼の胸はえぐられ、焼灼されていた。「墜落したときの怪我じゃない。これは墜落したときの怪我じゃない」

ジャック大臣もいて、その傷口や、もげてしまった腕は、きれいに切断されたり焼かれたりしたわけではなく、引き裂かれてひどく出血していた。どうやら苦しんで死んだらしく、吹っ飛んでしまった自分の腕のほうへ必死で這い寄ろうとしたあとがあった。体内にはいりこんだ細菌が腐敗作業をはじめていたが、彼らが作業に当たっていたアリエカの大地が化学的特殊性を助長したため、それはエンバシータウンで見る腐敗のしかたとはちがっていた。

全員が死んでいた。この遠征隊には珍しくケディス人の職員が混じっていた。わたしの知らない成熟した雌雄体だった。「ああ、これはゴリンだ」だれかが言った。「ケディス人がこんな……」

わたしたちはゆっくりと死体から死体へ歩き、できる範囲でそれぞれを片付けていった。吹きつける冷たい風のなかで、わたしたちは友人たちの亡骸の調査を続けた。体はなるべく集めようとしたが、ばらばらになっていた者もいた。それ以外については、連れて帰るために包んだ。

「見ろ」わたしたちはなにが起きたのかを再現しようとして、削れた地面をたどり、そこから状況を読み取った。それと死体が象形文字となった。「これは撃ち落とされたんだ」熱い鋸歯状の投射物が飛行船の側面を貫通していた。

「そんな捕食獣はいない……」だれかが言いかけた。

「でも、飛行船はゆっくりと墜落したから乗員は脱出することができた」これはわたしだった。「彼らは船体から脱出して、そのあと……外で襲われた」

最近の交易遠征で入手したらしい、バイオリグの卵の残骸があった。べとべとの卵黄と胎児のマシン。乗組員は帰還する途中だったのだ。身にまとっている清風のせいで、自分の声が耳のなかで大きく響き、だれもがひとりきりのような感じがした。死体を積み、カロネード砲を準備して飛び立ち、同胞たちがおとずれた牧場を探した。所在は煙で判明した。端のほうにある住居は壊滅し、飼育場は大半が消失していた。苦しみながらもかろうじて生きているように見える小屋がひとつあったが、どうすれば楽にしてやれるのか見当もつかなかったので、そいつの苦しみをなるべく見ないようにするしかなかった。

アリエカ人の死体はなかった。家畜の囲いはからっぽだった。塵色の動物たちが走り去り、わたしたちの到着によって舞いあがった、ぼろ紙のような捕食獣の群れが、まるで考える煙のように飛びまわった。

だれかが発砲し、わたしたちは叫びながらいっせいに床へ身を投げた。銃が吠えたのだった――それはエンバシータウンの秘蔵品のひとつで、古いバンシーテクノロジーの銃を人間が使えるようにてっとりばやく改造したものだった。治安官はなにもないところへ発砲していた――なにかの動き、ちょこちょこと走るちっぽけな動物たち。アリエカ人のこどもは遺棄され、死者のスープのなかに浮かんでいた。おとなたちの死体もあった。蹄のあとがそこらじゅうに残っていた。わたしたちはカメラを設置し、このあとに起こるかもしれないできごとを撮影することにした。

胴体の太さがある動脈が何本も農場からのびて、地中でもつれあい、そこからのびるチューブが岩場を越えて都市へとむかっていた。パイプラインは爆発していた。破壊工作により中身はぶちまけられ、地面は泥と羊水の入り混じる沼地と化していた。

「これはなんだ?」

とあるくぼみに有機廃棄物があった。ひろがった魚のあばらのような枠組み、水かきのような皮膜、ごちゃごちゃした骨のかたまり。わたしたちはそのささやかな戦利品を集めた。背後では、最後に生き残った建物が助けをもとめて鳴き声をあげていた。

　わたしたちは農場に連絡用のスピーカーを設置して、エズ／カルの声を届けることで必要品を確実に入手できるようにしていたが、以前にもトラブルは起きていた。いまその理由がはっきりした。わたしたちはパイプラインに沿ってクルーとカメラを送り、ほかに破損箇所はないか調べた。また飛行船が失われ、のちに送りこまれた治安官たちがそれを見つけた。

　エズ／カルは都市の中心部へ出かけて放送した。彼らのエンバシータウンからの遠征は、できる範囲で思いきり華々しいものとなった。おもてむきはあいかわらずエズとカルの管理役――実際にはエズの看守――だった委員会の面々には、それに参加してしゃれた服を着るようにという圧力がかかった。ワイアットはわたしたちといっしょに出かけた。エズ／カルを生み出した褒美として、ワイアットは解放され、監視はついていたが委員会に加わっていた。彼は危機管理の専門家で、もはやブレーメンの諜報員ではなかった、というか、そのときはちがった。もっとあとで起きることについては、あとで考えればよかった。

「あの傘体(キャノピー)で脱出できるなら、彼はそうするはず」わたしは静かにマグ／ダーに言った。神の麻薬は歩いて都市へはいった。エズはにこりともせずにうつむいたままで、カルのほうは、いまや定番となった頭を剃りあげた姿で――縫い目は消えていたものの、頭皮にはふたりを模した新しい刺青がはいっていた――顔をあげ、ときおり情熱と憎しみのこもった視線をエズに送っていた。「あのふたり、ほんとはわたしたちに肩でかついで運ばせたいんだよ」

　マグ／ダーは笑わなかった。わたしたちは日課となったエンバシータウンからの行進の最中で、エズ／カルのうしろで、彼らの指示に従い歓声のようなものを叫ぶアリエカ人に囲まれていた。マグとダーは打ちひしがれていた。〝待って〟わたしはふたりに言いたかった。〝だいじょうぶ。ほかにいるから。解決策を探している人びととアリエカ人たちがいるから〟ブレンを裏切るつもりはなかったし、彼の言うことが正しいのもわかっていた——リスクが大きすぎて、マグ／ダーには計画を遂行する気力がないかもしれない。

「わかりません……」マグ／ダーは言った。「どうするべきなのかすらわからないのです」「船がやってくるときに」

「われわれの資源は守らなければならない」スピーチのあとで、カルが映像を見ながら言った。エズ／カルは、エンバシータウンの住民への配給量が減っていると主張した。治安官の部隊を、もよりのいくつかの農場と、わたしたちがいちばん必要とする栄養物を供給している農場へ送りこむよう命じた。襲撃は頻度を増していた。派遣される治安官の部隊には、保護することになっている住民との意思疎通のために、それぞれひとりの大使が同行した。

「だいじょうぶ」ポル／シャーが準備をしながら言った。「はじめてじゃないし」「慣れてる」「以前にも交渉に出かけなければならなかったでしょ？」「都市の外へ」「同じことよ」

同じではなかった。以前は、エンバシータウンと世界が崩壊しかけていて、ポル／シャーも、ほかのすべての優秀な大使たちも、行き当たりばったりの交易によってわたしたちの命をつないでいた。今回は、彼らは命令に従っていた。もともとわたしは、カルは神の麻薬二号になったら必要最小限のことしかしないだろうと考えていた。わたしはまちがえることに慣れてきていた。

エズ／カルは、かつては強力なアリエカ人一派のリーダーだったペアツリーを見つけだした。カルにも独自の諜報員がいるのかもしれない。都市で暮らしているエンバシータウンからの亡命者が、みんなイルやシブと同じ考えをもっているわけではない――敵だっているかもしれないし、その一部はエズ／カルの諜報員かもしれない。

　なにがあったかというと、都市の広場でおこなわれた定例のスピーチの最中に、エズ／カルが突然、目を引っこめたりのばしたりして見つめていたアリエカ人の小グループのなかへ踏み込んだのだ。エズ／カルは怖がっていなかった。そのグループのひとりがペアツリーだった。

　ペアツリーは、その後のエズ／カルのスピーチにかならず同行し、エンバシータウンでの打ち合わせからずっと彼らといっしょに歩いていた。同行するアリエカ人はほかにもいて、その一部は、どんな人間、スタッフ、委員会、大使よりも、エズ／カルと親しい関係にあった。わたしの記憶はあてにならないが、3Dをながめていたら――同行の務めはさぼった――少なくともほかにふたりは、ハッサーがテシュ・エシャー（サール）を殺したときにわきへよけた連中のなかにいたような気がした。わたしは息をのんだ――自分が秘密の戦争に関与していることに気づいたのだ。

　そのとき、エズ／カルはしばらく黙り込んだ。彼らはことばを配給していた。ようやく口をひらいたとき、彼らはセイジス（コーラ）（ペアツリー）がこの町区の長になると宣言した。都市に点在するすべての残存地域のなかから、この地域がエズ／カルのための中継地として選ばれ、その摂政がセイジス（コーラ）になると。エズ／カルは神の麻薬として語ることしかできなかったので、そのことばには常に強制力があった。ギフトウイングをあげろというような一時的な命令ではない――それはひとつの裁定であり、エズ／カルが話し終えたとき、聞いていたアリエカ人たちはセイジス（コーラ）によって支配されたままだった。アリエカ人たちは静まりかえり、その後は文句を言うこともなかった。

　わたしの知るかぎり、セイジス（コーラ）は、それ以前からよくおとずれていた一群の通りでは長をつとめていた。エズ／カルはなにも変えなかったのかもしれない――ただ、それを口にすることで、彼らは変化をもたらした。いまや、エンバシータウンと都市の新しい中心地とのあいだには、協力関係が、忠誠心が生まれていた。ブレンとイル／シブとその仲間たちの仕事が、いっそうむずかしくなったのだ。

わたしはカルが、エズ／カルが、ほんとうは何者なのか考えないようにしていたのだと思う。わたしたちの新しい政治の基盤にあるのが陰謀であれ悪ふざけであれ幸運であれ、わたしの身は安全ではなかった。

エズ／カルが開設した新しい町区から来たアリエカ人が、ポル／シャーとケル／シーと治安官たちといっしょに都市を離れた。これはいまや共同作戦となっていた。ケル／シーはもどってきたが、ポル／シャーはもどらなかった。

わたしたちは農場の敷地のいたるところに受信機とカメラを設置していた。それらは予想アルゴリズムを超えたできごとが発生すると合図を送ってくる仕組みになっていて、そのおかげで、つぎの襲撃のときには、すべての委員が即座に連絡を受けて、映像が各自の部屋へじかに中継されたのだった。

コーヴィッドが出発した。間に合うはずはなかったが、たとえむだになるとしても、手をこまねいているわけにはいかなかった。わたしはブレンといっしょだった。ふたりで混乱した映像をせいいっぱいの速さで前後へスクロールさせた。なにかの世話をしている場面、農夫とのやりとり。ポル／シャー――背の高い内気な女たち――が、必要なものをアリエカ人たちに伝えていた。収縮するチューブが、エンバシータウンでひりだされる物資を送り出していく。アングロ＝ウービック語での会話の断片。経過時間がとんだ。データスペースの調子が悪かった。「アースルが必要だな」

ブレンが言った。「あんたは最近……？」わたしは首をふった。ひとりの治安官が泥だらけになって立っていた。彼女は、わたしたちではなく、わたしたちの背後にあるなにかを不安そうに見て、報告しようとしていた。

〈こちらトレイサー治安部長〉激しく雑音がはいった。彼女は画面の外にあるなにかを見つめた。〈攻撃を受けている。敵のグループは……数百人の、くそっ、数百人もの……〉

送信が途切れ、映像が乱れたかと思うと、カメラの上昇に合わせて急速に小さくなっていく光景に切り替わった。トレイサーは、ほかの人間たちの死体のなかであおむけに横たわっていた。清風マスクを、ひくひくと動く死にかけの指ではずそうとしていた。映像がさっと流れた。アリエカ人の大群、動きは農夫のそれとはまったくちがう。全力で疾走しながら、ギフトウイングをゆらし、武器から血をしたたらせ、ほこりを蹴立てている。だれも口をきかない――ことばにならない叫びをあげ、声に出すのは攻撃の意図だけで、ゲンゴはなかった。

アリエカ人たちは、わたしもすこしだけ知っている下級スタッフの男の頭を切り落とした。わたしは口をきゅっと結んだ。ひとりが彼を蹴倒してギフトウイングでつかまえ、別のひとりがサンゴのようなものでできた刃物をふるった。彼らはバイオリグの武器を農場の壁にむけていた。ひとりのアリエカ人がカービン銃でこちらの男女を撃ち倒していた。テラ製の武器の扱いは驚くほど正確だった。武器をまったく使わずにテラ人を殺す場面もあった――自分自身の骨のとがった部分を人間の内臓へ突き刺したり、マスクをむしりとって異質な空気で窒息させたり。

ブレンが再生速度をあげた。いま中継されている生の映像が表示された。大虐殺は続いていた。治安官たちは数で圧倒的に不利だった。アリエカ人たちはコーヴィッドに近づこうとして、撃ち倒されていた。ポル／シャーが襲撃者たちにむかってゲンゴで叫んでいた。ふたりは言った。〝待って、待って、もうこんなことはやめて〟〝お願いだから、こんなことはしないで――〟そのカメラからの映像が途切れ、復活したときには、ポル／シャーは死んでいた。ブレンが悪態をついた。

わたしたちが農場に設置したすべてのスピーカーが、エズ／カルの声で叫んだ。神の麻薬が、このエンバシータウンで合流し、回線を通じて叫んだのだ。〝やめろ！〟彼らのことばに、すべてが止まった。わたしは粗い映像へむかって身を乗り出した。大虐殺、動かない大勢のアリエカ人たち。

「すごい」わたしはその数の多さに驚嘆し、思わず両手をあげた。ブレンが言った。「彼らはなにをしているんだ？」

〝その場を動くな〟神の麻薬が何キロメートルも離れた場所から叫んだ。〝まえへ出ろ、死んだ大使のまえに立て〟

動くものはなかった。数秒後、ひとりのアリエカ人が群衆のなかからあらわれ、蹄を慎重に運んでカメラの視界にはいってきた。ほかの者はそれをじっと見つめていた。そいつの背中が、のばされたファンウイングが、スピーカーから流れる声を聞くためにぱっとひらいた。それは光のなかを出たりはいったりしながらエズ／カルの声に聞き入った。

殺戮者の群れに、ほかにファンウイングを持つ者はいなかった。

「あれは農夫だ」わたしは言った。「あいつらの仲間じゃない」

ひとりの大柄なアリエカ人が、ギフトウイングで仲間をふたりほどぴしゃりと叩き、夢中になっている農夫をしめした。そいつは背中を弓なりにして傷口を見せた。エズ／カルはしゃべり続けた。

「彼らは建物が耳をすましているのを見たのよ、それとあの農夫を」わたしは言った。「だからみんな止まったんだ。必要に迫られたわけじゃなく」

最初はひとりずつ、それからかぞえきれないほどの人数がいっしょになって、アリエカ人の殺戮部隊がおのおの背中を弓なりにした。無数のファンウイングの根がふるえているのが見えた。ブレンのささやく声が聞こえた。「なんということだ」アリエカ人たちは自分の傷を見せていた。ことばのない音をたてる者もいたが、それは勝利の叫びにちがいなかった。

「こちらに見えているのを知ってるんだ」わたしは言った。

大柄な仲間から無言でギフトウイングでうながされて、自傷種のアリエカ人たちは、農夫の両わきに立ち、そいつを押さえつけた。農夫は気づいてもいなかった。〝よせ、そいつをつかむのをやめろ〟エズ／カルの声が聞こえた。ふたりのゲンゴは徐々に力を失っていた。

農夫がギフトウイングを何度もひろげて、自分にむけられたわけではない命令に従っていた。命令を受けたほうの連中は、それを無視し、それを聞くことなく、獲物を押さえつけていた。

大柄なアリエカ人が、バイオリグをつけた農夫のファンウイングを引っぱった。わたしはたじろいだ。そいつがファンウイングをひねった。犠牲者は二重の声で悲鳴をあげ、逃げようとしたが果たせなかった。拷問者のギフトウイングが、植物を引き抜く人間の手のように動いた。ファンウイングはねじりとられた——根元の軟骨と筋肉がちぎれて、噴きだした血とともに体を離れ、のびた繊維がふるえる背中からずるりと引き抜かれた。

ファンウイングは少なくとも人間の目と同じくらいには敏感な器官だ。傷つけられたアリエカ人は口をあけて倒れ、あまりの苦痛に麻痺状態になった。そいつは引きずられていった。聴力を失い、体液のしたたるグロテスクな花束を突き出して。そいつはことばのない大きな声をあげた。歓喜か、あるいは怒りか。

ふと気がつくと、エズ／カルがまたしゃべっていた。彼らは命令を出していたが無視された。

22

これが開戦への第一歩だった。わたしたちは〝最初の農場大虐殺〟と呼んだが、そのときはまだほかで虐殺が起きるとはわからなかった――おそるべき洞察力。なにが起ころうとしているかを理解したのは数日後のことだった。

ひとりのアリエカ人が別のアリエカ人に対しておこなう、あの最後の切断行為は、徴兵だった。犠牲者がそのショックと痛みを生きのびられれば、またひとり兵士が生まれる、敵側に。「どうやって命令を受け取るのかな？」わたしは言ったが、だれもこたえられなかった。そもそも命令などなくて、言語を剝ぎ取られた怒りがあるだけなのかもしれない。〝彼らは考えられるの？　しゃべれないのなら、考えられるの？〟アリエカ人にとってのゲンゴは、話しことばでもあり思考でもあった。〝そうじゃなかったの？〟

　僻地にある農場に対して、徐々に影響力を弱めるべきなのか、それともさらに強めるべきなのかわからなかったので、両方試すことにした。内臓のパイプラインがさらに爆発した。場所がちがっても情景は同じだった。臓器に似た木々のなかで、乾燥地帯で、岩くずのなかで。いつでも、肉片が吹っ飛び、だいなしになった貨物が散乱する。エンバシータウンの商店の棚がすかすかになった。

　攻撃を受けたのはインフラだけではなかった。農場大虐殺のあと、ファンウイングのない連中が、別の——耳が聞こえる——アリエカ人によって守られている宿営地を襲撃した。これは〝崖っぷち紛争〟と呼ばれるようになった。わたしたちが派遣した部隊は、珍しいアウトのテクノロジーで武装し、実際に襲撃者の一部を撃ち倒すことができた。だが、治安官の半数が殺されたころ、襲撃者たちは急に姿を消した——わたしたちには理解できないなんらかの合図に駆りたてられて。ひょっとすると、ひとつの生き物のように旋回する鳥たちのように、わたしたちには感じることのできない潮汐への共感によって。

　わたしたちはそうした映像に慣れることはなかった。エズ／カルは委員会を招集し、コーラ／セイジス（ペアツリー）をいっしょに出席させた。エズ／カルはわたしたちに、都市の運営方法を変えているところだと説明したが、それでなにか助けになるとも思えなかった。カルは〝山賊ども〟に対抗するための献身について語った。わたしは耳をすまし、現在の政治状況について理解しようとした。ブレンのあざけりの表情からすると、無法状態だったり秘密の反乱分子がいたりする場所を別として、都市ではコーラ／セイジスのような雇われアリエカ人による奇妙な統制が進んでいるようだった。

バカげた合同パトロールがはじまった。エズ／カルの命令で、こちらの治安官たちが、むりやり民兵にされたアリエカ人たちとともに、都市を離れた僻地で治安維持に当たることになったのだ。もちろん、大使がひとり同行して指示を伝えることになり、エズ／カルはそれを神の麻薬の権限であると主張した。彼らは武器の訓練をおこなった――生え抜きの官僚たちがみずからを変えようとしていた。

作戦が混乱し、失敗したのは、狼狽した大使たちの中継する指示がアリエカ人とテラ人でことなった解釈をされたためだった。わたしの見るかぎり、アリエカ人たちは憤慨すらしていなかった――このころにはアリエカ人でも憤慨することがあると知っていた――ただ困惑していた。最初の三度のパトロールはなにひとつ成果をあげられず、四度目は攻撃を受けた。救助隊が現場に着いてみると、テラ人は死に、同行していたアリエカ人たちはほとんどが姿を消していた。野蛮な手術で反逆者になるようしむけられたのはまちがいなかった。合同パトロールは中止になった。

「戦いたくなかったらどうなるの？　ファンウイングをむしりとられたあとも？　あるいは、自分のファンウイングを奪った相手と戦いたいと思ったら？」わたしは、裏切り者として、都市にある秘密の嘘つきクラブを、またもや、おとずれていた――スパニッシュダンサーの同志たちがわたしを考えられるように。彼らの期待はしつこかった。あまりにもしつこかったので、ブレンがわたしを都市へ連れもどしたのだ。スパニッシュダンサー自身はそこにいなかった。

「ファンウイングはただの耳じゃない」イルが言った。彼女はシブとともにわたしを見つめた。「たしかに音は聞く」「それは精神の表玄関だから」「視覚よりもたいせつ」「彼らの生理機能はあたしたちのそれとはちがう」「ファンウイングを失ったら、音がまったく聞こえない」「音が聞こえないと、自分の語ることばも聞こえない」「つまり話すことができない」「だから ゲンゴを話せない」

おそらく、なにが真実かという感覚も残らないのだろう、あるいは思考も。あの反乱軍は、ことばをなくした、ばらばらの共同体なのだ——それを共同体と言えるならの話だが。アリエカ人にとって、ゲンゴは真実だ。それがなかったら、彼らは何者なのか？　社会をはずれたサイコパスの集団だ。

「じゃあ、たとえ反乱に加わりたくないと思ったとしても」わたしは言った。「ファンウィングを奪われたら、彼らは……」

「正気を失う」「あるいはそれに近い状態に」「反乱に加わらない者はいるかもしれない」「そのまま放浪したり。姿を消したり」「死ぬかもしれない」「とにかく、もとどおりにはなれない」「ほとんどが加わるのも驚きではない」「……あの山賊どもに」イル／シブは、エズ／カルの使うバカげた用語に、ユーモアの欠けた笑みを浮かべた。

「全員が強制されたわけではないはず」わたしは言った。反乱軍の中心となる幹部は、みずから耳を捨てた連中にちがいない。あの絶望的な、文字どおり正気の沙汰とは思えない暴動は、何百ものアリエカ人によって、別々に引き起こされたのかもしれない。それがどこかで集まろうという話になって、集団でみずからに苦しみを課すという行為により、エズ／ラーが無意味な声明をくりかえしていたころに——なぜなら、神の麻薬二号の治世がはじまるまえから、いまほど組織だってはいなかったが、こうした反乱分子はわたしたちを攻撃していた——彼ら自身が組織の中核となったのだろう。ひょっとしたら、どこかに腐ったファンウィングが散らばっている部屋があり、そこがこの何千という集団の生まれた場所なのかもしれない。

だれもが自分自身に閉じこめられて。どれだけいるのかだれにもわからない、孤独な迷える突撃部隊。どうやって集団で行動するのだろう？　どうやって襲撃の際に連携するのだろう？　やはり、彼らは本能と心の奥深くにある混沌に突き動かされているのではないだろうか。それぞれの襲撃は慎重でも、無作為の鋭い刃のひとつでしかないのかもしれない。だが、〝最初の農場大虐殺〟では自傷種のアリエカ人のあいだに連携らしきものがあったことを思いだして、わたしは不安をおぼえた。

「彼らは部隊を組織して都市へやってくるようになった」シブが言った。そこは都市ではなく、かつて都市があった場所にある中毒者と奴隷の村だった。「彼らが以前にやっていたのはほかのアリエカ人を殺すことだった」「神の麻薬のようなものから解放されると……」「……解放されていない者に嫌悪をおぼえるのかもしれない」だが、彼らはもう殺していなかった――徴兵をしていた。イル／シブはふたりで同時になにかをひねるしぐさをして、想像上のファンウイングを付け根からもぎとった。

わたしはぞっとして、そのまま頭をふり、スパニッシュダンサーに会いたいと言った。そいつが友人であるかのように。スパニッシュダンサーを理解して、奴隷状態からの解放についてどんな戦略をもっているのか知りたかった。イル／シブはわたしを、スパニッシュダンサーが住んでいる、指のような軒に縁取られた洞窟へ連れていった。とても長い時間、わたしたちは黙ってすわっていた。

郊外でゆるやかに再生しかけていた小村落が、既存の血統から異種交配で生み出された強力なバイオリグの武器によって、いきなり壊滅していた。神の麻薬とともに働いている情報屋のアリエカ人たちが、なにかおそろしいことが起きようとしていると伝えてきた。

〝都市に住んでいる者と、エンバシータウンに住んでいる者はみな、このような攻撃には立ち向かわなければならない″エズ／カルが、セイジス（コーラ）をわきに従えて告げた。奴隷状態のアリエカ人たちがどんなに熱心に命令に従おうとしても、そんな漠然としたことばではあまり意味がなかった。エズ／カルは、すべてのアリエカ人をセイジス（コーラ）に従わせる中毒性の命令を出したことはなかった——意図せぬ結果になることをおそれていたのだろう。

わたしは、テシュ・エシャー（サール）の挑戦に懸命に応じようとしている、都市にいる嘘つきたちのところへ、できるだけ頻繁に、しかもできるだけ長時間、もどりたかった。行き方——道順とそれを決めるための戦略——を教わろうとしたのだが、どうしてもイル／シブとブレンが同行しているときしかたどり着けなかった。都市の残骸への大規模な攻撃のあとだけに、スパニッシュダンサーと、そこに集まったほかのアリエカ人たちは沈んでいた（わたしにもわかった）。ひとりは仲間のもとを離れていた。

イル／シブが耳をすました。「彼らはそいつと議論している」「そいつがみなに言った……」「屈辱だったと」最初の神の麻薬で陶酔状態になっただけでも悲惨だった——陶酔した同胞が命令に従うのを見るのはもっと悲惨だった。「そいつは……あっ」「自分を引き抜いた」

「だめ」わたしは言った。

単に彼らの——なんだろう、友人？——を自己破壊によって失うというだけではなく、肉体だけでなく精神も失い、二度と聞くことも話すこともできなくなるということが、彼らにとってはつらいことだったにちがいない。彼らは希望になりたかったのだ——ファンウイングとともに自身の社会的精神を捨て去り、無政府主義の復讐鬼となった同胞による、革命という名の自殺に対して。ゲンゴナシの連中のなかにもランクがあるのだろうか？　みずからを貴族とみなし、襲われて徴兵された者より上の地位に置いているものはいるのだろうか？　スパニッシュダンサーの先端が黒いたくさんの目は、仲間がそのファンウイングをゴミのように引き裂くのを目の当たりにした――何年も努力を続けて、この世界の破滅よりもずっとまえにはじまった計画を進めてきたあとで。

バリケードの門のそば、あっというまに容認された、リサイクル品による経済活動が主体の、残りかすのような通りの市場のなかで、人びとがふたたび救援のことを口にするようになっていた。救援はいつ到着するのか、そのときわたしたちはどこへ行くのか、エンバシータウンの住民がブレーメンへ亡命したらどんな生活になるのか。

いまや野生化したカメラたちは平原に住みついていた。多くは壊れたり信号が劣化したりしていた。それでも、まだ映像を送ってくるものもあった。

あるものは輸送用のパイプラインを越え、農場すらない遠い辺境まではいりこんでいた。わたしは、見るまえからその映像の噂だけは聞いていた。実在するけれどわたしに見せないようにしているという噂は笑いとばした――わたしも委員のひとりではないか？　ところが、失敗したとはいえ、まさにそのような試みがあったことがわかった。ショックを受けるべきではなかった。内部分裂や、裏切り者や、陰謀は、神の麻薬へじかに報告される。道理もなにもない。秘密主義は官僚の反射行動にすぎない。彼らにこれらのファイルを隠蔽するすべはなかった――噂がひろまった翌日には、ほかの全員がそれを目にしていた。

わたしたちはそれを委員会のデータスペースへアップロードした。ブレンは動揺していた。わたしは彼のあせりっぷりに驚いた――わたしたちがこれから見るものにまつわる噂が事実かどうか、彼があきらかに知らないということにも。わたしに話さないことをブレンがあれこれ知っていることに、すっかり慣れてしまっていたのだろう。わたしはそのことでブレンに、けっこうきついからかいのことばをかけた。わたしたちはカメラのメモリの内容を注視した。はるか遠くではあったが、どう見ても別の国ではなかった。視点が狭いところへはいりこんでいった。わたしは体をふって、記録者が数日まえにくぐった出っぱりを避けた。どこかの愚か者がうしろのほうで言った。「なんでこんなものを見てるの?」

カメラは岩のすきまを抜けて、地面が軽石色をした谷間へ飛び込み、ふいに鳥が鳴くような音をたてたかと思うと、まず木の高さへ、ついで塔の高さへと斜面をのぼり、かつて川があったあたりに焦点を合わせた。全員が息をのんだ。だれかが毒づいた。

それは軍隊だった。わたしたちのほうへむかって進軍していた。数百ではなく数千の、数千ものアリエカ人が。

わたしは思わずつぶやいた。ああ、神さま。都市にいるアリエカ人がぐっと減った理由がこれではっきりした。ああ、ファロテクトン。

マイクはがたがただったが、行進の音は聞こえていて、歩みを進める硬い足がふぞろいな打撃音をたてていた。体の一部を失ったアリエカ人たちが叫んだ。彼ら自身は、そのひっきりなしの叫びを意識もしていなければ、聞いてもいなかったはずだ。同行するマシンたちは飼育係の無言の指示に従って歩いていた。アリエカ人たちは武器を連れていたのだ。世界で唯一の軍隊が、わたしたちにむかって進軍していた。

カメラが接近すると、数千のファンウイングの数千の根っこが見えた。そこにいるすべてのアリエカ人が兵士で、命令に従うのではなく、社会を超越した音のない自分だけの世界に閉じこもり、話すことも、聞くことも、考えることもできないのに、それでも謎の手段によっていっしょに行動し、口をきくこともなく同じ目的を共有していた。彼らに統一された意図などあるはずがないのに、わたしたちは現実にそれがあることを知っていた――それがなんであるかということも、自分たちがそれだということも。

23

ゲンゴナシや自傷種と同じように、最初、わたしたちは襲来する軍隊を〝聾者〟と呼んだ。エンバシータウンにいる人間の聾者たちがこれに強く異議をとなえた。そのとおりだったので、わたしたちは恥ずかしく思った。それから、だれかが襲撃者たちに古い言語からとった呼び名をつけた。意味はやはり〝聾者〟だが、〝サーディ〟という表現だと侮辱している感じが薄れた。なにしろ、すぐに省略されて〝サード〟になり、その後、まちがって〝不条理(アブサード)〟になってしまったのだ。ホストたちは、あるかどうかもわからない罪を裁くために、わたしたちを殺しにこようとしていた――そんな意図もないのに。

なにより不条理で、ありえなかったのは、彼らの統制ぶりだった。ことばもかわさないのに、いくつかのグループが、ゆっくりと進む本体から離れ、急襲部隊となってふしぎな風景のなかを疾走し、こちらの武装パトロール隊を叩きのめしたり、ファンウイングをむしってアリエカ人の新兵を補充したりしていた。やがて送信が唐突に途絶え、故障か、突風か、敵の突然のいらだちによって、カメラは墜落してしまったようだった。もちろん、わたしたちは追加のカメラを送り出した。いくつもの計画がはじまった。

偵察隊を出発させたとき、わたしたちは古くからある孤立の協定としきたりを破っていた。カメラは海岸や、おだやかな毒のある海を映しだした。この世界には国があり、そこに都市があって、そのなかにエンバシータウンがある。わたしたちはそれを見ることに慣れていなかった。わたしはイマーで地図ウェアを使っていたが、こういう地図は初体験だった。大陸がひとつあった。わたしにとっては、エンバシータウンの輪郭をたどるのはむずかしかったし、都市の輪郭はさらにむずかしかった。自分たちのいる陸塊の形がそんなちっぽけな点だということは認識すらしていなかった。必要に迫られたいま、タブーを破って地図を引っぱりだすのはむずかしいことではなかった。アウトにいたころにどこかの無骨な神権国家で見たように、地図そのものが禁じられていたわけではなく、単に不適切とされていただけであり、そんな古い儀礼はもう失われていた。カメラが方向をアップロードしたので、わたしたちはアブサードの動きをたどることができた。

彼らの数少ない、最初の、先駆者たちは、もの言わぬ同胞たちを餌食にするという特殊な暴力を学んでいた。どうやってそうなったのか？ 彼らは人口の減りつつある都市からひろがって、農夫たちを取り込み、都会へつながる内臓工場を通過して放浪者のさまよう土地へむかい、放浪者たちや、不用になったり脱走したりしたテクノロジーおよび建造物の採集狩猟民を取り込んだ。その旅路と、その徴兵活動については、いずれだれかが歴史書を記すかもしれない。

そうやって誘拐して暴力で治療した地方の中毒者たちがすべてではなかった。荒れ地から予言者のようにあらわれる常軌を逸した姿が思い浮かぶ——そういう僻地のアリエカ人たちのなかでも、都市にいる同胞たちが陶酔ゾンビや臆病な絶望者に成り下がってしまったという噂に不安や怒りをおぼえていた者なら、たとえ感染をまぬがれられるほど遠方にいたとしても、アブサードへの参加を強制する必要はなかったかもしれない。軍隊が、通常の容赦ない暴力とともに到着するまではすこし間があって、かわりに、どこかの居留地で、まだ徴兵されていない者たちが、耳を失うことについて議論をくりひろげたかもしれない。ことばを捨てるために語られる、最後の明瞭なことば。

わたしはブレンに同行してもらって都市へはいった。境界は管理されていることになっていたが、出ていくのは簡単だった。出入りのルートを知るのはむずかしくなかった。

「彼らは二週間でここへやってくる」わたしは言った。ブレンはうなずいた。

「彼らがみな中年だということに気づいたかね？」ブレンは言った。「高齢者を守ったりこどもの世話をしたりはしていないのだ」

とはいえ、こどもたちは、すぐに彼らに感謝することになるかもしれなかった。たとえ世話をしてもらえなくても、アリエカ人がいちどに産むこどもたちの何人かは生きのびるはずだし、そのこどもたちがおとなの姿になって、ゲンゴに目ざめたときには、都市から人間たちは一掃されているだろう。神の麻薬もない。アブサードたちはその未来のためにみずからを犠牲にしようというのだ。どんな妥協も同意も届かない場所へ閉じこもって。

わたしたちは都市のより安全な地域を離れないようにした。わたしは自分の道を進んで――今回は自分で開拓した道で、ブレンを先導した――スパニッシュダンサーとその友人たちが嘘の練習をしている場所をめざした。彼らがわたしをしゃべる新しいやりかたを見つける手助けをするために。

「われわれは軍隊をつくっている」カルが言った。わたしたちはそのことばにせいいっぱいの軽蔑をあらわにした。〝広場に集合して戦いにそなえよ〟エズ／カルはアリエカ人にむかって放送した。兵士を提供するよう伝えた。ふたりはクラ|マシの志願者を要求した。クラ|マシは名前のある単位としては最大のもので、述語が存在する最大の数であるクラ|スパ（三〇七二）よりも多い数を意味する。通常、クラ|マシは〝無数の〟と訳される。エズ／カルはアリエカ人に可能なかぎり多くの兵力をそろえるよう要求していた。

カルが手をふった。となりにいるエズは、まるで腹話術師の人形のように、しゃべるときだけ、というかしゃべらされるときだけ存在していた。ワイアットが心配そうな親戚のようにエズを見つめていた。わたしは、神の麻薬はアリエカ人の兵士たちをどれくらい集められるのだろうか、その軍隊をつくる過程は暴力的なものになるのだろうかと考えた。都市に取り残された小さな村々の土着民たちは、心をなくした危険な連中がいる地域のすきまで孤立しているので、さまざまなかたちで命令に従おうとするだろう。彼らはアブサードがやってくるのを知っていた。コーラ|セイジスに統治されているというか牛耳られている地元民たち、エズ／カルがコーラ|セイジスによる保護をあたえた者たちが、まちがいなくほとんどの兵士を提供することになるのだろう。

「……都市を守るアリエカ人主力部隊のひとつは、弱点となるすべての場所に配置され、さらにいくつかの……特別部隊が用意される」カルが委員会の会議で言った。わたしは、こんな戦略のふりをしたすてばちな行為は、とても聞いていられなかった。部屋にいるほかの委員たちに目をむけることもできなかった。押し寄せる軍隊を阻止するすべはない。解散になったあと、のろのろと荷物を集めていたら、部屋に残っているのが自分とエズとカルだけになっていた。どうしてそうなったのかはわからない。わたしは急がなかった。ふたりに目をむけることはできなかった。わたしは彼らの敵であり、反乱にまつわる秘密をかかえていた。

カルが疲れた顔で上体をかがめた。遠い壁ぎわにいると、なんだかちぢんだように見えた。一瞬、椅子が彼の体を小さく見せて、少年王が王座におさまっているみたいな錯覚をおぼえた。エズは無愛想な廷臣のように立っていた。ふたりは必要な声明を出すのを待っているのにちがいなかった。

「わたしのきょうだいがいなくて寂しいか、アヴィス?」カルが言った。

「わたしが……? ヴィンを? まあ……そうね」それはある意味では事実だった。「ときどきは。あなたは?」

カルは伏し目がちにわたしを見た。

「ああ。わたしはヴィンに腹を立てていた。彼が死ぬまえは」間があった。「あのまえは彼に腹を立てていて、あのあとはもっと腹を立てた。当然だろう。だが、彼がいないのは寂しい」

このまま話を続けさせたらなにか得があるだろうかと考えてみたが、わたしはなにも言うことを思いつかなかった。「頼むよ」カルが怒ったように言った。相手はわたしではなかった。エズが顔をあげた。

「わたしは……」エズはそう言うと、部屋から出ていった。彼が自分のことばを口にしたのは、ずいぶんひさしぶりのことだった。カルはエズが出ていくのを見ていなかった。

「ヴィンはきみがいないのを寂しがっていた」カルが

言った。

「そうだったの？」

カルの身になにが起きたにせよ、彼がどういう存在になったにせよ、彼がわたしを見るときには、わたしが彼を見るときと同じように、思い出の窓をとおしているはずだった――そこにあるのは、ともにすごした何度かの朝、何度かの夜、そして裸体、セックス、ときどきはすばらしかった。わたしにできるのは、ヴィンがわたしに見せた最後の表情を思いだすことだけではないか？　わたしが見たあの欲求には、ひょっとしたら別の呼び名があったのかもしれず、カルはそれに憤慨したのかもしれない。カルが自分のきょうだいの愛情をゼロサム的なものと考えていて、それをわたしに盗まれたと思ったから？　彼がみずからにあたえる愛情を持っていなかったから？

このうえなくショックだったことに、思わず息が詰まって、目を閉じなければならなかった。そのひどく散漫な悲しみは、ヴィンのためばかりではなく、いくらかはカルのためだった。わたしはカル／ヴィンの愛人としてすごした数カ月のことを考えた。ふたりが同時にわたしといっしょに動いたことがあったかどうかを思いだそうとした。思いだせなかった。ふたりが同時にわたしにふれたことはあった？　それとも、常にどちらかひとりで、それから気だるいひとときがすぎたあと、もうひとりがふれたと、わたしが思いこんでいただけなの？　わたしはカルに目をむけた。あのあいだずっと、彼は自分の分身の欲望をしぶしぶ許していただけだったの？

わたしは思った――そもそもあなたとわたしがひとつになったことはあったの？

「ヴィン抜きで目ざめるのには、いまだに慣れることがない」カルが早口に言った。「そんなことはあってはならないから。正直に言うと、悪いことばかりでもない。静寂がありがたいこともある」わたしはカルの凄惨な笑みから目をそむけた。

「ほんとうはね、アヴィス、わたしはヴィンがいなくて寂しいのかどうかわからない。そうじゃないな、わかってるし、たしかに寂しいんだが、そんなきれいな感情じゃないんだ。いまやってるみたいに、というかやってたみたいに、なにもかもしゃべらなくちゃいけないのは……まあ、悪くもあり良くもあり悪くもある。分裂者がいる隠居者用の施設へ行ったことがある。ブレンみたいなのは別として、ふつうのやつはトラブルを起こすんだ。よくわからないが、いまのわたしがそうなのか?」

カルは、エズが出ていったドアのほうへさっと頭をふった。「あのクソ野郎は? この調子だとひどいことになりかねないぞ。わたしが言いたかったのは……わたしはなにを言いたかったんだろう。わたしはやるべきことをやってるんだ」

「あなたがしていることはなんなの、カル? どうしてやらなくちゃいけないの?」わたしは言った。返事をするつもりも、この件にかかわるつもりもなかったのに。「まえにいちど試したじゃない、カル。軍隊をつくったけど、悲惨な結果になった……」

「アヴィス、よしてくれ」カルは首をふり、口ごもった。どうやって伝えればいいか一心に考えているみたいだった。「失敗したのは合同パトロールだ。われわれがなにをしているかはじきにわかる。今回はちがうんだ。いずれにせよ、ほかにどうする? やつらの襲撃をほうっておくわけにはいかない……それに、きみは見てないのか?」彼はもういちどエズの去ったほうを身ぶりでしめした。「わたしは彼らになんでも好きなことをさせられるんだ」

「でも……」

「まあ、ほんとうの問題はそこじゃない。わたし、わたしたちは都市周辺の防御をかためたい、かためなければならない、だが肝心なのはそこじゃない。肝心なのは外へ出ていく部隊だ。ずっと考えてきたんだ」カルは自分の喉のところで、自分の声のところで手をさっとふった。「この件だ。どうやって使うかを考えてきた。最初のパトロール部隊が失敗した理由はわかっている――あのときはパトロールしろと命じただけだった。あいまいすぎた。だが、任務というのはそうじゃない。具体的なものだ。はじまりと終わりがある」

「彼らにどんな任務をあたえるつもりなの、エズ／カル？」わたしは言った。まちがえてカルをそう呼んだのは、わざとではなかった。

「いずれわかる。きみは感心するだろうな。わたしはきみが思うように動いているわけではない。きみがわたしをどんなやつだと思っているかはわかってるんだよ、アヴィス」

　わたしは部屋を出た。とても耐えられなかった。

　わたしは見なかったが、カルは、エズとともにアリエカ人部隊の査察をおこなった――なんという茶番だろう。マグ／ダーを助手にして、かわりに話をさせたらしい。エズ／カルが話すわけにはいかなかった――そんなことをしたら、圧倒された兵士たちが、命令であるか否かにかかわらず、すべてのことばに無条件でいちいち従おうとするだろう。

　たしかに兆（クラマシ）（数千人）の兵士が集まっていた。前例のない大人数だ。マグ／ダーをとおして、カルは彼らをいくつかの階級に分け、大隊や小隊を編成してそれぞれに指揮官を置いた。新しい防衛部隊がそれぞれの持ち場へ出かけていったときには、わたしが予想していたような混乱はあまりなかった。

　それだけでは充分ではなかった。アブサードの軍隊は数で何倍も上まわっていた。わたしはまだ理解していなかったが――カルに言われても無視していた――この軍隊や動転したような仰々しさは、カルの意図のほんの一部でしかなかった。マグ／ダーが、ほかの人たちとともに、二日ほど出かけていることにも気づいていなかった――エズ／カルが慎重に選んで名前をつけたと思われる部隊の一員として。そんなことも知らずに、アブサードの軍勢が接近しているなか、わたしはまたイル／シブといっしょにスパニッシュダンサーのところへ出かけた。エンバシータウンを離れて、都市にいると、たとえ錯覚でも、複数の成果をあげられるような気がした。

エズ／カルがわたしたちを講堂に集めた。わたしはいつものようにその集まりに出かけた。スパイになったような気分だったが、それはまったくの誤解でもなかった。委員会は力を失っていた。座席の列が急な傾斜でならび、中央にいるエズ／カルを見おろす格好になっていた。わたしはサウセルとシモンのそばにすわった。マグ／ダーはエズ／カルといっしょで、その顔にはすり傷がついていた。$\frac{\text{コーラ}}{\text{セイジス}}$もそばにいて、隅のほうにはほかのホストたちの姿もあった。

「まずは黙禱をしたい」カルが言った。「エンバシータウンのために、今回の任務で命を落とした、治安官のベイリーとコータスのために」わたしたちは続きを待った。「だが、犠牲はむだではなかった。そいつらを連れてこい」

ざわめきがひろがった。わたしたちは息をのみ、毒づき、身を引いた。警備員たちがわたしたちのまえに連れてきたのは敵だった。聴覚を失ったふたりのアブサードだ。枷をつけられている。サンゴのように動く目がわたしたちのほうをむいた。拘束された脚とギフトウイングがふるえた。彼らは抜け目なく枷のぐあいを試した。

わたしたちはアブサードを見つめた。カルは捕虜たちの周囲をめぐり、怪我をしている場所や、引きちぎられたファンウイングの縁を指摘していった。彼は説明しているものを細長い棒で指し示していた。ディアスポラ以前の学びの場で中心にいた、昔の講師の写真を見るようだった。カルが周囲をまわると、襲撃者たちは音をたてた。その音の響きは、遠い神への呼びかけのようでもあった。コーラ／セイジスや部屋にいるほかのアリエカ人たちは、それを見守りながら、自分たちも常に体を動かしていた――捕虜たちの緊張に否応なく反応して、ひくひくと。

わたしたちの部隊は、押し寄せる軍勢から離れて孤立した居留地を襲撃しようとしていた一群のアブサードを追跡した。戦いがあった。どちらの陣営にも死者がでた。そして、カルの説明によれば、テラ人とアリエカ人の盟友たちとの前例のない共同作業により、アブサードを鎮圧してこのふたりを生け捕りにしたのだった。

「われわれはアブサードを理解しなければならない」カルが言った。「そうすれば彼らを打ち負かすことができる」

わたしたちが集められたのは、ゲンゴナシのふるまいをよく見て、学ぶためだった。封鎖された部屋のなかで、カメラのまえで実験がおこなわれた。アブサードとわたしたちの同盟者であるアリエカ人との相互作用を見ようとしたが、それは実際には相互作用ではなく、コーラ／セイジスとその仲間たちからの一方的な行動で、アブサードには無視された。たとえなんらかの反応があったとしても、わたしたちにはまったく反応とは認められなかった。

みずからファンウイングを引き抜いた者たちがまとっている殻は、とても破れそうになかった。委員会のなかには、敵を倒すための準備をしているというカルの主張を信じた者もいたかもしれないが、彼がコーラ／セイジスを言いくるめて――味方のアリエカ人を何度もうっとりさせて時間をむだにするのを避けるために、今度もマグ／ダーをとおした――アブサードへ話しかけさせ、ついでにマグ／ダーにまで試させるという無意味なことをしているのを見れば、多くの者は、わたしがそうだったように、カルは交渉を狙っているのだと気づいたはずだった。

　だが、敵は何千という数で、みずからの窓を内側も外側もすべて閉ざしてゲンゴを遮断し、殺戮の衝動だけをかかえた単細胞生物と化していた。わたしたちがどんな知識を得たところで、大きなちがいがあるはずはなかった。ワイアットの武器庫にあるものとカルのアリエカ人部隊でいくらかは殺せるかもしれないが、都市はいまも衰退を続けていて、その住民は死んだり、みずからを傷つけたり、スピーカーが神の麻薬を放送している近くの居留地へ駆けこんだりしていた。わたしたちといっしょに戦うアリエカ人よりもアブサードのほうが多いのだ。

　マグ／ダーがゲンゴで語りかけ、そのあと、マグかダーが言った。「まったく耳を貸そうとしませんね」アブサードはうなり声をあげていた。

「見せてやれ」カルが言った。「理解させるのだ」こんなやりとりが形を変えて続くのは、とても見ていられなかったし無意味だった。アリエカ人たちは同じことばをくりかえし、マグ／ダーやほかの大使たちは両手で身ぶりをまじえる。わたしたちの敵が近づいてきた。ゲンゴナシが枷を引っぱった。彼らは対話の相手を見つめ、申し入れは無視して、自分の作業に集中していた。わたしは、ふたりが同時になにかに注意を引かれるのを見た——わたしにはわからない、セイジス(コーラ)の特異な動作に反応して。

　アブサードがにらみあった。自分でも気づかずに音をたてている。枝分かれした目をひろげておたがいの注意を引き、注目すべきものをしめすような身ぶりを見せた。ふたりができる範囲で動いて、それぞれ位置についているあいだ、カルとエズはスクリーンにあれこれイメージを表示させ、床を通じてアブサードに振動を伝えていた。ふたりは歩き、三角法で距離をはかって、二手に分かれた。

事前に警告することはできなかったけれど、アブサードがいきなりアリエカ人の警備員に襲いかかろうとしたとき、わたしはそれが起こるのを知っていたことに気づいた。彼らは拘束された自分たちの体を不格好な棍棒として使おうとして、そのまえに押さえつけられたが、わたしはそれぞれの動きがぴったり一致していたことに愕然とした。そして、わたしの夫が書いた本のことを思いだした。

「〝あれ〟はゲンゴでなんて言うの？」わたしはブレンにたずねた。「たとえば、〝あれを〟とか」わたしは指さした。「どのグラスを使う？　あれを」

「場合によるな」ブレンは自宅のカウンターのそばにあるグラスに目をむけた。「それについてしゃべるとき、わしだったら……」

「ちがうの、特定のグラスのことじゃなくて、一般的に、あれ、と言うとき」指さす。「あっちの、とか」手を動かす。「そんな感じ」

「ないの？」

「ないな」

「当然だろう」

「やっぱりね。だったら、そのグラスとあのグラスとあっちのグラスをどうやって区別するの？」わたしはグラスを順に指さしていった。

「〝リンゴのまえにあるグラスと、底が欠けているグラスと、ワインの残りがはいったグラス〟と言うことになるな。知ってるはずだぞ。なにをききたい？　こういう基本的なことは教わったんだろう？」

「教わったよ」わたしはちょっと黙り込んだ。「何年もまえに」またキロ時ではなく年でしゃべってしまった。「でも、アリエカ人が〝リンゴのそばのグラスとワインのはいったグラス〟と言ったのを、あなたがわたしに通訳するとしたら、たぶん〝そのグラスとあのグラス〟と言うはず。ときには翻訳が理解をさまたげてしまうことがある。わたしはゲンゴが得意じゃない。いまはそれが役に立っているのかも」

「翻訳はいつだって理解をさまたげるものだ。なにを考えているのかね?」

「やつらがここへ来るまで何日ある? イル/シブと連絡をつけられる? ほかの人たちは? つかまえられるのはいる?」ブレンが目をほそめたが、わたしはうなずいた。「わたしたち出かけないと。イル/シブかだれかにスパニッシュダンサーたちと連絡をとってもらって。わたし——」わたしは口をつぐんだ。「どうしよう。どうしたらいいか……カルになら話せるかもしれない」

「まずわしに話したまえ」ブレンが言った。「やけを起こしたのかと思ったぞ」

「自分でも思った」

「で、なんだ? 話してごらん」


わたしは話した。ブレンにとって意外性は失われてしまったが、読者のみなさんのために、ここでは明かさずにおくとしよう。

ブレンはうなずき、わたしのとても計画とは呼べないしろもの——直観と希望——に耳をかたむけ、話が終わると、言った。「いや、カルには話せないな」彼はわたしの顎の下にふれ、両腕をわたしの体にまわしてきた。いっとき体重をあずけたら、とても気持ちがよかった。「話せるわけがない」

「でも、わたしたちは状況を好転させようとしているのよ。エズ/カルは愚かではないから……」

「これは彼らが愚かかどうかという問題ではない。問題は彼らが何者であり、なにを代表しているかということだ。カルには道理が通じるかもしれん。ひょっとしたら。だが、わしはそうは思わないのだ。危険をおかしたいのかね?」

「わたしたちが出かけたら、彼にはわかってしまう」

「ああ。そしてきみを敵とみなすだろう。それでもだいじょうぶだ。カルに——彼らに——わしらを止めようとする時間があるとは思えない」

「じゃあわかった。わたしは敵になる」

ブレンはにっこり笑った。「ほかになにをするというのかね、アヴィス？」

わたしたちは腕を組んだままスクリーンに目をむけた。そこでは、捕虜になったゲンゴナシが、部屋のなかでふたりきりで、カメラに監視されながら、ぎこちなく歩きまわろうとしていた。みずからが亡命者になろうとしているわたしたちにとって、それは静かなひとときだった。エンバシータウンの支配者に閉じこめられたふたりのアリエカ人の動きは、つながりのないふたつのものとは思えず、なにか別のものに従っているように見えた。計画はなくてもおたがいのことは把握して。ひとつの共同体として。

24

わたしに対する文化的な関心はまだ失われていなかった。解放された分裂者で、トラブルメーカーで、公認の反乱分子である、ブレンダーも同じだった。わたしたちがいっしょに姿を消せば、人びとに気づかれてしまう。すでに監視されている可能性もあった。というわけで、つぎに、最後に、都市へ出かけたとき、わたしはひとりで行動した。

委員会がくよくよと思い悩み、カルが手にはいるだけの兵力を集めていたころ、エンバシータウンの通りでは人びとがなんとかすごしていた。清風と補給品を身につけて、ちぢんだわが街を歩いていたら、驚いたことに、屋外でひらかれているパーティにいちどならず出くわした。遊んでいるこどもたちの輪番親たちが、見ているわたしに気づいて視線を合わせてきた。このこどもたちを遊ばせてやれるのもこれが最後だということをおたがい承知しているという、つらい状況にもかかわらず、そのひとときの楽しさはすこしもそこなわれてはいなかった。

通りには治安官もいたが、彼らは戦争を待つ以外にあまりすることがなかった——取り締まりも熱心ではなかった。彼らは改宗者を追い出したりはしなかった。わたしもよく知らないが、シェーカー教徒、クエーカー教徒、メイカー教徒、テイカー教徒など、わたしたちを断罪したり救ったりする独自の神学をもつ人びとだ。彼らの扱いは、たとえどんなに熱烈な信者だろうと、脅威とか害毒とかではなく、芸人だった。人びとにからかわれても、彼らは根気強く敬虔な信者であり続けた。

わたしは足を止めて、カフェで一杯やらないかとだれかにたずねたかった。そこでなら、無料で飲み物を出してもらうか、さもなければ、こちらが礼儀正しい身ぶりで差し出す借用書を受け取ってもらえた。通常の文面は——〝しばらくかかるかも〟。街を去ろうとしている者の嘆きのことばだ。わたしがエンバシータウンを出たのは、ヨーンやシモンたちといっしょに息を止めた場所、わたしがあのロープにさわった場所の近くだった。わたしは境界にある一軒の家の廊下を抜けて外へ踏み出した——ひとりきりで。

地図には都市のさまざまな居留地がしるされていて、それぞれに、ブレンが集めることのできた最新情報による注釈がついていた。〈(1) 中心地。コーラ／セイジス。忠実〉わたしから見れば急進派。〈(2) 状況は流動的。(3) 兵力に貢献しているが、コーラ／セイジスとは対立。(4) 地方自治主義？ (5) ……〉などなど。表示されている境界線が穴だらけなのはわかっていた。アブサードが接近するにつれ、それらの小さな政治組織はますます孤立し、おたがいの政治や文化の相違も拡大して、境界となる通りの状況は悪化した。わたしはまったく安全ではなかった。

最初の数百メートルは、改造アナグマがうろうろしていて、鳥の羽音や虫の音も聞こえていた。いまわたしがいるあたりの土地の動物たちには、少なくともふたつの名前があった——わたしたちの言語でつけられたものと、ゲンゴでつけられたものだ。イヌくらいの大きさの動物があらわれたので、わたしは立ち止まった。わたしたちは茶色い銃（ブラウンガン）と呼んでいるが、アリエカ人の用語では、わたしたちには理解できない分類学上の差異に応じて——（コシーシ／ルア）または——（ター／セティス）になる。そいつはわたしの行く手を、せわしないカエルの舌のような足どりで横切っていった。頭上を通過するスクラップにバイオリグをほどこしたマシンは、野生のものもあれば、アリエカ人を乗せているものもあった。

イマーでの舵取りはできても、ここの地形にはあやうく挫折しかけた。人のいない土地は危険だが、居留地があるところはもっと危険だ——心をなくしたアリエカ人の無差別の怒りだけでなく、境界の見張りにまでおびやかされる。別々の地域に新たに出現したこの部族主義の住民たちは、ときには戦いをくりひろげていた。わたしも何度か、家の骨やゴミの山のかげにしゃがんで、そうした暴力を見せられるはめになった。

恐怖で息が苦しくなってきた。回旋状の建物をめぐり、近所の横隔膜の振動音をぼんやり聞きながら、わたしはふいに足を止めた。まっすぐ前方にふたりの男が立っていた。

男たちはわたしを見てライフルをかまえた。清風のバイザーの奥にある顔を見ることはできなかった。テラ人の姿がそこにあるという不条理に、その危険な一瞬、わたしは思わず足を止めてしまった。なんとか発砲されるまえに動きだすと、複数の銃弾が、直前までわたしのいた空洞か路地に命中した。男たちが背後に迫ってくる音が聞こえた。わたしは低い張り出しの下へもぐりこみ、身を隠した。歯をぎりっとくいしばった。心臓は早鐘を打っていた。

パニックを起こしてはいなかった。わたしの思考は緻密だった。別の物音に、わたしはさっとふりかえった。だれか人間が、魚のえらのような戸口からこちらへむかって手をのばしていた。わたしはよろよろとあとずさったが、男はマスクに指をあててシーッというう顔をつくり、手招きした。わたしが近づくと、男はわたしを部屋のなかへ引きこんだ。わたしたちはすわって耳をすました。わたしは男へ目をむけたが、とても印象に残る顔とはいえなかった。解読でもできるかのように、わたしは男を端から端まで見つめた。

「だいじょうぶかい？」男がささやいた。

「ええ」わたしは〝あなたはだれ？〟または〝あいつらはだれ？〟と言いかけた。だが、男は首を横にふって、また耳をすました。

「いっしょに来て」男がようやく言った。わたしはもういちど、あなたはだれ、ときこうとしたが、男はやはりこたえなかった。そもそも説明する義務などないのだろう、とわたしは思った。そして、男のあとについてそろそろと進みはじめた。

長い迂回路の果てで、イルとシブが待っていた。ふたりはそっけなく男にあいさつした。三人の会話は声が小さすぎて、わたしには聞こえなかった。男がふりむき、わたしにむかって軽く手をあげ、去った。

「彼の名前はショーナス」シブが言った。「以前は大臣だった。都市にはおよそ八年いる」わたしたちは慎重に、わたしの最初のルートへもどった。

「彼はなぜここに？」わたしは言った。「それと、わたしを撃ったのはだれ？」まぐさ石がアーチを描く下を、わたしたちは進んだ。

「彼がここへ来たのは、ある大使との断絶のあとのこと」イル／シブが言った。「ちょっとしたスキャンダルだった。彼は姿を消した。たぶんあなたがイマーにいたころ。アウトに」「おぼえていないはず」当然だろう。「その大使というのがダル／トン」

そのとき驚いたかどうかは記憶にない。てっきり死んだか、分裂したか、おぞましい診療所に幽閉されたかしたと思っていた、あの威勢のいい反体制派。「彼らは出ていった」「彼らはおかしくなった」「ショーナスは彼らを止めるために都市へやってきて、そして……」「……まあそういうこと。彼はあたしたちの味方」「ダル／トン大使に対しては」「このすべてがはじまるまで、ずいぶん長いあいだあのクズどもの消息は聞かなかった。なにをやっているのかはわからない」「いまは最高に幸せだろう」「この状況にはおおよろこびのはず」「彼らはあなたの計画を嗅ぎつけている」

並行する簡潔な叙述と、悪口と、復讐心。「ふたりはどうやってわたしの計画を知ったの？」わたしは言った。

「噂はひろまるもの」

「どういう意味？」

「わかるでしょう。噂はかならずひろまる」「ダル／トンが知っているのはあなたが都市へ来ているということだけかもしれない。それはつまり、あなたに計画があるということ」「それがなんであろうと、彼らとは対立する」

「ダル／トンはカルと協力しているの？　エズ／カルと？」

「え？　彼らがあなたを止めようとしたから？」イル／シブはわたしを一瞥した。「カルもあなたを止めようとするはずだから？」「そのふたつは同じことではない」「ダル／トンにはどんなことでも独自の理由がある」

「というと？」

「理由なんてたくさんある」イル／シブは疲れたよう

に言った。「そんなものをいちいち追いかけていられる？」「ひとつ言えば」「彼らはあなたの友人ではない」「そうでしょう？」

「ええ」

「ダル／トンはすべてにうんざりしている」「あなたはそうじゃない」「あなたは努力している」「それでどう？」

　ダルとトンは、危機がおとずれるまえからニヒリストだった。彼らがわたしを攻撃対象とみなすのは、自分の正しさを証明するためだ。カルにむかって、エンバシータウンが滅びるのと彼抜きで存続するのとどちらがいいかたずねたら、彼は本気で後者を選ぶだろう。だが、わたしの計画を知ったら、自分が死のうと、みなが死のうと、阻止しようとするだろう——それは彼の存在を根底からゆるがしてしまうから。ダル／トンがわたしを阻止したかったのは、わたしが世界を救おうとしていたからだ。みずからの意志で長く怒りに満ちた亡命を続けていた彼にとっては、はるかに筋がとおっていたにちがいない。わたしがけっして知ることのない、何キロ時にもおよぶ物語があったのだ。ダル／トンはわたしに敵対し、カルはわたしに敵対し、ダル／トンはカルに敵対し、ショーナスはダル／トンに敵対し、ショーナスはわたしの味方だがカルの敵ではなく、などなど。エンバシータウンでも、イマーでもアウトでも、わたしはけっして謀略にかかわってこなかった。浮浪(はぐれ)がそれを回避する手立てになると期待していた。だが、政治は見逃してくれない。

「どれくらいの数がいるの？」わたしは言った。「亡命者たちは。都市に」

　イルとシブは無言だった。エンバシータウンを救うわたしの計画は、ダル／トンとショーナスに一時的にかかわりをもった。もと大使とかつての大臣の復讐劇はわたしにかかわりをもった。わたしは命を救ってくれたショーナスに感謝した。

「いまこちらへむかっている」イル／シブがわたしに言った。「あなたはなんと呼んでいたかな？　スパニッシュダンサーか」

「失礼なのはわかってるよ。その呼び名を使うのはやめるつもり」

「なぜ？」「あれは気にしないし、あたしたちも気にしないのに」

部屋は狭かった。もちろん窓はなくて、光る葉状体によって照らされていた。

「電気がきてるんだ」わたしは言った。

「いいえ」「光を発しているのは壁にいる死肉食い」

「嘘でしょ」建物が死にかけていて、部屋はそのおかげで照らされていた。笑うしかなかった。

もういちど質問してみたが、イル／シブは、ふたりが数十万時間まえにエンバシータウンを出て、清風のマスクをかぶって亡命者の小さな文化圏で暮らしてきた理由については話してくれなかった。わたしたちは待った。「ホストたちがさらに都市を離れている」イル／シブが言った。「大勢がアブサードに加わることになる」「守備隊は多くは残らないだろう、たとえ準備をしていたとしても」

「彼らには選択の余地がない。エズ／カルが彼らに守れと命じるだろうから」

「あなたの計画は？」「あなたはなにをしたいの？」

「じきにわかるよ。ブレンが話してくれる」実を言うと、どう説明すればいいのかわからなかった。スパニッシュダンサーが来たので、わたしは言った。「さあ。見せてあげる」

わたしは捕虜になったゲンゴナシの動きを思いだした。アブサードが迫っているいま、ブレンを待つ理由はなかった。イル／シブの協力をあおぎ、慎重に通訳してもらいながら、はじめはごくゆっくりと、わたしたちはそれにとりかかった。長年にわたってずっと避けてきたにもかかわらず、わたしは率先して行動するしかなくなっていた。

　切迫感というのは種族を超えて伝わる細菌ではないと思うが、アリエカ人たちはわたしのなかでなにかが変わったことを理解したようだった。彼らとわたしは熱心にやりとりを続けた。〈クラヴァット〉で彼らがわたしやほかの直喩たちに熱中していたときのことを思いだした。

「あなたは嘘をつきたい」わたしはスパニッシュダンサーに言った。それから早口で――「どんなことができるか見せて。どこまでいってるの？　もういちど最初から」イル／シブの通訳で、スパニッシュダンサーとその仲間たちがささやかな嘘を演じるのを何時間も聞き続けた。メモをとり、テシュ・エシャー（サール）がどんなふうにやっていたかを、頭をしぼって思いだそうとした。それが鍵になるような気がした。

　この件について、ブレンとは話をしていた。テシュ・エシャー（サール）はしばしばことば遊びをおこない、適切な文節を削り落とすことで、最後に突然、驚くような嘘を生み出していた。だが、そのやりかただと、どんなにうまくやっても、ただの見世物でしかない。テシュ・エシャー（サール）の理論上の焦点はわたしにむけられていた。テシュ・エシャー（サール）はわたしたちを――単なる直喩ではなく、テラ産である直喩を――より基本的かつ有用な非真実の鍵とみなしていた。そいつの特徴だった、ことばのトリックでしかないがすばらしい勢いで語られる虚偽は、接触で生まれた変化をうかがわせた。〝人間たちがやってくるまで、われわれはある種の物事についてあまりしゃべらなかった。人間たちがやってくるまで、われわれはあまりしゃべらなかった。人間たちがやってくるまで、われわれはしゃべらなかった〟

　文節の削除で生まれた偽りを介して、テシュ・エシャー（サール）は宣言した。人間たちがやってくるまで、われわれはしゃべらなかった――だからわれわれは、人間を通じてしゃべるし、そうできるし、そうしなければならない。これで偽りは真の願望となった。テシュ・エシャー（サール）は、起こるかもしれないことを主張し、あったことを変えた。真実を強く主張するために嘘を学んだのだ。

「さあ」わたしはスパニッシュダンサーと、参加しているその仲間たちに言った。「サール／テシュ＝エシャーに続こう」イル／シブが通訳した。アリエカ人たちは反応した。「それが道筋をしめしてくれた。あなたたちはわたしを知っている。わたしは暗闇で苦しめられてあたえられたものを食べた少女。わたしがなにに似ているかを言えば、わたしがなんであるかをつかむことができる」

わたしは彼らにニックネームをつけた。スパニッシュダンサー、タオラー、バプテスト、ダック。それぞれの名前を呼んで、指さし、笑みさえ浮かべた——彼らがどんなことを認識するかしないか、それはだれにもわからないではないか。練習中、バッテリー獣はあたりを跳ねまわっていた。そこにいるアリエカ人はみな、すこしだけ嘘をつくことができた。史上最高の嘘つきの弟子たちだった。わたしは、彼らが文章のあちこちを削除し、わざとまちがいのある文節をつぶやくのを手助けした。

〝人間たちがやってくるまで〟わたしはイル／シブにテシュ・エシャー（サール）の発言をくりかえさせた。彼らはうまく言えなかった——嘘はその精神のなかでもつれた。「これは何色？」わたしはぼろきれやプラスチック片を差しあげて言った。アリエカ人たちは目をのばしたりちぢめたりした。

数時間後、アリエカ人たちの集中力が失せた。ダックはふるえていた。タオラーは笛のような音で小さくうなっていた。むりもない。わたしたちにはデータチップがなかった。アリエカ人たちはやむなく通りへ出て声待ちをした。屋内では、放送を聞くことはできず、家がふるえるのが感じられるだけだった。わたしはイルとシブと顔を見合わせ、みんな同じ想像をしているのだろうと思った——生徒たちが近くのスピーカーへ殺到し、心をなくした連中を押しのけたり、おたがいにぶつかりあったりしながら、エズ／カルの声をもとめている姿を。

「なぜあなたは手伝っているの?」わたしはイル／シブに言った。「だって、これがうまくいったら、あなたにとってはいろいろ変わって……」

「あたしたちがなにを失う?」「ノウハウ?」「そしてなにを手に入れる? みんなから?」「あたしたちのノウハウが、あたしたちになにをしてくれる?」ふたりはまたうつむいた。ブレンは自分の分身を憎んでいたと言っていた——胸のうちでひっそりと。イル／シブの疲れきった姿を、ふたりがおたがいに目をむけようとしない姿を見て、わたしはどんな大使もそういう気持ちをもっているのだろうかと思った。

帰ってきたアリエカ人たちは、おちつきをとりもどしていた。〝続けよう〟ひとりが言った。わたしはおおげさにうなずき、「はい」と言った。それから、同じことをもういちど、ゆっくりと言った。わたしがやろうとしていたのは、以前から以後へ突き抜け、乗り越え、踏み出すことだった。その転換点は、どんなことでもそうだが、謎でしかなかった。

「わたしはなにに似ている? なにがわたしに似ている?」イル／シブが、わたしの質問と、それに対する返事を通訳した。

「あなたは暗闇で苦しめられてあたえられたものを食べた少女だ」「われわれの家の便所へ餌をもとめてやってくる清掃動物は、あたえられたものを食べた少女に似ている」

「なかなかいいね」わたしはアリエカ人たちにがんばって詩を語らせた。目を閉じる。彼らは類似性の主張を続けた。時間がたつと、提案はさらに興味深いものになってきた。もはや行き過ぎだった——あきらかに失敗している直喩が会話にあふれた。

「岩は似ている、暗闇で苦しめられた少女に、なぜなら……」

「死者は似ている、暗闇で……」

「こどもは似ている、暗闇で苦しめられてあたえられたものを……」

最後に突然、スパニッシュダンサーが言った。「われわれは物事を変えようとしていて、すでに長い時間がすぎていて、いずれそれが終わると信じる辛抱強さにより、われわれはあたえられたものを食べた少女に似ている」イル／シブが通訳した。「なにも変えようとしていない者は、望むものではなくあたえられたものを食べた少女と似ている」

わたしは口をあけた。背の高いアリエカ人はわたしのほうへ身を乗り出し、いくつもの目をまばたきさせた。「ああ、神さま、こいつはわかってる」わたしは言った。「わたしのやろうとしていることを。いまの聞いた？」

「聞いた」「聞いた」

「スパニッシュダンサーは、ふたつのことなる、相反する物事にわたしを喩えた。それぞれをわたしと比較して」

「ええ」イル／シブはわたしよりも慎重だったが、わたしがずっと笑いかけていたら、しかたなく笑みを返してきた。

わたしたちは遅くなってから解散した。そのころには、神の麻薬への渇望が強くなりすぎて、アリエカ人たちはもはや練習を続けられなくなり、錯乱してふるえだしていた。わたしはかすかにへこむ床で、なにもかけずに眠りについた。目がさめたのはイルとシブに揺り起こされたときで、ふたりはささやかすぎる朝食も用意してくれた。そびえ立つ皮膚が半透明になっていたので、夜が明けていることがわかった。生徒たちはだいぶましになっていた。もうエズ／カルの朝の放送を聞いていたのだ。

イル／シブから、エズ／カルがわたしの失踪に気づいたと教えられた。彼らはわたしを探していた。複数の部隊が都市へはいっていた。「あなたはもはやひとりきりというだけではない」ふたりは言った。「あなたは逃げている」「身を隠している」〝わたしたちと同じように〟と付け加える必要はなかった。

一日中、わたしたちはアリエカ人たちの不充分な直喩に取り組んだ。わたしは消耗し、いらいらしてきた。暗くなってきたころ、部屋のねっとりした開口部で音がして、ブレンがはいってきた。わたしは彼に勢いよくすがりつき、ブレンはキスをしたがわたしを押しとどめた。わたしは彼の背後にいるものを見て体を放した。いっしょにやってきたのはひとりのアブサードだった。

「たいへんな遠征だった」ブレンはほんの一瞬だけ笑い声をあげた。

アブサードは弱っていた。ブレンが硬い棒の先端につけている拘束具には常に電流が流れていた。さもなければ、そいつは簡単にブレンを打ち倒していただろう。アブサードはその絶え間ないやけどで傷ついていた。ギフトウイングは革ひもで体に固定され、脚はふらついていた。計画どおりとはいえ、ブレンが成功したというのが信じられなかった。

「驚いた」わたしは言った。「どうやったの？　うわ、これを見て。ひどい。あなた拷問係みたい」

「そのとおりだよ」ブレンは言った。

スパニッシュダンサーとほかのアリエカ人たちがアブサードを取り囲んだ。そいつは緊張してそばへ寄れなかった。アリエカ人たちはよたよたとさがり、またまえに出てと、病的な好奇心に取り憑かれているように見えた。

「エンバシータウンの状況は？」わたしは言った。

「みんな怖がっている」ブレンが言った。「あんたとわしが敵に協力していると考えているのかもしれない。というか、そう言っている」

「アブサードに？　そんなの……」

「バカげている（アブサード）」

「どうかしてるよ」

「そういうものさ」ブレンは言った。人びとは筋がとおらないとわかっていても口にせずにいられないのだろう。怖がるのはむりもない。アブサードが迫っているのだ。

「どうやってあれをつかまえたの？」

「思いつくあらゆる手立てを使って。偽造書類、賄賂、ひっかけ、脅し。真夜中の潜入。暴力。ぜんぶだ」

「これで実際にテストできるわけね」

ブレンはバッグからデータチップをいくつか取り出した。「ほら。これだけあれば彼らをすこしはコントロールできる。放送ばかりに頼ることはない。彼らをここから連れ出すこともできる」

「なぜあなたたちは彼らに嘘をつかせたいの？」イルかシブが言った。わたしはふたりを見つめた。彼女たちはなにも理解していなかった。計画に身をたくしたのは、それが計画だったからにすぎない。

「嘘とはそういうものだからだ」ブレンがイル／シブに言った。「なぜわしらが都市を離れていると思ってるんだ？」ふたりは肩をすくめた。

「シンボルがアリエカ人にどう作用するかということなの」わたしは言った。「わたしはそれを変えられるとは思っていなかった。でも、どうして考えが変わったかわかる？　すでにそれをやっていたアリエカ人がいたから」わたしは捕虜を指さした。「彼らはやってのけたの——サール／テシュ＝エシャーやスパニッシュダンサーやここにいるアリエカ人たちが何年もまえからやりたがっていたことを。彼らは新しい精神を手に入れた。そして、それを使ってわたしたちを殺そうとしている」

わたしが考えはじめたきっかけは、アブサードの組織的な攻撃の異様なまでの正確さだった。彼らは意思疎通をしていた――あれほど効率的な殺しはほかに説明をつけようがない。ゲンゴナシたちは共同体を必要としてそれを作りあげたが、自分たちがなにをしているのかわかっていなかったかもしれない。ひとりひとりは、自分が復讐心にあふれた孤独のとりこになっていると信じていたのだろう――彼らが共同でふるっている暴力がその反証となっているにもかかわらず。

わたしは彼らが身ぶりをするのを見た。彼らの突撃隊員あるいは指揮官がギフトウイングでなにかをしめしていた。アブサードは指さしを発明したのだ。指さすことで、彼らは〝あれ〟を考える。体のとがった部分に、外へ突きだした外肢に、彼らは参照の力をあたえた。〝あれ〟が鍵だったのだ。そのあとに、ほかの音のないことばが続いた。

〝あれ〟〝あれ？〟〝いや、あれではない――あれだ〟

ゲンゴの個々の単語は、それが意味することだけを意味する。多義性やあいまいさなどありえないし、ほかの言語を言語たらしめている比喩もほとんど存在しない。ところが、〝あれ〟はあらゆる意味をもつ――内容のない、普遍的な相当語句だから、柔軟性が高いのだ。〝あれ〟は常に〝あれではない別のもの〟も意味する。アブサードたちは、彼らなりの孤独で静かなやりかたで、記号論的革命を起こし、あらたな言語をつくりあげたのだ。

それは基盤であり現在時制だった。しかし、その最初の単語は実はふたつだった――〝あれ〟と〝あれではない〟だ。そのささやかな中心となる語彙から、アンチテーゼの発動機がほかのさまざまな概念を繰り出た——わたし、あなた、ほかの人たち。

アブサードがつくりあげた記号体系は、彼らが生まれつきなじんでいた精密なものとはまったくことなっていた。だが、例外的なのはゲンゴのほうだ——指をふったり残忍に踏みつけたりといった、この新しいおざっぱな言語のほうが、わたしたちがしゃべっている言語にずっと近く、イマーの各地にいる知的種族のそれの親戚と呼べるものになっていた。

「わたしたちはけっしてゲンゴのしゃべりかたを学ぶことはできない」わたしは言った。「ただそのふりをしてきただけ。そのかわりに、アブサードがわたしたちのようなしゃべりかたを学んだ。この部屋にいるアリエカ人たちは嘘をつきたがっている。それは世界をことなったかたちで考えるということ。言及ではなく——表明。わたしはそんなのは不可能だと思っていた。でも見て」わたしは、わたしを殺したがっているものを指さした。「あれが彼らのやったこと。彼らは指さすたびに、表明する。いまのところ、その代償はあまりにも高すぎる。でも、アリエカ人にもできることはわかってる。ここの生徒たちに翼をもぎとることなくそれを教えることができれば、彼らに嘘のつきかたを教えることになる。

直喩は……違反のはじまり。だって、わたしたちはなんにでも言及できる。たとえ、ゲンゴではすべてが逐語的だとしても。すべてがそのとおりのものなのに、わたしは死者のようになれるし、それは生者でも星でも机でも魚でもなんでも同じ。サール／テシュ＝エシャーは知っていた——ゲンゴが懸命に……みずからの殻を破ろうとしているのを。表明しようとしているのを」だからこそあいつは、あんな奇妙な戦略で、嘘をつきにやってきたのだ。わたしはサイルの本を持ってきていなかったけれど、何度も読み返して、学んだり反論したりしていたので、必要なことはわかっていた。

「わたしは苦しめられて、話すのに適したものにされる必要があった——なぜならそれは真実でなければならなかったから。でも、彼らがわたしでしゃべること……それが真実なのは、彼らがそれをつくるから。

直喩は出口なの。言及から表明への道。でも、それはただの道。わたしたちはそれを先へと進むことができる、最後の一歩まで、はるばると」しゃべっているうちに考えがはっきりしてきた。「そうすれば逐語的なものは変わる……」わたしはことばを切った。「なにか別のものに。もしも直喩たちがその仕事をきちんとこなせば、彼らはなにか別のものになる。わたしたちはもっとも良く真実を語るために嘘になるの」

逆説ではない、とわたしは言いたかった。逆説ではないし、たわごとでもない。「わたしはもう直喩になりたくない」わたしは言った。「わたしは隠喩になりたい」

第八部

和平交渉

25

　奇妙な音が聞こえたかと思うと、何機もの飛行船が上昇し、エンバシータウンと都市のほうへむかうのが見えた。大半はバイオリグと無血テクノロジーの交雑種であるコーヴィッドだった。そのなかに、エンバシータウンよりも古い、教会なみの大きさがある棘だらけの船体が混じっていた。

「彼らがあんなものを持ち出してくるなんて信じられない」わたしは言った。

「見た目ほど獰猛なしろものではない」ブレンが言った。「昔は調査船だった。ぜんぶ見せかけだよ。たとえ——これは内緒だが——ブレーメンの兵器があったところで、わしらに勝ち目はない」

　ブレンは以前、分身とともに、秘密の任務にたずさわっていた。ふたりはスパイや二重スパイや三重スパイについて報告していた。「ワイアットは利口なやつだ」ブレンは言った。「自分が利用できるものについては、ちょうどいいぐあいに情報を伏せておいて、いかにもおそろしげに見せる。だが、実際はたいしたものじゃない」

　絶望的な作戦にのぞむ船団はしずしずと出撃していった。わたしは、密閉された空気の呼吸できる部屋で、清風をぬぎ、待っているアリエカ人たちに目をむけたが、疲れ果てていたので、やむなく目を閉じた。

　わたしたち自身の都市からの逃避行は、面倒きわまりないものだった。四人のテラ人とアリエカ人たちのあいだでアブサードの捕虜を押したり引いたりしながらいっしょに移動することはできたのだが、簡単ではなかった。なにしろ力がすさまじかった。わたしたちはしばしば電流で罰をあたえ、傷ついたそいつを引きずるようにして進んだ。

「もう置き去りにしたら」イルが言った。

「そうはいかん」ブレンは言った。立ち止まるたびに、彼はだれよりも根気強くアブサードと意思疎通をはかろうとした。成果はなかった。そいつはブレンには目もくれず、中毒したアリエカ人たちにばかり怒りをむけていた。

「戦闘になりそうだな」ブレンがそう言って、空を指さした。「無意味だが、彼らにはすこしだけ敬意をおぼえる。エズ／カルは戦うつもりだ」交渉の試みは失敗に終わり、アブサードはさらに接近していた。辺境の耕作地を離れたテラ人の難民たちは、徒歩でエンバシータウンへむかっていた。その旅で多くの者が力尽き、放置された死体はその服やバイオリグのなかで朽ち果てて腐葉土と化したが、ここの土壌を肥沃にすることはなかった。「エズ／カルは戦ってこの窮地を切り抜けられるかどうか考えている」喧嘩好きなら数の差という単純な問題を乗り越えられるとでもいうのだろうか。

「これだけはいえる」ブレンは言った。「エズ／カルは戦場に出るだろう。エズがこだわったのだ。クソな宴会は終わった。われらが故郷は……もうだめだ」わたしが都市を離れてからまだ数十時間、あの屋外パーティを見かけたのはつい昨日のことだった。かわいそうなエンバシータウン。

わたしたちは目立ちにくいルートをたどったが、人数が多すぎて本気で身を隠しとおすのはむずかしかった。エンバシータウンと都市で同時に加速している混乱が頼りだった。骨のあいだにできたトンネルを這い進み、アリエカ人か人間かその両方のパトロールが心をなくした連中を撃ち倒して通りを掃除しているのを見かけたときには、じっと待機し、捕虜は電気ショックをあたえて麻痺状態にした。

皮の高原のむこうで、わたしたちの種族とアリエカ人の治安官たちが残忍な命令を遂行している様子をのぞき見るのは、つらいことだった。イル／シブはスパニッシュダンサーとその仲間たちにむかって、何度も〝静かにして〟とささやいた。わたしは腕をばたばたさせて彼らを黙らせようとしたが、もちろん理解してはもらえなかった。また飛行船が頭上を通過していった。わたしたちは前線へむかう連隊に見つからないよう身をひそめた。

わたしは授業を続けていた。エズ／カルの発言（事前に録音されたもの）がはじまるときには、アリエカ人の仲間たちにスピーカーの音が届かないようにした――全員で身を隠し、彼らはわたしたちの手持ちのデータチップに耳をかたむけて、ささやかな歓喜に身をゆだね、同胞の市民が声に殺到しているときに、圧倒的な神の麻薬のリズムをしりぞけた。各自の持っているどのチップが、すでに聞いたので役に立たないものであるかを、彼らがちゃんと把握しているのがふしぎだった。

わたしたちの捕虜にも、アリエカ人たちが背中をまるめ、ファンウイングをひろげている姿は見えていた。おそらく嫌悪の目で見ていたのではないかと思う。たしかに拘束具のなかで身をかたくしていた。

すぐに独自の問答書ができた。スパニッシュダンサーの語ったことばから抜き出したものだった。わたしがそれをアングロ＝ウービック語でささやき、イル／シブがゲンゴに通訳する。ブレンが、遠い昔にはじめてしゃべったわたしの直喩を、声は出さずに口だけ動かしてなぞっていた。

「あなたたちは物事を変えようとしている」わたしは言った。イル／シブが同じ内容をゲンゴでくりかえした。「あなたたちはあたえられたものを食べた少女のように変わりたい。そうしたらあなたたちはわたしに似ている。なにも変えようとしない者は、望むものではなくあたえられたものを食べた少女と似ている――彼らはわたしと似ている。あなたたちは食べた少女と似ている。あなたたちは食べた少女だ。あなたたちは少女と似ている。あなたたちは少女だ。あなたたと似ていないほかの者たちもそうだ」

はじめてイル／シブが〝少女と似ている〟から〝少女だ〟へ移ったとき、アリエカ人たちは見るからに驚いていた。〝少女だ〟という興味をそそる奇妙な嘘は、彼らがすでに語っていた〝少女と似ている〟という真実から生まれていた。不合理なことに、彼らの敵も彼らと同じくらいわたしに似ていた。わたしたちはアリエカ人たちに、彼ら自身の語りで彼らがどれほど嘘つきになりかけたかを教えた。

中毒になった車両が何台も、わたしたちのそばを全力で走り抜けて荒れ地へ出ていった。午前中に、イル／シブがわたしたちを輸送車へ連れていった。それは無愛想で見栄えが悪かったが、呼吸できる空気がたっぷりあった。わたしたちは、放出される粒子の見えないクッションに乗って、エンバシータウンと都市の部隊がつけたわだちをたどっていった。

がらんとした郊外にはゼルの群れが点々とし、飼い主のアリエカ人を亡くして、電力を供給する相手を寂しげに探していた。ブレンがわたしたちの雑種の乗り物を運転していた。走り去った軍用車両とは比べようもない遅さだったが、わたしたちの歩くペースよりは速く、側面の外肢をゴンドラの船頭が使うポールのようにふってゆるゆると進んでいた。ぽっかりあいた窓の目をとおして、わたしは遠ざかる都市を見つめていた。はじめは、外周部の住居や倉庫が泥のなかへ沈んでいくのが見えたが、それが終わると空がおりてきてわたしたちを出迎えた。

　わたしたちは砂ぼこりを蹴立てていた。棘のある低木の茂みが行く手からあたふたと逃げたので、わたしたちのまえでは、草原に道がひらけて何百メートルも先まで続いたあと、裂けはじめて、わたしたちが進む可能性のある複数の道へと枝分かれしていた。アリエカ人のバッテリー獣がわたしの足もとをうろうろしていた。背後では低木がもとの位置へのろのろと這いもどっていた。都市は、いくつもの塔と、むきだしの球根のようにまるまるしたホールのつらなりだった。それは遠ざかっていった。

　わたしはそれを長いあいだ見ていた。魔法の双眼鏡をかまえるように目の上に手を置いたが、そこをとおしてエンバシータウンの煙やテラ人の高層ビルを見ることはできなかった。わたしは、アリエカ人のなかに旅行者はいるのだろうか、彼らが行き来することのできるほかの都市は――もしもあるなら――どこにあるのだろうかと思いめぐらした。自分がそれを知らないことが信じられなかった。

　ゼルたちが飼い主のまえでそわそわしはじめた――彼らは中毒に抵抗する力がずっと弱かった。数時間にわたり、アリエカ人たちはそのややこしい巨体が許す範囲でせいいっぱい身を低くして、車内のパイプや照明を避けていた。ひとりまたひとりと、彼らはファンウイングをたたんでデータチップを包みこんだ。

〝あなたたちは少女に似ている、あなたたちは少女だ。彼らは少女に似ている、彼らは少女だ〟

「マリス・インナ（ケシック）」イル／シブが彼らに言った――〝くりかえして〟

　〝われわれは少女に似ている〟アリエカ人たちが言った。〝あなたたちは少女だ〟イル／シブが言うと、アリエカ人たちはせかせかと動きまわり、わたしはその興奮がうれしかった。彼らはしゃべれなかったが、自分たちがしようとしていることを、なんらかの異質な概念として、理解していた。〝少女……〟だれかが言って、またまただれかが〝……われわれの……あるいは……われわれを……あるいは……似ている……〟気の毒なイル／シブ、気の毒なスパニッシュ。わたしは容赦なかった。

「あれはなに？」わたしは数キロメートル後方でなにかが砂ぼこりをたなびかせているのに気づいた。西のほうにも動くものがあり、すぐに、頭上にまた別の風を噴きだすちっぽけなマシンがあらわれた。ほかのごく少数の輸送車がわたしたちを追っていて、徐々に接近して目で見えるようになってきた。車輪がたくさんある液体サスペンションの貨物車。全体がテラ産テクノロジーだがバイオリグの武器を積んだトラック。ひとり乗りのケンタウロスは、頭のない馬のようなフレームをそなえ、先端部分には清風をまとった男か女がそれぞれすわっていた。上昇気流に乗って舞いあがるグライダー。ブレンが車を止めた。イル／シブが外へ出て、移動集団が近づくのを待った。

ほかの車両も速度を落とした。運転手や操縦士がそれぞれの窓からこちらをうかがっていた。わたしの背後で、車内なので姿は隠れていたが、アブサードが自分では聞こえないシュッという音をたてた。脱出者たちはイル／シブと似ていた——都市の亡命者。逃げだしたスタッフもいれば、それほどたいそうな過去から逃げたわけではない者もいるのだろう。グライダーが着陸してショーナスが身を乗り出した。わたしはダル／トンはどこにいるのだろうと思った。都市の住人たちは用心深かったが、大半は顔見知りで、あいさつをかわし、アブサードやエンバシータウンや都市の軍隊に関するちょっとした情報を交換した。

ふたたび走りだしたとき、わたしたちはささやかな隊列を組む格好になった。頭上のグライダーが、翼と翼灯でわたしたちに合図を送ってきた。「スパニッシュにここへ来るよう伝えて」わたしはイル／シブに言った。「わたしが言うことを伝えて」わたしは輸送車の窓から外を指さした。スパニッシュダンサーはわたしの身ぶりがしめす方向を見なかった。「外の、わたしたちの頭上にいるマシンを見あげて」わたしが、ついでイル／シブが、言った。アリエカ人たちに話しかけるとき、わたしは無意識に、アングロ＝ウービック語に翻訳されたゲンゴの精密さをまねしてしまうことがあった。「頭上にある乗り物、その翼の色、その動き——それらはわたしたちにいろいろなことを伝えている。わたしたちに話しかけているの」

スパニッシュダンサーは、いくつかの目をグライダーに、別のいくつかをイル／シブに、そしてひとつをわたしにむけた。わたしはその目を見つめた。〝イル／シブがあなたに語りかけているけど、話しているのはわたしだと知ってる？〟わたしは思った。

「そいつは理解してない」イルかシブが言った。「あたしが嘘をついていないことはわかっている、と思うけど、あのグライダーがあたしたちに話しかけていないこともわかってる」

「でも話しかけているのよ」わたしは言った。

夜明けとともに、わたしたちは進路を変えた。エズ／カルの軍勢を避け、宿営地を迂回するためだ。

「さあ、さあ」ブレンがつぶやいた。わたしたちは連合軍よりも先にアブサードと遭遇しようとやっきになっていた。「あいつらは急いでいない」ブレンが言った。「きっと追い越せる。あいつらはそもそも戦いたくないからな——交渉しようとしているんだ」

「問題は」わたしは言った。「交渉なんかできないってこと」

まだグライダーが見えていた。ほかの車両は後方にいて、運転手にむかって手をふれるくらい近かった。午前中もなかばになると、行く手にガスツリーでいっぱいの高原が見えてきた。家ほどの大きさがある何千もの肉袋の天蓋が、そよ風にゆれながら、大地に根を踏んばっていた。一台また一台と、後方にいた車両が離れていった。「あれ」わたしは言った。

「彼らはここは通過できない」ブレンが言った。いまやついてきているのは三台のケンタウロスだけになっていた。イル／シブが不安そうに顔を見合わせた。

「ブレン」ひとりが言った。「彼らは小さいけれど、あたしたちはちがう」「あたしたちもここは通過できない」「こっそりとは」「わだちが残って……」

「聞いてなかったのか？」ブレンが制御装置を引っぱると、車体はなんとなく加速した。「わしらには時間がない。急いでたどり着かないと。頼むから仕事にもどってくれ。あんたたちは教えなければならない。なにしろ、たどり着くだけじゃだめなんだ――そのあとでやるべきことがある」

だが、森に近づいていくと集中するのは不可能になった。一部の木々が、根に引っぱられてわたしたちの行く手からどこうとしたが、ほとんどは動きが遅すぎた。わたしは身がまえた。車体から突き出した脚がロープのような幹をなぎはらった。わたしたちが通過すると、木々は切れたつなぎひもをぶらさげて、まっすぐに上昇した。わたしたちは、列をなして空へのぼっていく木々はそのまま放置して、森のなかを突っ切った。後部の窓から見ると、人を乗せたケンタウロスたちが、残った渦巻状の根を越えていた。破片はあまりなかった――飛び去ってしまったのだ。

「この森をすぎればあと数キロメートルだ」ブレンが言った。声が車体の揺れでふるえた。「そこに軍隊がいる」

ふくれた木々の梢が上のほうでぶつかりあっていた。周囲では暗闇や影がさまざまに層をなしていて、そのなかに、わたしは突然、なにかひそんでいるのかもしれないと思った――アリエカの廃墟、ありえないはずのもの。うしろを見ると空がくさび形にひらけていて、そのなかへ、切り離された木々がきちんと隊列を組んでのぼり、やがて風に吹かれてちりぢりになっていた。森にできたそのすきまのおかげで、グライダーが空中戦でもはじめるように機体をひねるのが見えた。

「なにか起きてる」わたしは言った。みなで首をのばして見ていると、グライダーは弧を描いて上昇し、機首の下にある武器が、別の、攻撃してくる敵にむかって火を噴いた。

「くそっ、ファロテクトン、なんてこった」ブレンが言った。

隠れることはできなかった。どう進路を変えようと、舞いあがる木々でこちらのルートを宣言することになるので、わたしたちはただ速度をあげようとした。後方でケンタウロスの乗り手たちがライフルをかまえていた。爆発音がいくつか響き、それぞれの煙のてっぺんから、揺れる木々とそのぼろぼろになった残骸が煙のようなものと植物をたなびかせていた。

グライダーに乗っているショーナスが発砲した。わたしは一瞬、追ってきたのは彼の敵であるダル／トンで、わたしたちは他人のもめごとの巻き添えをくっているのかと思ったが、襲撃者の急激な方向転換は人間にできることではなかった。エズ／カルがアリエカ人の飛行船を送り出して、わたしたちが、おそらくは目的地である敵の軍隊へたどり着くのを、阻止しようとしていたのだ。

ケンタウロスたちが気胞をもつ下生えのなかへ散っていった。イル／シブがゲンゴで早口にしゃべっているのが聞こえた。スパニッシュダンサーになにが起きているか教えていたのだ。

「ひょっとしたら……」ブレンが言いかけ、わたしは彼にどんな作戦があるのだろうと思った。グライダーがわたしたちの視界を横切って地面に突っ込み、爆発してぱっと木々を舞いあがらせた。イルとシブがショーナスの死を見て怒号をあげた。

わたしは本気で信じてはいなかった——こんなときに、わたしたちのために、エズ／カルがわざわざ飛行船を送りこんでくるなんて。わたしが悲鳴をあげたとき、車の下で地面がはじけた。


物音で目がさめた。咳き込み、声をあげて、ひとりのアリエカ人のたくさんの目をのぞきこんだ。その上にはシャーシの裂け目があり、空と揺れる植物がのぞいていた。わたしのそばには、別のアリエカ人の動かない顔があった。死んでいる。一瞬、自分も死にかけているのかと思った。わたしが清風のマスクを引きあげると、生きているアリエカ人がギフトウイングでわたしを引っぱって、横転した車両の大きな裂け目から引きずりだしてくれた。

車が破壊されてからそれほど時間はたっていないようだった。わたしはふらついてスパニッシュダンサーに寄りかかった。そこはクレーターのなかで、周囲にはすりきれた茎で立ちあがる植物群が迫っていた。

複数のアリエカ人が命を落とした。生きている者たちは、ブレンとイルとシブを引きずって車内から這いだしてきた。アブサードはすっかり混乱していて、怪我をしたアリエカ人のひとりが、ギフトウイングをこちらへ突き出しながら、そいつをこづいてわたしたちのもとへ連れてこようとしていた。あえぎ声が聞こえたかと思うと、空き地のへりからまた一本の木が舞いあがり、そこに、ケンタウロスからほうりだされてからまってしまった乗り手のひとりがぶらさがっていた。男は木にしがみついたが、あっというまに高くのぼってしまい、やがて、彼をささえていたなにかがちぎれて、唐突に墜落した。悲鳴は聞こえず、植物はそのままのぼり続けた。男が地面に落ちたところは見えなかったが、生きているはずはなかった。

わたしは大破したバイオリグにつまずいた。残忍な飛行船が爆撃現場の上空へもどってきたときには、もう生存者の姿は見えなかっただろう。わたしたちは森へ数メートルはいった隠れ場所からそれを見あげていた。飛行船は何度か旋回したあと、ゲンゴナシの軍勢をめざして飛び去った。

26

「歩くしかないな」ブレンが言った。「二日ほどだろう。とにかく森を抜けないと」エンバシータウンの軍勢は先行していたが、彼らは交戦を遅らせようとしているはずだったので、わたしたちはまだ、ひとあし早く襲撃者たちと出会えるのではないかと期待していた。だが、すべては、わたしたちがアリエカ人にやるべきことを教えられるかどうかにかかっていた。数時間ごとに、足がまめだらけになる、のろのろした行軍をひと休みして、レッスンを復習したり新しいのを試したりした。アリエカ人たちもそのバッテリーたちも疲れを知らないようだった。彼らが仲間の死をどんなふうに悼んだのか、そもそも悼んだのかどうかはわからなかった。捕虜のアブサードさえ、周囲の環境かあの攻撃かなにかに圧倒されたのか、わたしたちのまえをおとなしく黙々と歩いていた。

ブレンはなにかの携帯テクノロジーによってわたしたちを導いた。わたしは黒ずんだ植物相に彩られた森の暗さをひしひしと感じた。そこは音でいっぱいだった。放射状や螺旋状の形をしたものがあたりをうろついていた。わたしたちの存在は動物たちをまごつかせた——獲物にとっては捕食者に見えないし、その逆もまたちがうので、わたしたちを怖がることもなければ脅かすこともない。ただとまどったようにわたしたちを、目があるものは、見るだけだった。いちど、アリエカ人のひとりが、わたしたちの近くになにか危険なものがいると言った。部屋ほどの大きさがあるコステプフロランシが、歯をひらいたり閉じたりしていた。アリエカ人がひとりなら襲いかかっていたはずだが、そいつは、本能に組み込まれていない、わたしたち異星人を見て混乱し、おとなしくなったので、わたしたちも殺したりはしなかった。

ひとつかみのデータチップは回収できたが、すべてではなかった。節約するしかなかった。ひとりまたひとりと、必要に迫られて、アリエカ人たちは単独で森へはいり、エズ／カルの声に聞き入ってから、また追いついてきた——すこしハイになっているが、頭はよりはっきりした状態で。

夜まで進み続けると、森の密度が薄れてきて、〈難破船〉のほのかな光に照らされた、木々の点在する草地へと変わった。全員がすこし睡眠をとった——だが、わたしの優先事項は、やはり授業だった。

〃あなたたちは少女に似ている、あなたたちは少女だ〃

「ああもうっ」わたしは言った。「とにかくそうしゃべって」実際には、アリエカ人たちの切迫感は、わたしの見たかぎりでは、少なくともわたしと同じくらいには強かった。

「イル／シブ」わたしは言った。「彼らにきいて。わたしがだれか知っているか？」ゲンゴへの通訳。アリエカ人たちがつぶやいた。〝彼女はあたえられたものを……〟わたしはさえぎった。「そうじゃなくて、ほんとうに知っているかということ。彼らは少女がなんなのか知ってる？　わたしが直喩だと知っていても、その〝少女〟が〝わたし〟だと知っているの？　彼らはあなたが何者だと思っているの？　何人だと？」

「アヴィスがなにをきいているかはわかるだろう」ブレンが言った。「かぞえかたの謎というやつだ」アリエカ人は大使のことをひとりだと思っているのか、それともふたりだと思っているのか？　スタッフはいつも言っていた——それは無意味な、翻訳できない、失礼な質問だと。

「申し訳ないけど、あなたがふたりだということを彼らに理解してもらう必要があるの。なぜなら、わたしがひとりだと理解してもらう必要があるから。わたしがたてているやかましい音は言語だと。わたしは彼らに話しかけているのだと」アリエカ人たちは、ひとつの肉のかたまりが、いつもよりせわしなくて大きな音をほかのかたまりにむかって発しているのをながめていた。

沈黙のあと、ブレンが言った。「これは大使がはっきり説明したがるようなことではないのだよ」

「はっきり説明して」わたしは言った。「これからは、大使たちが唯一のほんものの人間ということはなくなるんだから」

わたしは、たとえこれほど前衛的なグループが相手でも、何世代も続いてきたアリエカ人の思考をひっくりかえせるとは思っていなかった——そのまえにどこかで、すこしでもいいから、わたしたちひとりひとりが思考する存在だと知ってもらわないかぎり。スパニッシュとその仲間たちは、はじめは〝もちろん〟と言わんばかりの反応を見せた。ところが、イル／シブが何度も要点をくりかえすうちに、だんだんと、興味をひかれたり、混乱したり、怒りか恐怖のような感情を見せるようになった。最終的に、わたしは自分の期待したことが新たな事実として認められたのを見てとった。

〝彼女はしゃべっている〟イル／シブがアリエカ人たちに言った。〝あたえられたものを食べた少女は。あたしがあなたたちにしゃべるように〟

「そう」わたしは、見つめているアリエカ人たちに言った。「そうよ」

ゲンゴはアリエカ人の思考の単位であり真実だ――そのなかでわたしが知的存在であると言い切るために、イル／シブは強力に主張をした。彼女たちがわたしがしゃべっていると告げれば、ゲンゴ的には、そこにゲンゴではないべつの種類の言語があるはずだということになる。

「彼らに言わせて」わたしは言った。「わたしはしゃべっていると」

スパニッシュダンサーが言った。〝青い人間はしゃべっている〟ほかのアリエカ人たちはそれを聞き、じたばたもがいたが、ひとりまたひとりと、なんとかそれを復唱した。

「彼らは信じた」わたしは言った。ここからが変化のはじまりだった。

「通訳して」わたしはイル／シブに言った。「あなたたちはわたしを知っている」わたしはアリエカ人たちに言った。「わたしはなにやらを食べた少女。わたしはあなたたちに似ていて、あなたたちはわたしに似ていて、わたしはあなたたちに似ている。わたしはあなたたちなの」アリエカ人のひとりが叫んだ。なにかが起こっていた。それは全員にひろがった。スパニッシュダンサーがわたしを見つめた。

「アヴィス」ブレンが警告するように言った。

「わたしの言うことを伝えて」そう言って、わたしはスパニッシュへ目をむけた。まるで人間を相手に話しているような切迫感をもって、そいつの目に相当するものを見つめた。「通訳して。わたしは物事が良くなるのを待っているの、スパニッシュ、だからわたしはあなたに似ている。わたしはあなたなの。わたしはあたえられたものを受け取った、だからわたしはほかのみんなにも似ている。わたしは彼らなの」わたしはトーチで自分を照らした。「わたしは夜のなかで光り輝く、だからわたしは月に似ている。わたしは月なの」わたしは横たわった。「彼らはわたしたちがどうやって眠るか知ってる？　わたしはとても疲れていて、死者のようにじっと横たわる、だからわたしは死者に似ている。わたしはとても疲れていて、わたしは死者なの。わかる？」

アリエカ人たちはふらついていた。ファンウイングがぱっとひらき、閉じて、またひらいた。彼らはギフトウイングをわたしにむかってのばし、ブレンをぎょっとさせたが、さわりはしなかった。彼らは口々に単語やノイズを口走った。

「なにが起きているの？」イルかシブが言った。

「通訳をやめないで」わたしは言った。「絶対に」アリエカ人たちが同時に音をたてて、一瞬のおそろしい合唱を生み出した。彼らは目を引っこめた。「待って。わたしはなんとかの少女。あなたたちはこれまでわたしでなにを言ってきた？　あなたたちがわたしに似ていると言ったものはすべてわたしなの。あなたたちはもうやり遂げている。それはあるものを別のものであらわしているだけ」わたしはスパニッシュダンサーのまえに立った。「こいつに名前を教えてあげよう。伝えて――遠い昔、あなたの模様と似た黒と赤の服を着ている人間たちがいた。それがスパニッシュダンサー」イル／シブがスパニッシュ｜ダンサーという新しい単語を使うのが聞こえた。「わたしはあなたの名前をゲンゴでしゃべることができないから、新しい名前をあげた。スパニッシュダンサー。あなたはスパニッシュダンサーに似ている、あなたはスパニッシュダンサーなの」

アリエカ人たちはひとりずつ立て続けに叫び声をあげてから黙り込んだ。目は引っこんだままだった。彼らは体をゆらした。しばらくだれも口をきこうとしなかった。

「なんてことをしたの？」シブがささやいた。「あなたは彼らの正気を失わせた」

「それでいい」わたしは言った。「彼らにとって、わたしたちは正気じゃない――わたしたちは嘘で真実を語るんだから」

日射しのなかの植物を早まわしでとらえた映像のように、スパニッシュのサンゴ状の目がようやく芽吹いた。そいつはしゃべりだし、意味不明なことばをふたつつぶやいた。いったん口をつぐみ、あらためてしゃべりだす。イルとシブとブレンが通訳したが、わたしには必要なかった。スパニッシュダンサーはゆっくりとしゃべった――自分が語ることばのひとつひとつに熱心に聞き入っているかのように。

〃あなたは食べた少女だ。わたしはスパニッシュダンサーだ。わたしはあなたに似ていて、わたしはあなただ〃人間のだれかが息をのんだ。スパニッシュはサンゴ状の目をのばして自分のファンウイングを見つめた。ふたつの目がむきなおってわたしを見た。〃わたしには模様がある。わたしはスパニッシュダンサー〃わたしはそいつから目を離さなかった。〃わたしはあなたに似ている、変化を待っている。スパニッシュダンサーは暗闇で苦しめられた少女だ〃

「そうよ」わたしはささやき、イル／シブが「シェシュカス」と言った――〃そうだ〃。

ほかのアリエカ人たちがしゃべっていた。〃われわれは苦しめられた少女だ〃

〝われわれは少女に似ていた……〟

〝われわれは少女だ……〟

「彼らにそれぞれの名前を教えてあげよう」わたしは言った。「あなたはテラの鳥のように動く――あなたは鴨（ダック）。あなたはカットロから液体をしたたらせるから、洗礼者（バプテスト）。イル／シブ、説明できる？　彼らに言ってあげて、都市は心臓だと……」

〝わたしは液体をしたたらせる人間に似ている、わたしは彼……〟

新たな事実を知った騒々しい驚きとともに、アリエカ人たちは、わたしが彼らの名前として使った直喩をどんどん突き詰めて、それが嘘になるまで続け、それまではけっして口にできなかった真実を語った。彼らは隠喩を語ったのだ。

「すごい」イルが言った。

「おお、ファロテクトン」ブレンが言った。

「すごい」シブが言った。

アリエカ人たちがおたがいにむかってしゃべっていた。〝あなたはスパニッシュダンサー〟わたしは泣きそうになった。

「たまげたよ、アヴィス、ついにやったな」ブレンがわたしを長々と抱きしめた。イル／シブもわたしを抱きしめた。わたしはみんなにしがみついた。「ついにやったんだ」わたしたちは、アリエカ人の新たな語り手たちが前例のない表現でおたがいを呼ぶ声に、じっと耳をかたむけた。

わたしがなにを言っても理解できず、仲間たちをとまどったように見つめるだけの気の毒なアリエカ人がふたり残った。だが、それ以外はみな、新しいやりかたでしゃべっていた。〝わたしはいままでと同じではない〟スパニッシュダンサーがわたしたちに言った。

ずっとあと、キャンプを張ってから数時間たったころに、わたしはそっとデータチップを取り出し、このまえの投与からどれだけの時間がたったかを心にとめながら、それを再生した。わたしがダブとルーフトップと名付けたふたりは、まだ仲間たちのように変わることができていなかったので、ふつうの中毒症状を見せてその音に反応した。

ほかのアリエカ人たちはそんなことはなかった。わたしは彼らに目をむけ、彼らもわたしたちに目をむけた。ようやく、ほかのアリエカ人たちも、ゆっくりした足どりであちこちから集まってきた。〝わたしは感じない……〟ひとりが言った。〝わたしは、わたしは感じない……〟

「別のを再生してみよう」ブレンが言った。エズ／カルがなにか別のバカげたことを話している声がかぼそく流れた。アリエカ人たちが顔を見合わせた。〝わたしは感じない……〟別のひとりが言った。

わたしが別のデータチップを取りあげて、エズ／カルに医薬品の供給を維持することの重要性をつぶやかせると、やはりふたりだけが反応した。ほかの者も聞き入ったが、それはただの好奇心だった。さらに別のを試すと、ダブとルーフトップが身をかたくしているいっぽうで、変貌したアリエカ人たちは、エズ／カルのあきれた発言にむかって問いかけるような音をたてていた。

「いったいなにが起きたの？」イル／シブがつかえながら言った。「彼らになにかが起きている」

そう。なにかが新しい言語で。新しい思考で。アリエカ人たちはいまや表明をしていた——そこで、省略部分で、単語と指示対象とのあいだのずれで、彼らはたわむれることができた。新しい概念を考える場が手にはいったのだ。

わたしが声をあげて笑いながら、データチップをほうってやると、アリエカ人たちはそれらを再生しはじめた。空き地はエズとカルの重なり合う声でいっぱいになった。

「わたしたちはゲンゴを変えた」わたしは言った。突然の変化――もとにもどすことはできない。「もうなにもない……彼らを中毒にさせるものは」そんなものがあったのは、単一の分裂した思考で世界をとらえるというのが、そもそも不可能なことだったからでしかない――そこには矛盾が内在している。もしもかつてのように、言語と思考と世界が分かれていれば、興味をそそる、刺激的な不可能など存在しない。謎もない。かつてゲンゴがあったところには、いまや言語だけがあった――表明する音、活用したり影響をあたえたりできるもの。

アリエカ人たちはデータチップを変えて、自分たちがそれをそんなふうに聞いていることが信じられないという顔で聞き入った。とにかくわたしはそう思った。スパニッシュダンサーはかがみこんだまま、目だけでわたしを見あげた。いまは知っているのだろう――これまではできなかったやりかたで――わたしから聞こえてくるのがことばだということを。そいつは聞き入った。

「そうよ」わたしは言った。「そうよ」すると、スパニッシュダンサーはクーと鳴き、みずからとのハーモニーで、言った――「そうだ そうだ」

27

夜がふけると、アリエカ人たちはひとりまたひとりと引き下がり、ひとりまたひとりとおそろしい音をたてはじめた。わたしはその音が気になってしかたがなかったが、いったいなにができただろう？　スパニッシュダンサー、バプテスト、ダック、タオラー——理解のかけらも見せないダブとルーフトップをのぞいた全員が、苦悶のように聞こえる音をたてていた。だれも呼びかけたり叫んだりしているわけではなかったが、全員がそれぞれ別のかたちで死にかけているように見えた。

イル／シブは心配していたが、ブレンもわたしもその音に驚いてはいなかった——古い流儀がかさぶたとなって剥がれ落ちていたのだ。なにかが終わり、なにかが生まれる苦しみ。これですべてが変わる——わたしはとても明確にそう考えた、一語ずつ。わたしは考えた——いま彼らは幻覚を見ている。

最初に、ゲンゴのそれぞれの単語があって、音はなんらかの〝現実〟と同一構造だった。それは実際には思考ではなく、アリエカ人を通じてみずからを語る、ただの自己表現された世界だった。ゲンゴは常に冗長だった——それは昔から常に世界であるだけだった。いま、アリエカ人たちはしゃべりかたを、考えかたを学んでいて、それは痛みをともなうものだった。

「あたしたちでなにか……？」イルが言ったが、その先のことばは出てこなかった。

語られることは、いまや〝現実そのもの〟ではなかった。アリエカ人たちがいましゃべるのは、事物や瞬間ではなく、彼らの考えであり、指示だった。意味はもはや本質の平坦な一面ではなかった。彼らがしめしたものからは象徴が剝がれ落ちた。そのためには嘘が必要だった。そうした主張と自制のスパイラルとともに通性原理があらわれ、アリエカ人は自分自身となった。意味がゆらぐにつれ、彼らは世界に酔ってしまった。いまやあらゆることがあらゆることだった。彼らの精神は突然の商人だった——隠喩が、お金と同じように、比較できないものを同等化した。彼らはいまや神話学者にもなり得た——モンスターはいなかったが、もはや世界は全体がキメラであり、ひとつひとつの隠喩によってつぎはぎされていた。都市は心臓だ、とわたしは言った。すると心臓と都市は縫い合わされて、第三の、心臓っぽい都市になり、都市は心臓に染まり、心臓も都市に染まった。

アリエカ人たちが苦しむのもむりはなかった。彼らは生まれたばかりの吸血鬼のようなもので、命をぬぎ捨てても記憶は残っていた。もはやけっして治ることはないのだ。アリエカ人たちは、ひとりまたひとりと静かになったが、それは危機が終わったからではなかった。彼らは新しい世界にいた。それはわたしたちの住む世界だった。

「ほかの人たちに見せてあげないと」わたしはスパニッシュダンサーに言った。その誕生にぶしつけに割り込んで。もっと別のやりかたをするべきだったが、わたしたちには時間がなかった。そいつは畏怖と新しい感覚に苦しみながら聞き入った。「聴覚を失ったアブサードたちに。あなたなら彼らに話しかけることができる。彼らは自分たちが言語を超越したと考えているけど、あなたは、あなたなら彼らがなにをやったのか教えてあげられる」〝ゲンゴはそもそもありえないものだった。わたしたちはひとつの声で話したことはなかった〟

日射しのなかで、わたしたちは数キロメートル離れた人影を見た。人間たちがガタガタと揺れながらゆっくりとこちらへ進んでいた。頭上では、小型の飛行船が都市へむかってもどっていく。「見ろ」ブレンが言った。「傷ついてる」

近づいてみると、テラ人はそれほど数が多いわけではなく、三十人から四十人くらいで、荷物をかかえたり、いいかげんな造りに見えるバイオリグを急きたてたりしながら、車のなかで揺れていた。彼らはわたしたちを見て、一瞬、武器をかまえようとしたようだったが、ほどなくおちつきを取りもどした。

「最初にこいつらを見つけたんだろう」ブレンが言ったのは、わたしたちといっしょにいるアリエカ人たちのことだった。「攻撃されると思ったんだ。だが、わしらがいるのを見て、いまはエンバシータウンの部隊だと思ってる。彼らは大規模農場の作業員だな」農場や僻地の飼育工場を離れたばかりの荒れ地の住人たち。ゲンゴナシの軍勢が通過する土地に住んでいたのだろうが、アブサードが出くわす人間を残らず殺し、家を打ち倒し、テラ人の住まいのそばにいる田舎のアリエカ人たちを殺したり徴兵したりするのを見て、すっかりおびえてしまったのだ。

さらに数隻の飛行船が頭上を通過していった。おそらく、こちらにアリエカ人が混じっていることや、まちがった方向へ進んでいることがわかるほど長くは見おろさなかったのだろう。そもそもこちらに気づかなかったのだ——都市へもどるのに大忙しで。何隻かの船が血を流しているのが見えた。

スパニッシュダンサーがささやき、その人間たちのことを、以前はできなかったやりかたで呼んだ。ここ数時間そうだったように、そいつはわたしたちの捕虜に強い関心をしめしていた。

わたしたちは難民たちを避けた。「アブサードがどれくらいの速さで移動しているかによるが」ブレンが言った。「明日かそのあさってには出会うだろう。たぶんあさってだな——ええと、ムハムデイか、アイオデイかな？」だれもわからなかった。

「エンバシータウンの住民たちのほうは？」

「わしらは彼らを避けてきたからな。もう追い越していると思う。彼らはまだ駐屯地にいるはずだ。なにしろ――」ブレンは空を指さした。「あの飛行船を見ただろう。偵察隊は傷ついていた。エズ／カルは勝てないと知っている。最前線のアリエカ人とテラ人に交渉をさせるつもりだ」

「ええ、でも成功はしない」イルが言った。

「そうだな」ブレンが言った。「成功するわけがないだろう？　連中もそんなことはまったく考えていないんだ」

「スパニッシュはわたしたちがするべきことを知っている」わたしは言った。「捕虜とどんなふうにすごしているか見た？　あいつは彼らが同じことを考えているのを知っている。どちらも考えているのだと」


　木々がまばらに生えた、わたしたちにとってはまったくなじみのない生態系だった。そこで、わたしたちはスパニッシュやほかのアリエカ人たちの働きを見守った。ここの重要な捕食者は、大きな、ほとんど動かない胴体と、木々を抜けてすばやく遠くまでのびる外肢をもつシラス（コステブ）ではなく、夜間に狩りをする敏捷なハイ・カイ（デリス）だった。アリエカ人自身と遠い縁続きにある二足歩行の生物で、その二本の後肢はおそろしい武器であり、それは、より操作能力にすぐれた、ギフトウイングに相当する腕にも言えることだった。ハイ・カイ（デリス）のファンウイングは動かなかった。彼らは動作に反応する目で暗闇を見とおすことができた。しかも群れで行動するハンターだった。平原にいるイヌくらいの大きさの獲物の動物たちを、彼らは一致協力して追いつめるのだ。

　わたしたちは体が大きすぎて獲物にはならなかったが、それでもハイ・カイ（デリス）は目を光らせていた。空を飛ぶものがわたしたちのトーチをかすめていった――燐光を発する腐肉をあさる生物で、ふだんは輝く地面に狙いを定めているのが、たまった光にまどわされて姿をあらわし、かみつこうとしたのだった。

わたしたちは捕虜の拘束を解いたりはしなかった――そもそも信用できなかったし、どうなったら信用できるのかもわからなかった。それでも、ここ数日は脅して言うことを聞かせる回数は減っていて、いまはほとんどそんな必要はなかった。新しい元ホストの嘘つきたちが、そいつを見つめながら、かぞえきれないほど使ってきたけれど、いまではまったくちがうものになったことばで、ささやきをかわした。早朝になるころには、なにかが変わろうとしていた。アリエカ人たちが捕虜をぐるりと取り囲んでいた。捕虜は、彼らに対しても、わたしに対しても、ブレンやイル／シブに対しても、身がまえることもなければ、突っかかることもなかった――ただわたしたちを見つめ、ほかのアリエカ人たちを見つめていた。

28

　スパニッシュダンサーと捕虜がぐるぐるまわりだした。ほかの者はふたりを取り囲んでいた。数秒ごとに、どちらかひとりが、ナイフで戦っている者が打開策をさぐるように、ギフトウイングを突き出した。スパニッシュが空中になにかの輪郭を描いた——一瞬おいて、相手がそれにならった。スパニッシュのファンウイングがぱっとひらいて閉じた。ゲンゴナシの根だけ残ったファンウイングがふるえた。

　その身ぶりは情報であり、動きの電報だった。話をしているのだ。ふたりはおたがいを理解していなかったが、なにか理解すべきことがあるのはわかっていた。それこそが解放だった。ふたりが意思疎通をおこなったときには——スパニッシュがやわらかな木の芽をほうってから、それが落ちたところでぶつぶついっている野生生物のほうへむきを変え、アブサードがそれをひろうという、なんだかこっけいなものだった——彼らの高揚感が、異質なものではあったが、はっきりと見てとれた。

　表明をおぼえたスパニッシュは、いまや身ぶりで話ができるようになっていた。もはや名前をもたない捕虜にとって、それはよけいに奇妙に感じられたかもしれない。そいつは、自分にはことばがないのだから言語もないと考えていた。そいつの仲間たちは、無意識のうちに、おたがいに意思疎通をしていたが、ふつうのアリエカ人たちとの断絶を乗り越えることはできなかった。そして、彼らがおたがいに伝えたことの大半は、自分たちには連絡手段がないという深い絶望だった。

　しかし、パニックをもたらしたあの攻撃とその後の脱出行において、そいつは押して指さすという行為が逃げろという意味だと理解していた。ブレンやイル／シブやわたしがおたがいどうしで話をしているときに、強調したり明確にしたりするために身ぶりをまじえるのを見ていた。アブサードの軍の仲間たちはそういうふるまいについて考える必要がまったくなかった。スパニッシュはしゃべらなくても話ができることを学んでいた——アブサードは、多少とはいえ、自分は話すことも、聞くこともできるのだと学んでいた。

「彼らはあいつをこづきまわしていた」ブレンが言った。「なにが目的なのか、あいつにだっていやでもわかったはずだ——彼らはあいつを押して、同じ方向を指さしていた。彼らはあいつを従わせた。言語を学ぶには暴力が必要なのかもしれんな」

「ブレン」わたしは言った。「バカ言わないで。わたしたちはみんな同じ方向へ走っていた。全員が逃げだそうとしていた。全員が同じ意図をもっていた。あいつはそうやってわたしたちがなにをしていたのかを知ったのよ」

ブレンは首をふった。彼はあらたまった口調で言った。「言語は他の手段による強制の継続だ」

「とんでもない。言語は共同作業よ」どちらの理論でも、起きたことをもっともらしく説明できた。わたしが抵抗したのは、聞いた感じほどこのふたつは矛盾しているわけではないという言いかたが、陳腐に思えたからだ。

「見て」わたしは言った。そして地平線の上を指さした。煙が、空にいくつものしみをつけていた。

「こんなことはありえない」ブレンがひとりごとのように言った。わたしたちはせいいっぱい足どりを速めていた。「彼らは待機するはずだった」彼は何度かそのことばをくりかえした。地衣類におおわれた遠い平原の上になにかが点々と見えてきたとき、わたしたちは、ほかにも可能性がたくさんあるふりをしたが、それも近くに寄って死体であることが否定できなくなるまでのことだった。

わたしたちは斜面の下にひろがる戦争の惨禍を見おろした。数千メートルにわたる死体の山。わたしはぞっとしながら、清風をとおして荒い息をついた。距離があったので、大虐殺のくわしい状況を見きわめるのはむずかしかった。わたしはテラ人とアブサードの比率を見積もろうとしたが、死体はひどくごちゃまぜになっていた。いずれにせよ、そこに見えるアリエカ人の死体の多くはエズ／カルの軍勢だった――いっしょに倒れている人間たちと同じように。

わたしたちは、あまり捕虜とは言えなくなったアブサードを連れていった。拘束具はつけていたが、もう何キロメートルも電気ショックはあたえていなかった。スパニッシュダンサーが蹄を打ち鳴らした。そしてわたしを見て、口をひらいた。そいつは破壊のあとを指さした。口をぱくぱくさせてから、言った――「遅すぎた 遅すぎた」

「そうね」

「遅すぎた 遅すぎた」

「ええ、遅すぎた」わたしたちはそいつにそんなことは教えていなかった。

「遅すぎた 遅すぎた」

わたしの五感には不快なしこりがあった――背をむけたあとでも、そこで見たり聞いたりしたものの残滓がこびりついているかのように。清風のマスクが、珍しくバイオリグの生命のなごりを見せて、死体のにおいにおちつかなげに身じろぎした。そこらじゅうに切り裂かれた男女がころがっていた。アリエカ人の死体も、ファンウイングのあるなしにかかわらず、いっしょに散らばっていた。宇宙の両端で進化した内臓がごちゃまぜになって朽ち果てていた。燃える死体やがらくたもあった。

墜落船もあった。その惨状をしめすのは、ひとつらなりの焦げた破片と、行き着いた先にあるクレーターで、そこに本体が墜落していた。ブレンがぼろきれで両手を包んで残骸のなかを歩きまわった。わたしもそれをまねた。思ったほどきつくはなかった。

すべては二日まえに起きていたのだと思われた。あまりの光景に、わたしは用心深くなり、冷淡になった。大量にあるエンバシータウンの住民の死体の顔を、あまり近くで見ないようにした。知り合いがいるに決まっているからだ。たちのぼる煙のあいだで残骸を調べてまわりながら、わたしは戦いの流れをつかもうとした。エンバシータウンと都市の住民の死者がアブサードの死者よりもずっと多かった。兵士たちは動作の途中で、鋳型にはめられたような状態で倒れていて、手やギフトウイングや武器をおたがいにむけたままだった。わたしたちはこうした死体のジオラマから、いかにしてそれが生まれたかを読み取った。

「コーヴィッドがあるんだ」わたしは言った。ことばも使わずに戦略をたて、アブサードたちはバイオリグの武器を操縦していた。「嘘でしょ。それじゃ軍隊だよ、ほんとに軍隊だ」

生き残った戦闘員は衝撃的なまでに少なかった。瀕死の重傷を負ったひとりのアリエカ人が、空中で脚をまわし、目をのばしていた。ひとりはゲンゴで悲鳴をあげ、自分が傷ついていることをわたしたちに伝えていた。スパニッシュダンサーがそいつのギフトウインにふれた。瀕死のアブサードは、死ぬことに集中しすぎていてわたしたちに気づかなかった。何人かは、新しくファンウイングを切り取られたところから出血していた——死にかけた者さえ、一部はアブサードの軍勢へ新たに徴募されたのだ。

アリエカ人の死体で押しつぶされていた女は、かろうじて生きていて、壊れた清風が酸素をぜいぜいと送り出していた。女はブレンとわたしに目をむけ、わたしたちはなんとかおちつかせようとしながら問いかけた。「ここでなにがあった?」だが、女は目を見ひらくばかりで、恐怖のせいか空気がないせいか、口がきけなかった。やっとのことで、わたしたちは女をあおむけに横たえて水をあたえた。よそへ動かすことはできなかった――女の清風は死にかけていた。ほかに生存者をふたり見つけた。ひとりの男は目がさめなかった。もうひとりは迫りくる自分の死にばかり意識をむけていた。その男から知ることができたのは、アブサードがやってきたということだけだった。

ブレンが破れた制服をしめした。「これは専門家たちだな」彼は戦場から流れ出す何本かの小川を指さした。「これはちがう……この連中は斥候だな、これは護衛のグループで、なにかを守っていて、おそらく最初にやってきたんだろう」

「交渉役ね」わたしは言った。ブレンはゆっくりとうなずいた。

「もちろん、そうだ。交渉役だ。これはクソな和平交渉になるはずだった。なんてこった、彼らは試してみたんだ」ブレンは周囲の惨状を見まわした。「ゲンゴナシは足どりをゆるめもしなかった」

「そしていま、彼らは残った敵をもとめて進軍している」テラ＝アリエカ連合軍の本体をめざして。

来た道を引き返すしかなかった。わたしたちは放置された車両を見つけて、戦いが残した混乱を取りのぞいた。それから無数の蹄が残したあとに沿って車を走らせた。わたしはアリエカ人たちに体を押しつけていた。スパニッシュとバプテストはアブサードのまわりに身を寄せていた。ふたりは空中でなにかのしるしを描き、捕虜も――まだそう呼べるならだが――同じことをしていた。

それほどたたないうちに、一列になった人影が見えてきた。ブレンが身をかたくした。わたしは自分たちの計画のもろさをよく知っていたが、ほかに道はなかった。「だいじょうぶ」わたしは言った。「あれはテラ人」

大人数の、汚れた放浪者たちの集団は、まるで改悛者のような服装をしていて、移動する小さな町といったところだった。こどもたちもいた。彼らはマスク越しにわたしたちを見た。修道士のような情熱も感じられた。何人かが遠ざかり、仲間うちでささやきをかわした。一時的なリーダーたちが近づいてきた。それと、あの戦場からのがれてきて、焼け焦げた制服を身につけている、数名の兵士たち。

アリエカ人たちが身を引いた。アブサードから離れないようにして、そいつの傷あとを隠した。人間たちが、自分たちは開拓地の農場やバイオリグの飼育場にいた者で、アブサードの襲撃から逃げてきたのだと説明した。ここにいるのはみな難民で、途中で合流したのだと。打ち負かされた部隊から脱出した兵士たちも加わっていると。いまは襲撃者たちの後方で、そいつらを追って都市へむかっているのだ――捕食者の航跡のなかに安全をもとめる獲物の小魚のように。彼らにはなんの計画もなく、こうすればあと何日かは生きのびられるかもしれないという漠然とした感覚があるだけだった。敵のわだちを追う彼らの道筋は、自身の敗北に対するやけくそな敬意の表明だった。

ひとりの兵士が言った。「おれたちはアリエカ人たちといっしょだった。リーダーたちと。いちばん話術に長けたやつらだと思う。対話のためだったんだ。おれたちの任務は彼らを、交渉者たちを守って、空間と時間を確保することだった。彼らがなんとか突破して……」兵士たちは必要なことはなんでもするよう指示されていた。アリエカ人の交渉者たちがアブサードにいつらと話をしようと苦闘しているあいだ。「彼らはあいつらと話をしようとしたんだ」

「どんな方法で？」わたしはたずねた。

「方法（ノー・ハウ）なんか」わたしは男が〝ノウハウ〟と言ったのかと思って、理解できなかった。

「方法なんかなかった」男は言った。「ただ考えていただけだ。アブサードが迫ってくるのが見えた。やつらには飛行船も武器も車両もあって、しかも何千という数がいた。おれたちはアリエカ人たちにどんな計画があるのかと考えていた。どんなうまい手を使うのかと。それはただ、ああ……彼らはデータチップでエズ／カルの声を聞いて準備をした。部隊にはゲンゴを理解できるやつがふたりいて……」兵士はうっかり現在時制を使ってしまったのでことばを切った。「……そいつらが、エズ／カルがなにを言ってるのか教えてくれた。〝きみたちは彼らに理解させなければならない〟何度も何度も。あれこれかたちを変えて。〝きみたちは彼らと話して理解してもらわなければならない〟」兵士は首をふった。「彼らはそれでハイになってた。アブサードが来たとき、彼らは拡声器で呼びかけた」

「でも、アブサードは聴覚がないのに」わたしは言った。兵士は肩をすくめた。風が彼の脂っぽい髪をヘルメットの下から波立たせた。

「おれたちはアリエカ人の一部を送り出した……敵の……近くへ。彼らの計画はきっと……とにかく、アブサードはそのまま彼らを突き抜けた。そしておれたちへむかってきた」そもそも計画などなかったのだ。わたしはブレンに目をむけた。秘密の戦略などなかった――わかっていたのはどうなるべきかということだけで、その手段についてはなんの考えもなかった。

「交渉者たちは命令に従って行動したんだ」ブレンが言った。神の麻薬は、彼らの抵抗しようのない指示があれば、こんな作戦でも決行できると踏んだのだ。

「ひどい」わたしは言った。「エズ／カルはうまくいくと考えていたんだと思う？」あの平原にはたくさんの死体が残っていた。「ほかの兵士たちはどうなったの？　エズ／カルの軍勢は？」

兵士は首をふった。「ほとんどの連中は……おれたちも……最初から戦いたくなかった。懇願したかった。だが、それすらできなかった。懇願すら。そもそも聞いてもらうことができなかった。みんな都市へ退却していったよ。バリケードの奥へ」彼はゆっくりと首をふった。「あれじゃやつらは止められない」アブサードの軍勢と都市やエンバシータウンとのあいだにはなにもなかった。

難民たちはわたしたちが去るのを見送った。それは方向がちがうと言って、わたしたちが無視すると肩をすくめた。彼らはひどくていねいな身ぶりで別れのあいさつをし、幸運を祈った。奇妙な礼儀正しさ。集団の端のほうで、いちばん修道士っぽかった人びとが敵意のこもった目でわたしたちを見つめていたが、その理由を説明できる者はほとんどいなかったはずだ。

わたしたちは蹄のかき乱したあとをたどり、ぎりぎりの距離でアブサードの姿を視界にとらえ続けた。茂みのかげから、丘の裏から。雨がふってきた。泥を跳ね散らかして走った。その晩はあまり暗くならないようだった。星ぼしと〈難破船〉が不自然な輝きをはなっているみたいだったので、わたしはスパニッシュダンサーに背をもたせかけ、そいつがもはや捕虜ではないアリエカ人と手ぶりをかわすのを観察することもできたし、灰色の風景をながめることもできた。

夜明けがおとずれたとき、周囲には数台のカメラがいて、せかせかと飛びまわっていた。軍の情報収集カメラがまだ送信を続けていたのだ。そいつらはわたしたちの音と動きに注意を引かれて、ゆらめくコロナのなか、ペースを合わせてついてきた。わたしは一台のレンズをまっすぐのぞきこみ、中継先のエンバシータウンで見ているだれかを見つめた。

アブサードのたてる物音が聞こえていた。もう風景をひと区画越えたあたりまで近づいていた。カメラの群れが急に離れて、植物のひろがる土地を飛び越えていった。一隻のコーヴィッドが、なにかあわただしい戦時の任務ですぐ頭上を通過していった。わたしたちは見つからないことを祈った。ここまで来て全滅したくはなかった。

アブサードのもっと小人数のグループとこっそり会う方法はなかったし、本隊から一部だけを切り離す手立てもなかった。ゲンゴを失った者たちは、みな自分がひとりきりだと考えていたが、わたしたちはそれがまちがいだと知っていた。この復讐に燃える大群で将軍にもっとも近いのは、もの言わぬ先遣隊だった。わたしたちは地形を利用して身を隠しながら、彼らの側面を通過し、こちらを見つけてもらえる場所へとむかった。

とうとう、服から異臭をただよわせつつ、わたしたちは車を離れた。わたしは自分たちがどんなふうに見えるかを強く意識していた。四人のテラ人。先頭がわたし。そのうしろに、緊張して身がまえたブレン。旅が残したしるしでイル／シブは簡単に見分けがつくようになっていた。ふたりはならんで立ち、それぞれに武器をかまえていた。

アリエカ人たち。わたしたちのまわりで弧を描いてならんでいる姿は、まるでこのグループのファンウィングのようだ。スパニッシュダンサーがいちばん近くにいて、いくつかの目でわたしを見つめていた。

グループの中心には、拘束を解かれたゲンゴナシが立っていた。もはやわたしたちの敵ではなく、アリエカ人の仲間たちを順繰りに見つめている。そいつがギフトウィングで身ぶりをした。ひとりまたひとりと、ほかのアリエカ人たちが同じ身ぶりで返事をした。わたしはそれを見てちょっと息をのんだ。

返事をしないのがふたりいた。ダブとルーフトップは、仲間たちの身ぶりを見つめた。彼らに理解できることはなにも起きていなかった。

　スパニッシュダンサーがわたしにむかって呼びかけてきた――「彼らが来るわれわれは話す（彼らが来るわれわれは会う）」。わたしはそいつをまじまじと見つめ、うなずいた。「あなたはそうする」わたしは言った。「わたしたちはそうする。彼らはそうする」

「わたしは（わたしは）」スパニッシュダンサーは言った。続いてふたつの音が出たが、わたしにはなんの意味もなさなかった。そいつが早口のゲンゴでなにか言うと、その仲間たちが、イルとシブとブレンが、さっと目をあげた。スパニッシュダンサーはもういちど試みた。「あなたに感謝しない（あなたに感謝する）」そいつはわたしに言った。わたしは黙っていた。いったいなにが言えただろう？

　最初のアブサードがやってきた。頭上で轟音をあげる飛行船は、わたしたちの姿を見たはずだが、こんなちっぽけな連中は吹き飛ばすほどのものではないと判断したようだった。疾走する、疲れを知らないアブサードの部隊が、ゆるい隊列を組んで姿をあらわし、こちらへ近づいてきた。わたしたちは身がまえた。だれかが〝計画〟がどうとか言った。

　軍勢の先頭で、本隊から一キロメートルかそこら先行するグループが、わたしたちを見つけた。彼らはがれ場を駆けのぼり、ギフトウイングを突き出して、それぞれに仲間たちを導き、くさび形にひろがると、自分たちはただの怒りだと思っている無言の戦略により、わたしたちの側面へまわりこもうとした。蹄の音が聞こえた。皮膚の色が、枝分かれしてのびた目が、ファンウイングの根の先端が見えるようになったとき、彼らが武器をかまえた。

「いまだ」だれかが言った。わたしにはそれが自分だったのかどうかほんとうにわからなかった。

　スパニッシュが、わたしにはほとんど聞こえないほど静かな声でなにか言ったが、それはゲンゴとは思えなかった。スパニッシュが革命家集団のほかのリーダーたちとともにまえへ進み出ると、アブサードもいっしょに歩き出した。そいつは仲間たちよりさらにまえへ出て、ギフトウイングとファンウイングの根元を突きあげ、傷あとがよく見えるようにした。そしてあたりまえのようにそれをふった。そいつはみずからの状態を宣言し――わたしはきみたちの仲間だ――その同胞に止まれとうながした。駆け寄ってくる全員にむかって、身ぶりで、待て、待て、待て、待て、待てと。

アブサードの部隊はすこしも速度をゆるめなかった。わたしは吐き気をもよおした。「勇気をもて(クラージェ)」ブレンがフランス語で言った。わたしは笑みを返さなかった。ファンウイングを捨てた者たちの話す未熟な身ぶりの言語は、共有された目的によってかき消されてしまった。雑然とした隊列から銃弾がはなたれた。

「まずい」わたしは言った。スパニッシュダンサーは声と身ぶりで語りかけたが、かつての同胞たちは、殺すか叩きのめすかしてやろうと迫ってきた。新たなかたちの言語を学んだスパニッシュが、ここで聴力を失ったらどうなってしまうのだろう。スパニッシュとアブサードの身ぶりは、敵にとっては風にそよぐ植物ていどの意味しかもたなかった。

〝あいつらは無視しているんじゃない〟わたしは思った。〝知らないんだ〟彼らは、ここにある精神が彼らがこれまでに殺したり改造したりしたものとはちがうということを知らなかった。当然ではないか？　わたしは荷物の中身をあさった。

「ファンウイングを見せて！」わたしはスパニッシュに叫んだ。「あなたは聞けるということを見せてやって！」イル／シブが通訳しようとしたが、スパニッシュはすでにファンウイングをひろげていて、仲間たちもそれにならおうとしていた。ダブとルーフトップだけは、スパニッシュからゲンゴで指示されてようやくひろげた。また投射物が飛来した。「ダブとルーフトップにまえへ出るよう伝えて」わたしは言った。

　わたしがデータチップを再生すると、エズ／カルのかぼそい声がなにかを熱心に勧めはじめた。だが、アリエカ人たちはひとり残らずそのスピーチを過去に聞いていたので、なんの反応もなかった。わたしは悪態をついてそれを投げ捨てた。

「そうか」ブレンが言った。わかってくれたのだ。わたしがつぎのデータチップをつかみそこねているあいだに、アブサードはさらに接近して、その殺戮の声が聞こえるようになった。わたしはチップをひとつかみほどこぼして、ようやく別のを再生した。エズ／カルの声が流れた。〝われわれはきみたちにやるべきことを伝える……〟

　わたしたちテラ人はそれを音として聞いた。スパニッシュダンサーとその仲間たちも、いまは、それを音として聞いた——彼らはたずねるようにファンウイングをかしげただけだった。しかし、ダブとルーフトップはまだ中毒者だった。彼らはぱっと体を起こし、重力で声の出所へむかって引き寄せられているかのように、激しく体をふるわせた。目がどんよりした。

「よし」ブレンが言った。

　わたしはまた別のチップを再生した。ダブとルーフトップは体をゆらし、エズ／カルの最初のことばから立ち直ろうとしていた。それが、ふたたび声につかまってびくんとけいれんした。ルーフトップが大声で叫んだ。それはどうやら、エズ／カルによる木の描写らしかった。

　こちらの自傷種のアリエカ人が迫りくる同胞にむかって身ぶりを続け、スパニッシュとその仲間たちがファンウイングをひらいたり閉じたりしているなかで、ダブとルーフトップは完全に我を忘れた。わたしは再生を続けた。「やめろやめろ」スパニッシュが言った。そいつにとって、仲間が力なくふらついている様子はとてつもなくおそろしい光景にちがいなかった——かつての自分がどんなだったかを思いだし、友人たちが激しい欲求に苦しむ姿を見せつけられるのだ。それでも、わたしはやめなかった。

最初の一団のアブサードたちが、わたしたちのいる小高い場所までのぼりきり、武器をかまえて迫ってきた。まずひとり、ついで何人か、さらに大勢が、躊躇した。わたしがまた別のチップを再生したとき、ブレンが〝よし〟とつぶやくのが聞こえた。

どんな軍隊でもその先頭には兵士がひとりいる。ひとりの大柄なアリエカ人が、遠吠えでもするようにカットロとターンロをひらき、脚を高くあげてわたしたちのほうへ近づこうとした。わたしはそれを阻止しようとデータチップを突き出した。そいつは目をあらゆる方向へひろげて――わたしたちのそれぞれにひとつずつ――スパニッシュを見つめた。かつてはわたしたちの捕虜だったアリエカ人は、アブサードがおたがいにするように腕をふりまわし、ダブとルーフトップはよろよろしていた。わたしがなにか考えていたとしたら、それは祈りだった。大柄な兵士がすぐそばまで迫ってきた。

突然、その兵士が止まった。そいつはぺらぺらしゃべる棍棒をおろした。目をくるりと内側へすぼめ、またひらいてわたしたちを見た。わたしはまだエズ／カルの声を再生していた。いまや、動かなくなったのはそいつだけではなかった。わたしはダブとルーフトップに容赦なく中毒のダンスを続けさせた。アブサードたちはおたがいをつかみ、身ぶりをしたり、じっとたたずんだりしながら、見つめていた。

「やめるな」ブレンが言った。

「やめろやめろ」スパニッシュが言うと、ブレンがふたたび言った。「やめるな」

「なに……？」シブが言った。

「なんなの？」イルが言った。

絶望して怒りに満ちた軍隊を殺戮へと駆りたてている

たのは、みずからの中毒の記憶と、よそから来た種族のことばを同胞たちが渇望する姿だった。その堕落ぶりが彼らの絶望の地平線だった。わたしは彼らに、神の麻薬を聞いたときの彼らの姿を見せてやった――あの病的な舞いは見まちがえようがなかった――ところが、それ以外のアリエカ人たちは、ファンウイングをひろげ、聞くことができたのに、影響を受けていなかった。

アブサードの心のなかにためらいなどというものがあるはずはなかった。それが突然おとずれたことで彼らは引き止められた。こちらのもと捕虜はギフトウイングとファンウイングの根元をふった。そいつは〝止まれ〟と言っていて、わたしたちに迫ってきた軍の多くの兵士たちは、それが止まれといっているのを知り、自分がそれを知ったことに気づいて呆然とした。

気の毒なルーフトップ、気の毒なダブ。アリエカ人のたてたほこりが周囲で渦を巻き、わたしは目をしばたたいた。あのふたりが嘘のつきかたを学べなくてほんとうに良かった。わたしたちにはほんものの中毒者が必要だった――それ以外の者がすでに解放されていることを証明し、それによってアブサードの怒りをそらすために。わたしはダブとルーフトップを踊らせ続けた。彼らを神の麻薬に酔わせた。スパニッシュダンサーはふたりを見つめて、ファンウイングをひろげた。わたしは叫んでいた。

アブサードのなかでの情報の伝わりかたは絶望的なまでに遅かった――もっとも頭のきれる者でさえ、自分たちが情報を伝達できるということを、ほんのかすかにしか理解していなかった。彼らが最初に身ぶり手ぶりでおたがいにむかって伝えたのは単純なことだった――〝攻撃するな〟。そのあとは――〝なにかが起きている〟。

情報は遠くへ行くほど混乱しながら、隊列を逆むきにさかのぼっていった。最前列では、身ぶりは〝彼らは聞けるが中毒ではない〟に近かった。ずっと後方になると、アブサードたちの列がそのうしろへ伝えるのはただの――〝やめろ〟になっていた。

「やめろやめろ」スパニッシュが言った。わたしたちの聾者が軍の前線へむかい、スパニッシュがそれについていった。アブサードの将軍たちが見つめるまえで、ふたりはギフトウイングの身ぶりと地面をひっかいたしるし――その表意文字にはわたしも驚かされた――によって、これみよがしに話をはじめた。

たくさんのたくさんの時間、いらだちと沈黙ばかりの昼と夜が二度ずつすぎるあいだ、軍勢はじっと待ち続けた。躊躇した。隊列を離れてなにが起きているのかを見にくる者はあとを絶たなかった。見た者はみな仰天した。中毒ではないアリエカ人。礼儀正しく待つテラ人。聞く者たちと、いまだに疑念とともにアブサードと呼ばれる者たちとのあいだの、ゆるやかな夜明けのプロセス。地面に刻まれた書き文字。

すこしは知識を得た者は、仲間たちのために辛抱を伝える役割をになった。彼らのさまざまな身ぶりによる説得の効果を目で見ることができたのは、二日目が終わりに近づいたころだった。軍勢の側面から人間の難民たちが接近してきて、いとも簡単に殺せる状況だったのに、ファンウイングを捨てた者たちはそれを襲撃しなかったのだ。

テラ人たちもアブサードの軍勢が止まったことに気づいたらしく、奇妙な静けさをふしぎに思って、その原因をたしかめに来たが、ゲンゴナシたちはそれを放置した。難民たちは離れたところでキャンプを張り、じっとこちらを監視していた。

アブサードたちとスパニッシュダンサーのグループ――〈新たな聞き手〉――とのあいだで理解の境界がより完全に破られるまでには時間がかかったが、わたしが最初に予想していたよりはずっと短かった。わたしたちは聾者に会話を教えたわけではなかった——もともとできることだし、現実にやっていたのだと教えたのだ。それはじわじわとした理解ではなく天啓だった。そして天啓には、手に入れるのはきついが、伝染性がある。

「エズ／カルをここへ連れてくる必要があるね」わたしは言った。

「なにが起きたかを知ったらこないだろうな」ブレンが言った。「彼らがなにを失ってしまったかを知ったら」

〝それが戦争の終わりを意味しても?〟だが、ブレンの言うとおりだった。「だったら、ほんとうのことは言えないね。蜂カメラは見つけしだい壊す。なにが起きたかエズ／カルにわかるはずがない」

タオラーとバプテストはあたえられた任務を理解した。数日前ならむりだったろう。ふたりは飛行船でアブザードといっしょに都市へもどっていった。

「あのふたりはしなければならないことをわかっているの?」わたしはスパニッシュダンサーにきいた。

「はいはい」彼らは傷ついた船にこっそりもどり、忠実な中毒者の兵士のふりをして、急な進展があったという知らせを持ち帰る。エズ／カルに、アブサードが止まって、いまはじっと待っているから、神の麻薬とその側近にぜひ来てもらう必要があると伝える。エズ／カルが嘘をつかれているとは考えることはありえない。それはわたしたちのよりどころなのだ。考えるわけがない。なにしろ、彼らはそれをアリエカ人から、彼らがゲンゴと思うことばで聞かされるのだ。ホストみたいに言う。

「彼らはエズ／カルに話しかけられたときにどうするかわかってるの?」

「はいはい」彼らは陶酔状態になったふりをすることを知っていた。

「話しかけられないまま時間がたちすぎたら、自分たちから面会を申し込むことも？」

「はいはい」彼らはどうやって中毒者のふりをするか知っていた。やるべきことを知っていた。

　ゲンゴを超越したアリエカ人のふたつのことなるグループが、シンボルを共有していた。人間の難民たちはまったく近づいてこようとしなかった。「わたしたちのせい？」わたしは言った。

　記号現象に取り囲まれて、ダブがついに、なんのまえぶれもなく、変化と麻薬からの決別を成し遂げ、息をのんで新しい話しかたをはじめた。仲間たちはダブの予期せぬ超越あるいは堕落を見守った。だが、ルーフトップはだめだった。そいつは最後のデータチップをみずからに投与した。わたしたちのなかでただひとり残った中毒者だった。

　アリエカ人たちのあいだにどんな友情の要素があるのかは知らなかったが、わたしは彼らがみな悲しんでいるにちがいないと思った。ルーフトップ――名前はリーヴ・ヴェス（サーグ）――は孤独なはずだった。そいつは周囲でくりひろげられるひっかきと身ぶりの会話をながめていたが、変化に取り囲まれるというのは、当人にとっては、おだやかな地獄のようなものだろう。〝あなたはわたしたちを救ってくれた〟わたしはルーフトップにむかって思った。〝あなたがいなければみんな死んでいた〟それが癒しになるかのように。

　毎日、スパニッシュダンサーが進捗状況を教えてくれた。実際に起きたことや、アブサードと〈新たな聞き手〉が成し遂げたことを考えれば、ほとんど時間がかからなかったも同然だった。無言の議論がくりひろげられるキャンプで何日間かすごしたころ、数台のカメラがわたしたちを見つめ、風のなかで神経質に揺れているのに気づいた。だがわたしは、みんなとっくに準備ができているのを知っていた。

「なんてこと」わたしは言って、ブレンのためにそれらを指さした。「ああファロテクトン」わたしはカメラたちの下に立ち、新しく表現ゆたかになったアリエカ人のように、身ぶりでそれらを招き寄せた。

それらはエズ／カルの船を取り巻く軍勢から送り出された斥候だった。船はそう遠くにいるはずはなかった――彼らはタオラーとバプテストの指示と約束に従ってここへやってきたのだ。いくつかの蜂カメラはいまにも逃げだしたそうだった。それ以外のはわたしたちに焦点を合わせていた。神の麻薬は、いまさら引き返して、送信を妨害し、なにも知らないふりをするわけにはいかなかった――たとえ彼らが自分たちの見ているものを理解しているとしても。それらの小さなレンズから送られる映像は、接近する船にいる人びとだけではなく、エンバシータウンの数千の住民によって目撃されているのだった。

「聞いて」わたしは叫び、たくさんのアリエカ人に見つめられていることを意識した。レンズたちが、せわしない昆虫のように、すっと位置をさげてきた。「聞いて」わたしは風のなかで歯をくいしばった。「わたしの話を聞いて」

「彼らはなぜ遅れているのかふしぎに思っているはずだ」ブレンが言った。「いったいなにがアブサードを止めているのか。もうどれくらい待っているんだろうな？　身をひそめて、死を待ちながら、なぜ止まっているのかと思いめぐらしながら」

「聞いて」わたしは言った。「彼らをここへよこして。エズ／カルをいますぐここへよこして」わたしはスパニッシュダンサーを、そいつが話をしているファンウイングを捨てた者たちを指さした。すると、まず最初にスパニッシュが、それから、ひとりまたひとりと、総勢数百人のアブサードがわたしを指さした。カメラがビーと鳴って、いっせいに位置を変えたが、わたしはただ一点だけを見つめ続けた――その小さな群れにひとつの実体があって、その目を見つめているかのように。「彼らをここへよこして。エズ／カルを……わたしが見える、エズ／カル？」わたしは手を突き出した。「カル、いますぐここへ来て、あなたのクソな取り巻きもいっしょに連れて。

あなたたちは生きる、だから話をひろめて。エンバシータウン、わたしの声が聞こえる？ あなたたちは生きる。でも、あなたはここへ来て、やるべきことを知っておくほうがいいよ、エズ／カル。なぜなら、いくつか条件があるから」

29

エズ／カルのことを話しておこう。ふたりが無言でたたずみ、尾根から数キロメートルにわたる土地とアブサードの宿営地を見おろしている様は、実に勇壮だった。彼らにはふさわしくなかった。

エズ／カルは過度に飾り立てた服を好んで着るようになっていた。エンバシータウンの一部の住民にとっては慰めだったのかもしれない。カルの服はきらきらした輝きにいろどられ、清風のマスクには羽根飾りがついていた。

静寂のなかで、エズ／カルの失敗はその性質を変えるか、少なくともごまかされていた。カルの冷笑は王者らしさとして通用した。エズのむっつり顔は思慮深い慎みとみなされた。ふたりにはささやかな取り巻きがいた——最近わたしの同僚になった人びとだ。何人かは飛行船が着陸したときにわたしとブレンにあいさつした。シモンはわたしと握手した。サウセルもマグ／ダーも来ていた。ふたりともなんともいえない表情をしていた。ワイアットは、あいかわらず見張りは付いているようだったが、相談役であり、偉大なる管理者であり、虜囚大臣だった。彼はわたしと目を合わせなかった。エンバシータウンからもどってきたバプテストとタオラーも、飛行船からおりてきて、仲間たちにあいさつした。わたしにあいさつした。エンバシータウンの住民たちは彼らを見て、大きなショックを受けているにちがいなかった。今回の遠征は予想とはまったくちがったものになっていた。

同行していた治安官たちは武器を持っていた。状況がすこしでもちがっていたら、エズ／カルは彼らにわたしを殺させようとしたかもしれなかった——輸送車で移動中のわたしたちを殺そうとしたように。いまとなっては、無意味な付き添いとなったスタッフの残党も、治安官たちも、やはり同行していたジャス／ミンさえ、それを許すはずはなかった。すでに、エンバシータウンの全住民が、押し寄せる軍勢とわたしのメッセージを見ていて、だれもがわたしたちが彼らを止めたことを知っていたのだ。ここ数時間のカルにできたのは、自分が支配者であるというふりをすることだけだった。

例のテラ人の難民たちは日に日に近づいてきた——いまではわたしたちと入り混じるまでになっていたが、それでも、ほとんどの時間、彼らはわたしたちとアブサードとのやりとりを見守っているだけだった。エズが空を見あげ、ふりむいて遠いエンバシータウンへ目をむけた。

ずっとあとになって、わたしの旅のあいだにエズがなにをしていたかを聞いた。彼がどんな策を弄してカルの忍耐力を試していたか。クーデターとしか思えないような計画の数々は、カルが怒りよりも侮蔑の思いで叩きつぶしていたらしい。エズがわたしたちに目をむけた。計算しているのが見えるようだった。〝まだなにかやるつもり？〟——と、わたしは思った。エズの話なんかどうでもよかった。エンバシータウンとゲンゴナシにとって、エズとカルの争いなど、彼らがエズ／カルであるということよりもはるかに重要性が低かった。

わたしのそばには、アブサード軍の隊列から集められた二、三十名の代表者たちがいた。「すると、わたしが話す相手はきみなのかな、アヴィス・ベナー・チョウ」カルがひややかに言った。「きみがそいつの代理として……」彼は、かつては捕虜だった、ファンウイングを捨てた者を身ぶりでしめした。

「トートよ」わたしは言った。「そいつの呼び名はトート」

「どういう意味だね、〝呼び名はトート〟というのは。こいつらに呼び名なんか……」

「わたしたちがトートと呼んでいるの」わたしは言った。「だからそれが呼び名。あとでわたしがどうやって書くのか教えてあげる。それより、トートに教えてもらうほうがいいかな」

打ち負かされるだけでもきついでしょう？　あなたはわたしたちを始末しようとしたね、カル——わたしと、ブレンと、ほかのみんなを。なぜなら、わたしたちがああいうやりかたでエンバシータウンを救ったら、あなたの治世が終わってしまうから——現実にそうなってしまったように。たとえあなたの地位が絶望と崩壊を運命づけられていたとしても、自分で失うほうが、わたしたちに救われるよりはましだったはず。わたしが言いたかったのはそういうことだった。

その場にいたアブサードは、トートやスパニッシュをはじめとして、自分たちで考案した大量の表意文字にもっとも熟達し、身ぶりの読み取りと実演をもっとも直観的におこなうことができる者たちだった。それは不変のグループというわけではなかった。ごく少数だが勇敢なアリエカ人の中毒者たちも到着していた——くすねたデータチップでなんとかしのぎながら、はるばる都市からやってきて、この歴史的協定を、変革を目の当たりにしようと。ルーフトップもいて、手持ちの音声ファイルを悲しそうに再生していた。人間の逃亡者たちは、宿営地を見おろす、アリエカのまだらな黴に彩られた尾根でしゃがみこみ、交渉を見物した。彼らは好きなときに来て、また去っていった。

カルは、おそらくはエズも、そこで起きていたことをだらだらした話し合いと表現しようとした。実際のところは、事実の説明と、指令の受け渡しを、新たな筋書きにのっとってゆっくり進めていただけのことだった。何日もかかったのは、アブサードたちに確実に理解させ、彼らがそれについてわたしたちになにをしてもらいたがっているかを理解するためだった。

あなたにはなんの権限もない——わたしはカルにそう宣告することもできた。これは降伏なのだ。あなたはちょっとした麗々しさが大好きだった——そのおかげで、のちの時代に、あなたは滅亡する帝国の亡霊を連想させるかもしれない。でも、あなたがこの場にいるのは、わたしがアブサードたちに言ったからでしかない——彼らがなにをすべきか伝えなければならない相手はあなただと。そして、見物している人間たちは、フードの下で顔をしかめている難民たちは、記憶にとどめることになる——どう見ても、あなたは事情をなにも知らないのだと。この時代の変わり目に、あなたがそこらをうろうろしているだけなのは、あなたがひとつの瑣事でしかないからだと。

カメラがそこらじゅうを飛び交っていた。個人で使える自家製キットがひろまっていたし、乗っ取られたり野生化したりものも、できる範囲の頻度でそれぞれの映像をアップロードしていた。エンバシータウンがすべてのレンズのむこう側で見守っていた。

夜になると、アリエカ人たちがわたしたちの仲間を取り囲んだ。こちらから頼んだのだ——わたしはまだエズ／カルが復讐を試みるのではないかという疑念を捨てきれなかった。

「これからどうなるのでしょうね」マグ／ダーが言った。ふたりは警戒心と敬意のこもった目でわたしを見つめた。

「いままでとはちがう」わたしは言った。「でも、わたしたちはここにいる。アリエカ人が自分たちは治療可能なんだと知ったことで、すべてが変わった。都市の様子はどう？　エンバシータウンは？」

パニックと期待。アリエカ人たちのほうは、まだほとんどが混乱状態だった。派閥間の争いも起きていた——エズ／カルの代理人である政治局のもとで団結し、エズ／カルの命令に従っていたはずなのに、いまはよくわからない理由で戦っていた。

「わたしたちは——彼らは——これをひろげるためにできることはなんでもやる」わたしは言った。「もう麻薬は必要ない。わたしたちはいっしょに活動しようとしている。いまは、ほとんどの場合、トートがゲンゴナシのためにしゃべってる。スパニッシュはわたしたちに——というか、あきらかにイル／シブにしゃべってるけど、それだけじゃなくて……」マグ／ダーは、その夜にスパニッシュとわたしがたどたどしく話をしていたのを見ていなかった。「でも、あなたに言っておかなければならないことがある」わたしは静かに言った。「これがなんなのか、いろんな人が説明するのを聞いたけど、あれはまちがってる。治癒したわけじゃない。スパニッシュたちは……彼らはもう中毒じゃないけど、治癒したわけでもない——彼らは変わったの。これはそういうこと。同じに聞こえるかもしれないのはわかってるけど、あなたは彼らがもうゲンゴをしゃべることができないというのを理解してる、マグ／ダー？　もうあなたと変わりがないんだということを」

それは朝のことで、空には雲ひとつなかった。わたしのいるくぼ地には、この惑星特有の繊維状の下生えがひろがっていた。わたしは、そこに筆記文字の仲介役がいて、新しい技能を、その概念を、アブサードたちのあいだにひろめていることを知っていた。すでに、最初に提案されたものから逸脱した書式や、表意文字のことなった解釈や、こすってつついての記号で作られた専門的な語彙が出現していた。

それほどたたないうちに、アリエカ人の読み手のだれかが、地面をひっかいた文章を、おぼえておいて同じものを書くのではなく、なにか手渡せるものに染料で書き写すようになるだろう。わたしたちがやりかたを教えることになるかもしれない。わたしはギフトウイングにつかまれたペンを想像した。

アブサードの幹部たちがじっと立っていた。エンバシータウンの取り巻き連中は、この状況でできるせいいっぱいのしゃれた格好をしていた。さまざまな人間の難民たちが見物していた。トートとスパニッシュがわたしのそばに立ち、カメラを見つめていた。

スパニッシュがギフトウイングでわたしの注意を引いた。「準備はいいか？／準備はいいか？」おだやかな声だった。わたしがためらうと、そいつはもういちど言った。「いいか？／いいな」

エズ／カルがわたしに顔をむけた。ふたりは王にもどったように見えた。エズの顔はからっぽだった。カルの顔は怒りではちきれんばかりだった。

「ねえ。あなたたちわかってる？」エンバシータウンのすべての住民がわたしの声を聞くことができるはずだったが、わたしが話しかけていたのはエズ／カルだった。「これからどうなるかわかってる？　アブサードたちは都市へもどろうとしているし、わたしたちもそれは同じ。これからはいっしょに物事を進めていくの。彼らにはいろいろアイディアがある。言っておくけど、もしもわたしが、あなたたちの子飼いの売国奴のコーラ・セイジスだったら、きっと慎重になる。あなたたちもあいつには首を突っ込ませないようにさせるのが賢明ね。くわしい話はあとで詰めましょう。わたしたちもそこにいくから、エンバシータウンに」

救援が来るまでは。なにもかも永遠に変わってしまった。わたしは自分のメモに目をやった。「アブサードがわたしたちを殺そうとしたのは、わたしたちが神の麻薬の源だったから。彼らは、心を失った自分たちはもう手のほどこしようがないけれど、あとに続く者のために新しい第一歩をしるすことはできると知っていた――問題さえ取りのぞけば。つまりわたしたちを。彼らがどれほど無私無欲だったかわかる？　そんなことをしても彼らは救われない。それは彼らのこどもたちのためだった。この世代は、聴力を失うか、死ぬか、禁断症状で死にかけるかのいずれかでしかない。

でも、いまや中毒は治せることがわかった」わたしはマグ／ダーの視線を無視して、スパニッシュを指さした――そいつもわたしを指さした。「彼らの治療が可能なら、わたしたちは意味のない存在になる。だからこそわたしたちは生きるの。わかる？　でも、彼らは治療してあげなければならない。それが条件。さもないと、わたしたちは病んだままになる。そしてオレイティーたちを治すには時間がかかる」わたしは、あいかわらず隠喩に影響を受けないルーフトップを身ぶりでしめした。全員がそいつへ目をむけた。そいつも見返した。「彼らは大勢いる。だから、エズ／カル、あなたたちの仕事はそれまでのあいだ彼らの世話をすること。彼らがあなたたちを必要としなくなるまで。あなたたちが彼らを手助けしなかったら、中毒者たちは死にはじめる。治療も、聴力を捨てるのも間に合わないほど早く。だからあなたたちは彼らを生かし続けなければならない」

「それは愛それは愛」スパニッシュが言った。そいつが二重のアングロ＝ウービック語でしゃべるのをはじめて聞いた人間たちが、いっせいに息をのんだ。スパニッシュがあらためて説明していた――なぜアブサードがわたしたち全員を殺して同胞たちの聴覚を奪おうとしたのかを、そして、なぜいまはわたしたちを生かしているのかを。アリエカ人はアリエカ人を愛していた。わたしたちのその動詞がいちばん近かったのだ。完璧とは言えないが、翻訳とはそういうものだ。嘘と同じくらいの真実ではあった。〈新たな聞き手〉とアブサードたちは中毒者を愛し、彼らをふたつある手段のひとつで治療したうえで、どちらかのグループへ引き入れることになる。

「あなたたちはふたりとも、長いあいだ大使ではなかった」わたしは言った。「自分以外のだれかのためにしゃべったことがあった？　もはや、あなたたちは神でも麻薬でも役人でもない、エズ／カル――あなたたちは工場。アリエカ人たちには必要なものがあり、あなたたちがそれを供給する。言っておくけど、中身については検閲があるから」エズの顔はぴくりとも動かなかった。カルは顔をゆがめた。服従せずにはいられない命令を発するチャンスはない。「都市はアブサードでいっぱいになる。だから、あなたたちが騒ぎを起こそうとして、語ることばのなかに、それこそまた戦争を起こすような指示を入れたりしたら、彼らがあなたを阻止する。もしもわたしたちが手に負えないほどのトラブルを起こすようなら、わたしたちは出ていくことになる。彼らは中毒者全員からファンウイングを奪って、この世代のおとなのアリエカ人をひとり残らず聾者にしたいとは思っていない。いまは別の手段があるんだから。でも、彼らは必要とあらばそうするはず。わかる?」

あなたたちにできることはほかになにもない、とわたしは思った。あなたたちに選択肢はない。あなたたちが連れてきた治安官たちは、必要とあらば、あなたたちの頭に武器を突きつけてゲンゴをしゃべることを強要するだろう。そしてわたしも彼らといっしょにいる。スパニッシュとアブサードたちは、二種類の治療法をひろめるだろう。ナイフに頼るのは、それで思考が失われると信じていた、ここにいるすべてのアブサードたちにとっては、存在にかかわる大打撃だったが、いまはそんなことはない。けっして楽しいことではないが、どうしても中毒から抜けられない者にとっては、考慮の対象になるかもしれない。

毎日、中毒になった同胞たちへの愛ゆえに、アリエカ人たちはエズ/カルに話をさせるだろう。わたしたちは一時的に必要なだけだ。カルがひどく打ちひしがれているので、わたしはあやうく哀れみをおぼえそうになった。〝そんなに悪いことでもない〟わたしたちの生きるすべはたくさんある——船が到着するまでのあいだ。

「理解できた?」わたしは言った——カルにむかって、エズ/カルにむかって、その高原やエンバシータウンで耳をすましているすべての人びとにむかって。その日のわたしの声の響きは最高だった。「わたしたちがまだ生きている理由がわかった? あなたたちには仕事があるの」

「全員がわたしのように(わたしのように)」スパニッシュダンサーが言った。どこから人間たちが息をのむ音が聞こえ、だれかが言った。「だめだ」

スパニッシュがサンゴ状の目をひろげた。エズが目をあげた。カルがふりむいた。

丘のもっと高いところから、ひとつの人影がわたしたちのほうへくだってきた。黒っぽいマントをまとった男だ。その背後では、何人かの興奮した難民たちが男のあとを追い、叫び声をあげていた。男のマントが風にはためいた。好奇心旺盛なアブサードたちは、男のために道をあけ、彼がなにをしているのか見ようとしていて、わたしは「だめ」と叫んだが、もちろん彼らには聞こえなかった。わたしは身ぶりで列を閉じさせようとしたが、アブサードたちはテラ人の身ぶりを見たことがなかったし、わたしには彼らにそれを理解させるだけの時間がなかった。

男が武器を取り出した。彼がつけている汚れた古い清風をとおして、わたしはそれがサイルであることを見てとった。

わたしの夫が太いピストルをわたしにむけた。彼を止められるほど速く動ける者はいなかった。

サイルが近づいてくるあいだも、わたしは彼を見つめ、これから彼がしようとしていることを止める方法を考えようとしたが、どこか心の奥では、彼がこれまでどこにいて、いまはどうやって、なんのために、なにをしているのか解き明かそうとしていた。

サイルは近づきながら狙いを変えて、ブレンとスパニッシュダンサーに武器をむけた。わたしはアリエカ人を押しのけようとしたが、サイルの狙いは、エズへ、ついでカルへと移ろうとしていた。カルがわたしに目をむけはじめた。サイルが発砲した。テラ人とアリエカ人の声で悲鳴と叫びがあがり、エネルギーに切り裂かれた場所から噴きだした血しぶきのなか、カルが倒れて、わたしに目をむけたまま、こときれた。

第九部
救　援

30

これがスパニッシュダンサーの語ったこと。

そこは都市にある大きな広場で、建物たちをおだてていっそうひろくしてあった。わたしはよくおぼえている。ブレンがわたしのそばに立ち、小声で通訳してくれたが、わたしはほぼ完全に話を理解することができた。

天候も、まわりの家々も、空気やアリエカ人の群衆のこともよくおぼえている。何千という中毒者たちが、そのひらけた場所を囲んで押し合いへし合いをしていた。一部の者は、エズ／カルの登場を、神の麻薬の投与を期待していた。これがスパニッシュダンサーの語ったことだ。

人間たちがやってくるまで、われわれはある種の物事についてあまりしゃべらなかった。われわれは成長してゲンゴになった。歴史に続いて、われわれは都市とマシンを作ってそれらに名をつけた。われわれはある種の物事についてあまりしゃべらなかった。ゲンゴがわれわれに語りかけた。都市やマシンになりたかったことばたちは、われわれにそれらをしゃべらせることで願いをかなえた。

人間たちがやってきたとき、彼らに名はなく、われわれは新しいことばを作って、彼らが世界に居場所を得られるようにした。彼らはほかのものがするようなことをしなかった。われわれは彼らをゲンゴのなかへ語った。ゲンゴが彼らを取り込んだ。

　われわれはハンターのようだった。われわれは光を食べる植物のようだった。人間たちは、輪のなかの星のように、われわれの街のなかに自分たちの街を作った。彼らは、花のなかのおしべのように、彼らの場所を作った。われわれは彼らの場所の名をしゃべったが、別の名があることは知っていて、それは体のなかの臓器のように、口のなかの舌のように、都市のなかに鎮座していた。

　人間たちがやってくるまで、われわれはあまりしゃべらなかった、なぜならわれわれはこれに似ていたからだ、何年かまえは暗闇で苦しめられてあたえられたものを食べた少女だった者に。われわれは彼女に似ていた。あなたたちはなぜわれわれが彼女に似ていてなぜわれわれが彼女に似ていないか判断する。なぜ彼女が彼女自身に似ているか似ていないかを。われわれはあらゆるものに似ていた。われわれは麻薬時間のあいだ都市を離れていて、いまはもっとしゃべる。

　人間たちがやってくるまで、われわれはしゃべらなかった。われわれは無数の物事に似ていて、われわれはあらゆるものに似ていて、われわれはエンバシータウンにいる動物たちに似ていて、わたしはその街の方向にむかってギフトウイングを差しあげるが、それはひとつの語りであり、あなたたちもいずれ理解するようになる。われわれはしゃべらなかった、われわれは口がきけなかった、われわれはただわれわれが話した石を口の外へ落として、われわれは口をあけてわれわれが話した鳥たちを外へ逃がした、われわれはベクトル、われわれは心のないまま食べる鳥たち、われわれは暗闇のなかの少女、自分たちがそうではなくなってはじめて、そのことを知った。

　われわれはいましゃべる、というかわたしがしゃべる、そしてほかの者たちがしゃべる。あなたたちはこれまでしゃべったことがない。これからはしゃべる。あなたたちはしゃべることができる都市がどのようにくぼんで盛りあがって平らかを狩りをする動物を海の上の船と海をわれわれがどのようにそのなかにいる魚で、毎週魚たちといっしょに泳ぐ男とは似ていないが彼がいっしょに泳ぐ魚とは似ているかを、水を、プールを。わたしはあなたたちを愛している、あなたたちはわたしを照らす、わたしをあたためる、あなたたちは太陽だ。

あなたたちはこれまでしゃべったことがない。

これがスパニッシュダンサーが集まった人びとにむかって語ったことだ。実際はもっとしゃべった。スパニッシュの語りは、わたしがそいつを変えたときよりもはるかに巧みだった——自分が変えようとしている精神についてずっとよく理解していたので、そいつのことばはまさに手術だった。

はじめ、広場に集まったアリエカ人たちは、なんのためかわからないまま聞いていた。ことばが風変わりでありえないものになると、うろたえたわめき声があがった。みごとな嘘を聞かされるたびに、広場は騒然とし、それはどんどん激しさを増した。称賛と不安のヒステリーだった。

スパニッシュがしゃべると、アリエカ人はただの驚きではない叫びをあげた。それは危機の音だった。わたしはスパニッシュダンサーに嘘のつきかたを教えたときのことを思いだした。わたしが聞いていたのは再構成された精神だった。死だ——古い思考が死にかけていた。わたしは突きあげられたギフトウイングとファンウイングに陶酔——昔ながらの意味の陶酔で、苦しみや恐怖はない——を見た。ヴィジョンを見た。それから、生まれたばかりのおとなのアリエカ人の沈黙を。

その最初のときはほんの数名だった。話を聞いた者の大半は、たぶんおびえて、ふるえながらも、なにかをつかんでいた。ようやくおちついたとき、一部の者は結局エズ／カルをもとめた。渇望のあまり忘れやすくなってしまったのだ。

だが、スパニッシュダンサーの話でひっくりかえって、新たな存在となり、言語を学んだ者もいた。わたしはそこで語られたことばをほぼすべて理解した。

スパニッシュダンサーは、わたしの言語で話しかけてくるとき、隠喩／隠喩ではなく、真実する嘘／真実する嘘あるいは真実している／嘘と言うことがある。わたしがよろこぶと知っているのだろう。わたしへのプレゼントだ。

31

かわいそうなサイル。

これはどうやって話したものだろう？

朝はたいていリリィパッド・ヒルへ出かける。補佐官たちといろいろな計画について話し合うのだ。「なにかあった？」わたしがたずねると、これまでのところは毎朝、彼らが数値をチェックして首を横にふりながら「まだなにも」とこたえ、わたしは「まあ、もうじきね。準備はしておいて」と告げていた。

〝かわいそうなサイル〟などと言えるのだろうか、あれだけのことがあったあとで？　言える。サイルの行動にはムカつくが――彼がいなければ生きていたはずの友人が何人も死んだ——あの姿を見て哀れみをおぼえずにいられるだろうか？

サイルは診療所を転用した刑務所に投獄されている。隣人は、解放されたあとも衰弱しすぎていて部屋を出ることができない、あのなりそこないの大使たち。サイルがまだ生きているのは、犯罪者ではあるが、ものすごく悪いことをしたとか許しがたいことをしたというわけではないため、処刑をまぬがれたからだ。殺人だけで死の罰則をあたえるのはやめようと判断されたのだ。

わたしはときどき会いにいく。みんなわかってくれる。哀れみと、気づかいと、好奇心と、愛情の幻。サイルは起きたことを信じられない。自分がひどく失敗したことを信じられない。

サイルがカルを殺したときは大混乱だった。サイルがすぐに撃ち殺されず、わたしたちが彼を生かすことができたのは驚きだ。

「こんなことはさせない」サイルは言った。カルはまだ地面でぴくぴくしていた。銃口がスパニッシュダンサーにむいた。「やつらがおまえのようになることはない」わたしたちはサイルがもういちど発砲するまえに止めた。スパニッシュが彼の銃を叩き落とし、シャツをつかんで言った——「なぜなぜ？」サイルは両手で耳をふさいでスパニッシュダンサーを悪魔と呼んだ。

それは自殺行だったが巡礼でもあった。サイルはアブサードの軍勢を見つけ、そのあとをついて歩き、目撃者となり使徒となるつもりだった。アブサードたちが——なんだろう、嘘でよごされるよりはみずからを切ることを選ぶ、浄化の炎、聖なる復讐者たち？——堕落したアリエカ人を一掃し、これから生まれる純粋にゲンゴ化されたこどもたちのために、ふたたび世界の準備をととのえるのを。

むちゃな希望だが、希望にはちがいなかった。サイルは、エズ／カルが生まれたとき、どこにいたにせよそのことを聞いたにちがいない。噂がどうやって彼のもとへ届いたのかはわからないが、噂とはそういうものだ。彼はエズ／カルのことを知り、そのオレイティーたちではアブサードに抵抗できないと知っていたにちがいない。だが、彼はわたしやブレンやスパニッシュダンサーのことを考えていなかった。わたしたちを、わたしたちがなにをしたかを、軍勢のそばのキャンプから見たときは、さぞかしおそろしかったことだろう。彼は辛抱し、神の麻薬が到着したところで、聖なる仕事にとりかかったのだ。

サイルは、アブサードたちのためにみずからを犠牲にするつもりだったにちがいない。いつの日か、からっぽになったエンパシータウンをこどものアリエカ人たちが歩き、その滅亡の理由を考え、それをゲンゴで語る様子を心に思い描いたのかもしれない。サイルはわたしたち全員を死なせるつもりだった。

サイルは完全にまちがっていたわけではなかった──たしかに破滅はおとずれた。アリエカ人は変わってしまった。彼らがいまや嘘をつくのは事実だ。

かわいそうなサイル──やはりそう言わずにいられない。彼は自分がルシファーたちのなかへ墜落したと思っているにちがいない。

最近になって、マイアブがリリィパッド・ヒルに到来した。わたしたちはもはやそれが送られた相手ではなかった。だからこそ、それをあけたときに〝行儀が悪い〟としか言えない気分になったのだと思う。わたしだけが感じるかすかなイマーの湿り気がまとわりついていた。いたずらなこどもたちのように、わたしたちは届け物を引っぱりだした。ワイン、食料、マシン、贅沢品──驚くようなものはなかった。わたしたちは命令書をあけて、ワイアットの封印された指示書もあけた。彼はわたしたちを止めようとしなかった。そ[illegible]らの内容も驚きではなかった。

新しいアリエカ人たちはオートムに話しかけることができるし、彼らの話を理解することもできる。

「はいりたくない」わたしは言った。

「まあ、かまわないさ……」ブレンがうなずいた。

ブレンとスパニッシュダンサーは、わたしの予想よりも長くかかった。わたしは通りで待ち、広告板が動くのをながめた。そこで宣伝されている商品はもはや売られていなかった。

ふたりがもどってきた。「彼女がいた」ブレンが言った。

「それで?」

「われわれはそれに話しかけた
われわれはそれに話しかけた」

「それで……? 彼女はあなたに話しかけた?」わたしはスパニッシュに言った。そいつとブレンは顔を見合わせた。

「わからない
わからない」


わたしは彼女のビルを見あげた。カメラがこちらに狙いをつけているはずだった。カメラはそこらじゅうにあるし、わたしの友人はいつだって周囲と一体化していた。わたしは手をふらなかった。

「〝アースルわたしはあなたがわたしの言うことばを理解できることを知っている〟とスパニッシュが言った」ブレンが言った。「アングロ語で。だが彼女はふりかえりもしない。そして言う――〝いいえ、あなたはわたしに話しかけることはできない、アリエカ人はわたしを理解できない〟〝アヴィスはあなたが元気かどうか知りたがるだろう〟スパニッシュが言う。〝あなたがどうすごしてきたのかを〟彼女は言う――〝アヴィス! 彼女は元気なの? でもあなたはわたしに話しかけることはできない、あなたはわたしを理解できないし、あなたはゲンゴ以外はなにもしゃべれないのだから〟」

時代遅れの３Ｄ映像や草の根市場のならぶ大通りを行くあいだ、わたしはなにも言わなかったし、ブレンも話しかけようとはしなかった。わたしたちの再興された計画経済においては、基本的なものは供給されているが、それ以外の贅沢品などは、こうした物々交換にまかされている。わたしはよその世界にあるよその都市の市場のことを思い起こした。

バリケードは解体された。一部の都市の住民たちは、彼らはわたしたちの空気を呼吸できるのにわたしたちは彼らの空気を呼吸できないのだから、エンバシータウンの大気を都市全体へひろげるべきだと言っている。新たな増築部分が育っている場所では、アリエカ人の建物はほのかに非古典的だ。尖塔、角のある窓、なじみのある控え壁――わたしたちテラ人の地形学がはやりになっているのだ。

セイジス（コーラ）は見つからなかった。ダル／トンも見つからなかった――というか、彼らの居場所を知っている者が、人間であれ土着民であれ見つからなかった。もちろん、彼らの失踪には棍棒による裁きの疑いもあった。だが、わたしにはどこにも負けない情報ネットワークがあるので、もしもそういうことが起きていたとすれば、よほど静かにおこなわれたことになる。それはけっして奨励されることではない。おそらく、戦争で殺されたり行方不明になったりした大勢に含まれているか、どこかに身をひそめて――都市ではもはやそういうことができないというわけではない――機会をうかがっているのだろう。油断は禁物だ。

わたしにとって、ダル／トンはそのていどのものだ。しかし、セイジス（コーラ）については、リンチとかそういった復讐は、新生アリエカ人たちの多くが望むことではないと思う――たとえ、彼らが自分たちはセイジス（コーラ）に虐げられていたと言うとしても。わたしの知っているアリエカ人たちは、以前はどんなふうだったとか、そのころ考えていたことをおぼえているかとかいう質問にこたえることができない。ゲンゴについても。スパニッシュダンサーが変革について語った最初のスピーチは、説明であると同時に感染でもあったのだ。おぼえていないというわけではない。おぼえていてもそれをわたしに伝えることができないのだ。

一部のアリエカ人が隠喩に影響を受けない理由はだれにもわかっていない。スパニッシュや増え続けるその副官たちが、布教者たちが、慎重な、感染性のある、仰々しい嘘に満ちた説教によって聞き手を変えようとしても、全員に効果があるわけではない。どの会合でも、成功はある――よろよろとゲンゴを抜け出し、言語と記号の世界へはいるアリエカ人はいる。近いところまでいった者たちは、つぎの機会やそのつぎの機会を待つ。拒否する者もいる。ルーフトップのように、純粋性にさいなまれ、単にできない者もいる。彼らはわたしに話しかけることはできず、大使たちとしか話せない。彼らが理解するのは死にかけたゲンゴだけ。いまわたしたちには麻薬はある、彼らを生きながらえさせる声はある。だが神はもういない。

エズ／シーは、オレイティーのひとりがイル／シブに語ったところでは、そいつのいちばんのお気に入りだったらしい。なにしろふたりの声が引き起こすふるえが……それについては、おたがい、表現する語彙がなかった。ほかの者は、もっとハイになれるということで、エズ／ロットやエズ／ベルを好んだ。

サイルは、あの殺人から連想されるよりはずっと頭のはたらく男だった。彼はわたしたちがどうやってエズ／カルを生み出したか知っていた――わたしたちにまた同じことができると考えてしかるべきだった。カルの脳内から装置を取り出してみたところ、それはぶじだったが、たとえそうでなくても、わたしたちは二度と破滅に直面することはなかった。

「用意しているものがあります」マグ／ダーが切りだした。「ここ数週間で、サウセルがいくつか試作品を組みあげました」「増幅器です」「すでに志願者をつのりました。あとは試すだけです」

わたしたちが自分たちの計画を追求していたあいだに、マグ／ダーはそんな秘密の計画を進めていた。ほかに類がないことで権力を手中にしていたエズ／カルに対抗するための手段だった。マグ／ダーとわたしとブレンの裏切りがうまくかみ合ったのだ。サイルは物語に結末をもたらすことはなかった。彼がカルを殺しても、ほとんどなにも変わらなかった。

最初に志願したのは分裂者のターンたちだった。彼らは頭を剃りあげ、ソケットを埋め込み、増幅器を鉤爪のあるティアラのようにかぶって、リンクに接続し、銃を突きつけられたエズ——ルコウスキー——に彼らを読み取らせ、彼らとともに語らせた。ロットが最初にその役割を受け持ったとき、その分身のシャーはまだ生きていた。

心配する者もいるが、多くの大使たちはリンクの出力を落としている。彼らは均一化処置を受けない。もはやゲンゴをしゃべることもめったにない。仕事もあまりない。わたしはすべての大使たちがおたがいをきらっているとは思わない。ブレンは同意できないというけれど、彼は自身の過去を越えて考えることはできないのだから、それはむりのないことだ。

わたしたちはジョエル・ルコウスキーの身の安全を確保している。彼と、その異常なまでの共感力をもつ頭脳が必要だからだが、わたしはそれすら変わるだろうと思っている。いずれは彼のような人を見つけられるだろう。それまでのあいだ、わたしたちは彼をせっせと働かせて、何時間もの麻薬トークをためこんでいる。集団で脱出した者たちにたっぷりふるまうだけの余裕がある。

いまはふたつの都市があり——中毒者たちの都市と、

それ以外のすべての者の都市——それぞれが礼儀正しくまじわっている。アブサードと新生アリエカ人はどちらも、オレイティーたちと比べて、多くの共通点をもっている。聞くことはなんでもない——アブサードと新生アリエカ人は同じことを考えている。

スパニッシュは街角でアリエカ人と出会うたびに——テラ人や、ファンウイングを捨てた者でも——常に持ち歩いている、テラのテクノロジーの貢献が大きいタッチパッドであいさつをかわす。わたしも、その進化途上の文字の読みかたや書きかたを、まるでこどものアリエカ人のように学んでいる。いまでは、第三齢に達したアリエカ人は、荒っぽい儀式のような厳しい訓練によって本能を捨てる。純粋なゲンゴの期間——ことばが言及で、嘘をつくこともできない、動物から知的生物へと移行する端境期——は、ほんの数日しかない。あとになって、新生アリエカ人のこどもたちは、都市がずっとこういうかたちではなかったことを知るが、それを想像することはできない。

ゲンゴから脱出できないアリエカ人たちのなかには、みずからの聴覚を奪う者もいる。それで中毒は治癒できるし、以前考えられていたようにことばと心を失うわけでもないとわかっているからだ。それ以外の、たとえばルーフトップのような者は、旅立ちの準備をしている。わたしたちが彼らの自給自足のコミュニティをおとずれることはない。彼らはパイプラインで都市とつながることもない。わたしたちはとてもたくさんの、ながいあいだもつだけのデータチップを彼らに渡すことになる。亡命者たちは中毒者として生き、新しい世代を育てるときには、けっしてチップを聞かせないようにする——こどもたちが、陶酔することなく自由にゲンゴをしゃべれるようになるまで。中毒の媒介者である人間は、禁じられてタブーとなる。都市も、いまやことなる言語をしゃべるようになったという理由で、タブーとなるだろう。これからしばらくの未来は、人間ではなく新生アリエカ人が、都市とそれらの居留地とをつなぐ大使となる。

だが、どんなふうになるかはわかっている。新生アリエカ人が交易のためにおとずれる——。彼らはそいつにゲンゴで話しかけ、それで通じると思うが、両者はおたがいに理解できない。こどもたちがこの奇妙なよそ者に興味をひかれ、何人かのむこうみずな、ゲンゴをしゃべる者が、都市の入口へと出かけていく。それはたいへんな物語になるだろう。都市にはまだ中毒者が残っているはずで——放浪者か、聖なる愚か者か、そのときどんな地位にあるかはわからない——訪問者たちは、彼らのために放送される麻薬トークを聞き、あっというまに中毒になる。

船の乗組員はもちろん武器を持ってくる——わたしたちのそれよりもずっと進歩した、ブレーメンの武器を。だが、わたしたちはとても数が多く、彼らはとても少ない。それに、わたしたちは彼らに危害をくわえるつもりはない。儀仗兵を整列させるくらいだ。

「ようこそ、船長」アリエカの大地にむかってドアがひらくとき、わたしはそう呼びかける。「どうぞこちらへ」彼らは来客であると同時に虜囚となる。

これは言いすぎか。彼らは虜囚となるが、わたしたちは彼らをしっかりともてなす。

ワイアットの指示により、次回の救援で、エンバシータウンには、エズ／ラーと同じタイプの新任の大使たちが何人か送りこまれてくるらしい。彼らは共感技術を向上させている。エズ／ラーはテストだった——つぎにやってくるのはブレーメンによるクーデターだろう。

もう手遅れだ。わたしたちはひとあし早くクーデターを起こしてしまった。新任の大使には、中毒者たちに製品を届ける仕事をしてもらうとしよう。

「ようこそ船長
ようこそ船長」スパニッシュダンサーは言うだろう。そして、待ち受ける武装したエンバシータウンの住民たちにむかって、ギフトウイングで礼儀正しく身ぶりをして見せるだろう。「みなさんもどうぞごいっしょに／みなさんもどうぞごいっしょに」

　新生アリエカ人たちは、テラに複数の言語があることを知って愕然とした。わたしはフランス語をアップロードした。「わたし、ジュ。わたしは、ジュ・スュイ」スパニッシュダンサーはこれを聞いてよろこんだ。わたしは続けた。「ジュ・ヴドレ・ヴニール・アヴェク・ヴ／わたしはあなたといっしょに行きたい」スパニッシュダンサーによる革新はそれだけではなかった。彼らはここでアングロ＝ウービック語ではなく、アングロ＝アリエカ語をしゃべっている。わたしはこの新しい言語の生徒だ。独特のニュアンスがある。わたしが、嘘を学んだことを後悔したかとたずねたとき、スパニッシュはちょっと黙り込んでからこたえた——「わたしは後悔しない／わたしは後悔する」ただの実演だったのかもしれないが、わたしにはその正確さがうらやましい。

　スパニッシュダンサーには悼むという気持ちがあるのだろうか。あいつが書いているものを見せてもらえたら——ほぼまちがいなく、あの戦争にまつわる物語だろう——なにかわかるかもしれない。

　スパニッシュはわたしに別の話をしてくれた。バプテストとタオラーがエンバシータウンへもどって、オレイティーのふりをしながら、エズ／カルを説得してわたしたちの待っている荒野へ連れていこうとしたとき、神の麻薬はふたりに会ってくれなかった。エズ／カルはふたりに、通常どおりアリエカ人の側近を通じてメッセージを届けるよう伝え、その側近は、ふたりが物議をかもしたテシュ・エシャー（サール）の信奉者だということに気づいた。

　その側近はなにかおかしいと感じていた——そのままふたりを引き渡すこともできた。バプテストとタオラーは、一瞬で思いきった決断をし、ほんとうの状況を打ち明けた——もしもエズ／カルを連れ出すことができれば、みんなにとって、新しい、より良い時代がやってくるのだと。

エズ／カルの側近は、彼らも、その信奉する預言者と同じように嘘つきかもしれないと知りながら、ふたりを信じることにした。ずいぶんひさしぶりの希望を胸にいだきながら、エズ／カルのもとへおもむき、バプテストとタオラーが言おうとしていたとおりの話を伝えた。だが、ふたりは新生アリエカ人だったが、そいつはちがった。そいつは真実を知っていて、それまで嘘をついたことがなかった。本心を隠し、ゲンゴで、壮絶な努力と幸運により、自分にとってはうなり声でしかない音でことばを吐き出したのだ。スパニッシュダンサーはわたしに言った——あの戦争の真のヒーローは、生涯にただいちどの嘘をついた、名前もないひとりのアリエカ人だったのだと。

ブレーメンにとって、わたしたちを叩きつぶすのはむずかしいことではない。だが、彼らにとってそれだけの価値がないようにすることはできると思う。イマーをまたぐ戦争は安くはない。わたしたち自身の有用性を高めればいいのだ。なにが役に立つかはわかっている。見るがいい、イマーの暗い端にいる、このわたしたちを！

ブレーメンが望んでいる港を建設しよう。土地の時間で十年以内に。わたしたちは最後の前哨基地となるのだ。それは昔からわたしたちにもとめられていた役割であり、こうして状況を知ったいま、本国の考えていることと完全に同じではないとしても、わたしたち自身の手で運営することができる。

未踏の世界、エンバシータウンへようこそ。噂がどれほど速くひろまるかは知っている。わたしはイマーサーだ、何度も体験している。わたしたちの惑星の岸辺をすこし越えたところが——人びとの呼ぶ——イマーの果てのエルドラドになる。遠い昔の難破船、地球、神。それでいい。どんな冒険家が、どんな宙賊がやってくるかはわかっている。エンバシータウンがスラム街になる可能性があるのもわかっている。だが、なんの役にも立たないとなれば、わたしたちはただ朽ち果てて死ぬか、ブレーメンのシバ爆弾によって一掃されるだろう。サイルは、その夢見がちな愚かさにより、アリエカ人を救おうとして、逆に破滅に追いやるところだった。もしもアリエカ人がわたしたちを殺したら、救援が来たとき、彼らはお返しにアリエカ人を虐殺することをためらったりはしないだろう。そういえばサイルの生まれ故郷のコロニーは、そういうできごとを考えなくていいところだった。

この世界は投機やスリルをもとめる連中によって荒らされるだろう。ここは荒野になるのだ。わたしは枯れ果てた惑星や開拓者の街をおとずれたことがある――ああいう中継所にだっていいところはある。わたしたちは空を開放する。知識を売ることができる。ほかに類のないほど詳細な地図。わたしたちのような地元民しか見つけられないイマーの抜け道。わたしたちは探検のための拠点として信用を得る必要がある。となれば、生きのびて自治権を確保するために、わたしたちは探検をしなければならない。

いずれ、わたしたちのささやかな宙軍には、一隻のイマー船と、少なくともひとりの船長が加わるだろう。つぎのブレーメンの代表が、この世界をどうするべきか視察にくるとき、わたしたちにはなにか提案できることがあるはずだ。

イマーに潜るのはけっして安全ではない。このはるか遠い地で、この辺境で、わたしたちはホモ・ディアスポラの危険な栄光の日々にもどることになる。わたしにためらいはない。いちど出かけて、もどって、また出かける時がきただけだ。方角的にも距離的にも、どんなイマーサーも行ったことのない場所へ。数キロ時もたてば、テラ人が見たこともない異星人と出会って、言語ウェアを駆使し、あいさつを試みるかもしれない。なんだって見つけられるかもしれない。

　わたしは航宙術とイマー学を学んできた——わたしが、浮浪屋（はぐれ）として、ずっと避けてきた技術だ。「一生浮浪（はぐれ）てるわけにはいかないからな」ブレンは、わたしがそんな話をしたとき、ぶっきらぼうに言ったものだ。わたしは夢見るようになってきた——エンバシータウンが、船からどんなふうに見えるかを。だから、こうして毎日リリィパッド・ヒルへやってくる。もう待ちきれないから。

「おはようございます、船長。こちらへどうぞ」そして、わたしと乗組員たちはシャトルを軌道へ、船へと運んでいく。

「準備完了」わたしはそう言って、舵を虚空領域の彼方へセットする。そして発進レバーを押す。あるいは、もっと優雅に副長に操作をまかせるかもしれない。そんな旅路が乗組員にどんな影響をおよぼすかはわからない。もちろん警告はしてある。それでも彼らはついてきてくれるのだ。

　ひょっとすると、スパニッシュダンサー副長が、あのなんとも言えない身ぶりで指示を出し、船を通常宇宙から恒常宇宙へと導くかもしれない。わたしたちはイマーに潜る、そしてアウトへむかう。

　なにが起こるかわかっているふりをするのは愚かなことだ。エンバシータウンがどんな姿になるかは、これから見届けるしかない。

　ここでエンバシータウンと言っているのは都市のことだ。新生アリエカ人さえ、都市のことをその名で呼びはじめている。「エンバシー／タウン」と彼らは言う。あるいは「タウン／エンバシー」、あるいは「エンバシータウン／エンバシータウン」。

解説

人類の入植地「エンバシータウン」がある惑星アリエカには、「ホスト」と呼ばれる異星人が棲む。ホストはふたつの口を持ち、ふたつの声で語られる言葉「ゲンゴ」しか理解できない。普通の人間が話す声は、ただのノイズでしかないのだ。そこで、ホストと会話するために、人類はふたりで一組となる「大使」と呼ばれる人々を作り上げた。またホストは真実しか語らない。嘘を回避するために、奇妙な直喩のシステムを作り出しているほどだ。語り手アヴィスは、エンバシータウンで育った少女時代に、その直喩のひとつになった。広く宇宙を旅した彼女は、ひさしぶりに戻ってきた故郷で、異色な大使の赴任により惑星が滅亡しかねない騒動が引き起こされるのを目撃することになる……。

本書『言語都市』*Embassytown*は、チャイナ・ミエヴィルの第八長篇である。『都市と都市』でSF／ファンタジイ主要各賞を制覇したミエヴィルは、本書でもローカス賞SF長篇部門を受賞したほか、ヒューゴー賞、ネビュラ賞、アーサー・C・クラーク賞、英国SF協会賞の候補にあがっていた。

必ずしもわかりやすい小説ではない。だが、この異質な言葉や概念に翻弄されるうちに、だれもが驚きの読書体験に出会うだろう。大御所アーシュラ・K・ル・グウィンはイギリスのガーディアン紙における書評で、「チャイナ・ミエヴィルは自分がどんな種類の小説を書いているのかわかっており、それをSFときちんと呼んだうえで、強烈に興味深い文学にするためのすべての美点を提示している。この若き作家が真価を発揮し、SFを近年の目立たない場所から表舞台に引っ張りだす姿を目にできるのは喜びである……。『言語都市』は完全に作り込まれた芸術作品である」と大絶賛している。

興味を持たれた方のために記しておくと、同時に発声され、「スヘイルジャー」のように並列されている箇所は、ほぼ原文を踏襲している。また、「イマー」は「いつも」の意味を持つドイツ語immerから造られた言葉らしい。「マンヒマル」はドイツ語の「時々」manchmalから。キロ時という単位も出てくるが、三六五日は八七六〇時間なので、およそ十キロ時弱が一地球年だとすればわかりやすいだろう。なお、アリエカの一年は地球の三年ほどに相当するようだ。

（A・T）

■チャイナ・ミエヴィル小説単行本リスト（チャップブック、RPGは除く）

1 King Rat（1998）『キング・ラット』村井智之訳／アーティストハウス（二〇〇一年）

2 Perdido Street Station（2000）『ペルディード・ストリート・ステーション』日暮雅通訳／早川書房（二〇〇九年）→ハヤカワ文庫SF（二〇一二年）《バス＝ラグ》シリーズ。アーサー・C・クラーク賞、英国幻想文学賞受賞

3　The Scar（2002）※《バス＝ラグ》シリーズ。英国幻想文学賞、ローカス賞ファンタジイ長篇部門受賞。

4　Iron Council（2004）※《バス＝ラグ》シリーズ。アーサー・C・クラーク賞、ローカス賞ファンタジイ長篇部門受賞。

5　Looking for Jake and Other Stories（2005）『ジェイクをさがして』日暮雅通・田中一江・柳下毅一郎・市田泉訳／ハヤカワ文庫SF（二〇一〇年）※短篇集。

6　Un Lun Dun（2007）『アンランダン』内田昌之訳／河出書房新社（二〇〇九年）※ローカス賞ヤングアダルト書籍部門受賞。

7　The City & the City（2009）『都市と都市』日暮雅通訳／ハヤカワ文庫SF（二〇一一年）※アーサー・C・クラーク賞、英国SF協会賞長篇部門、ヒューゴー賞長篇部門、世界幻想文学大賞長篇部門、ローカス賞ファンタジイ長篇部門受賞。

8　Kraken（2010）『クラーケン』（仮）日暮雅通訳／ハヤカワ文庫SF（二〇一三年刊行予定）※ローカス賞ファンタジイ長篇部門受賞。

9　Embassytown（2011）『言語都市』内田昌之訳／新☆ハヤカワ・SF・シリーズ（二〇一三年）※本書。ローカス賞SF長篇部門受賞。

10　Railsea（2012）

A HAYAKAWA SCIENCE FICTION SERIES No. 5008

内田昌之（うちだまさゆき）

1961年生，神奈川大学卒
英米文学翻訳家
訳書
『老人と宇宙（そら）』『アンドロイドの夢の羊』ジョン・スコルジー
『ターミナル・エクスペリメント』『フラッシュフォワード』ロバート・J・ソウヤー
（以上早川書房刊）他多数

この本の型は，縦18.4センチ，横10.6センチのポケット・ブック判です．

〔言語都市（げんごとし）〕

2013年2月20日印刷　2013年2月25日発行

著者	チャイナ・ミエヴィル
訳者	内田昌之
発行者	早川浩
印刷所	三松堂株式会社
表紙印刷	大平舎美術印刷
製本所	株式会社川島製本所

発行所 株式会社 **早川書房**
東京都千代田区神田多町2－2
電話 03-3252-3111（大代表）
振替 00160-3-47799
http://www.hayakawa-online.co.jp

（乱丁・落丁本は小社制作部宛お送り下さい
送料小社負担にてお取りかえいたします）

ISBN978-4-15-335008-3 C0297
Printed and bound in Japan

第九回配本（2013年4月発売）

ヒューゴー賞／ネビュラ賞／ローカス賞受賞

オール・クリア１（仮）

ALL CLEAR (2010)

コニー・ウィリス

大森 望／訳

2060年から、第二次大戦中の英国へ現地調査のためタイムトラベルしたオックスフォード大学の史学生三人は、未来にぶじ帰還できるのか……前作『ブラックアウト』とともに、主要ＳＦ三賞を受賞したシリーズ最新作

書影は原書版